DE STILLE KRACHT

In deze serie verschenen werken van:

AMSTEL KLASSIEK

LOUIS COUPERUS

DE STILLE KRACHT

Veen, uitgevers – Utrecht/Antwerpen

© 1900, 1988 Uitgeverij L.J. Veen B.V., Utrecht/Antwerpen
Alle rechten voorbehouden
Tweeëntwintigste druk
D/1984/0108/093
Omslag: Karel van Laar

CIP-GEGEVENS KONINKLIJKE BIBLIOTHEEK, DEN HAAG

Couperus, Louis

De stille kracht / Louis Couperus. – Utrecht [etc.] : Veen. –
(Amstel Klassiek)
ISBN 90-204-5311-4
UDC 82-3 NUGI 300
Trefw.: romans : oorspronkelijk.

EERSTE HOOFDSTUK

I

De volle maan, tragisch die avond, was reeds vroeg, nog in de laatste dagschemer opgerezen als een immense, bloed-roze bol, vlamde als een zonsondergang laag achter de tamarindebomen der Lange Laan en steeg, langzaam zich louterende van haar tragische tint, in een vage hemel op. Een doodse stilte spande alom als een sluier van zwijgen, of, na de lange middagsiësta, de avondrust zonder over-gang van leven begon. Over de stad, wier wit gepilaarde villa-huizen laag wegscholen in het geboomte der lanen en tuinen, hing een donzende geluideloosheid, in de windstille benauwdheid der avondlucht, als was de matte avond moe van de zonneblakende dag der Oostmoesson. De huizen, zonder geluid, doken weg, doodstil, in het lover van hun tuinen, met de regelmatig opblankende rissen der grote gekalkte bloempotten. Hier en daar werd een licht al ont-stoken. Plotseling blafte een hond, en antwoordde een andere hond en verscheurde de donzende stilte in lange, ruwe flarden; de nijdige hondekelen, hees, ademloos, schor vijandig; plotseling ook zwegen zij stil.
Aan het einde der Lange Laan lag diep in zijn voortuin het Residentie-huis. Laag, dadelijk in de nacht der warin-ginbomen, zigzagde het zijn pannendaken, het ene achter het andere, naar de schadow van de achtertuin toe, met een primitieve lijn van daktekening, over iedere galerij een dak, over iedere kamer een dak, tot één lange daksilhouet. Vóór echter, rezen de witte zuilen der voorgalerij, met de witte zuilen der portiek, hoog blank en aanzienlijk op, met brede tussenruimten, met grote openheid van ontvangst, met een uitbreiding van indrukwekkend paleisportaal. Door de open deuren verschoot de middengalerij vaag naar ach-teren toe, met een enkel licht opgeglimd. Een oppasser ontstak de lantarens ter zij van het huis. Halfcirkels van grote, witte potten met rozen en chrysanten, met palmen en caladiums*, bogen links en rechts wijd voor het huis

* Zie de Verklarende woordenlijst op blz. 207/208.

naar terzijde uit. Een brede grintlaan vormde de oprit tot in de witgezuilde portiek; dan strekte zich uit een wijd dor gazon, met potten omgeven, en, in het midden op een gemetseld voetstuk, een monumentale vaaspot, met een grote latania. Een groene frisheid was daar de kronkelende vijver, waar de reuzenbladeren ener Victoria Regia als dofgroene presenteerbladen zich rondden tegen elkaar, met een enkele blankende lotosachtige bloem er tussen. Een pad kronkelde langs de vijver en op een met kiezelsteen geplaveide ronde plek rees een hoge vlaggestok. De vlag was reeds neergehaald, als iedere dag om zes uur. Een eenvoudig hek sneed het erf af van de Lange Laan.

Het reusachtige erf was stil. Er brandden nu, langzaam, omslachtig aangestoken door de lampenjongen, één lamp van de kroon der voorgalerij, en de neergedraaide lamp binnen, als twee nachtlichtjes in het paleis van zuilen en van, kinderlijk naar achter verschietende, daken. Op de trappen van de kantoorkamer zaten enkele oppassers, in hun donkere uniform, fluisterend wat te praten. Eén van hen stond na een poze op en begaf zich, met een rustige pas van zich niet te willen overhaasten, naar een bronzen klok, die hoog hing, bij het oppassershuisje, geheel terzijde van het erf. Toen hij na een honderd pas genaderd was, luidde hij zeven langzame weer-echoënde slagen. De klepel bronsde bonzende in de bel van de klok en de slag, telkens, zigzagde na met een zware trilling van nageluid. De honden blaften weer op. De oppasser, langzaam, met zijn lenige pas, jongensachtig slank in zijn blauw laken jasje en broek met gele banden en omslag, liep zijn honderd passen naar de andere oppassers rustig terug.

Nu was in het kantoor licht ontstoken en ook in de aangrenzende slaapkamer, waar het door de jaloezieën schemerde. De resident, een grote zware man, in zwart jasje, witte broek, liep de kamer door en riep naar buiten:

– Oppas!

De hoofdoppasser, in zijn laken uniformrokje, de panden breedgeel omzoomd, naderde met gebogen knieën, hurkte neer...

– Roep de nonna!

– De nonna is al uitgegaan, Kandjeng! fluisterde de man en schetste met beide handen, de vingers tegen elkaar, het eerbiedig gebaar van de semba.

– Waar is de nonna naar toe?

– Dat heb ik nog niet onderzocht, Kandjeng! zei de man, als verontschuldiging, dat hij niet wist, en schetste weer de semba.

De resident dacht even na.

– Mijn pet, zeide hij. Mijn stok.

De hoofdoppasser, steeds in krommende knieën van zich eerbiedig krimpen in elkaar, scharrelde even door de kamer en bood hurkende áan de klein-uniformpet, en een wandelstok.

De resident ging uit. De hoofdoppasser haastte zich achter hem aan, met een tali-api in de hand: een lange brandende lont, waarvan hij de gloeiende punt zwaaide om aan wie voorbijging, in de avond, de resident te doen herkennen. De resident liep langzaam het erf af, en naar de Lange Laan. Aan die laan, als een avenue van tamarinde-bomen en flamboyants, lagen de villa's der voornaamste notabelen, flauw verlicht, doodstil, schijnbaar onbewoond, met, in de avond-vaagheid opblankend, de rissen der gekalkte bloempotten. De resident wandelde eerst langs het huis van de secretaris; dan ter andere zijde een meisjesschool; dan de notaris, een hotel, de post, de president van de Landraad. Aan het einde van de Lange Laan stond de Roomse kerk, en verderop, de brug over der kali, lag het station. Bij het station was meer verlicht dan de andere huizen een grote Europese toko. De maan, hoger geklommen, zich heller zilverende bij haar stijging, bescheen de witte brug, de witte toko, de witte kerk: dit alles om een vierkant square, meer open, zonder bomen en met in het midden een spits monumentje, dat de Stadsklok was.

De resident ontmoette niemand; nu en dan kwam echter een enkele Javaan, zich donker bewegende, even uit de schaduw, en dan zwaaide de oppasser achter zijn heer met veel ostentatie de gloeiende punt van zijn vuurtouw. Meestal begreep de Javaan, en maakte zich klein, en kromp in-een aan de rand van de weg, en ging als loophurkende voorbij. Een enkele keer, onwetend, pas uit zijn dessa, begreep hij niet, liep angstig voorbij, zag angstig naar de oppasser, die maar zwaaide en zwaaide, en hem, in het voorbijgaan, achter de rug van zijn meester een vloek toeduwde, omdat hij – de dessa-kerel – geen manieren had. Als een karretje aankwam of sado, zwaaide hij weer en

7

zwaaide hij zijn vuursterretje door de avond, wenkte de voerman, die óf stil hield en afsteeg, óf neerhurkte in zijn voertuigje en hurkend doormende aan de uiterste rand van de weg.

De resident liep somber door, met de flinke pas van een besliste wandelaar. Hij was rechts van het square-tjeaf geslagen, en liep langs de Hervormde kerk, recht op een mooie villa toe met slanke, vrij correcte Ionische pleisterzuilen en hel verlicht met petroleumlampen in kronen. Het was de societeit Concordia. Een paar bedienden in witte buisjes zaten op de trappen. Een Europeaan in een wit pakje, de kastelein, liep in de voorgalerij. Maar om de grote bittertafel zat niemand en de wijde rieten stoelen openden hun armen afwachtende als tevergeefs.

De kastelein, ziende de resident, boog, en de resident tikte kort aan zijn pet en ging de societeit voorbij, sloeg links om. Hij wandelde een laan af, langs kleine donkere huisjes in kleine erfjes weggedoken, sloeg weer om en ging langs de uitmonding der kali, die was als een kanaal. Prauw aan prauw lag vastgemeerd; een eentonig geneurie van Madoerese zeelui zeurde droefgeestig langzaam over het water, waaruit een vissige wadem oprees. Langs het havenkantoor ging de resident naar de pier toe, die een eind uitstak in zee, en waar op de punt een kleine vuurtoren, als een kleine Eiffel, zijn ijzeren kandelabervorm verhief, met zijn lamp aan de top. Daar bleef de resident staan en ademde op. De wind was plotseling opgestoken, de grongong blies, uit de verte waaiende aan, als iedere dag om dat uur. Maar soms zakte hij ineens onverwachts neer, in-een, als met een onmacht zijner waaiende vlerken, en de opgeheven zee strookte haar maanwitte schuimkrullen glad en fosforiseerde even, met strepen lang en bleek.

Over de zee naderde droefgeestig een eentonig ritmisch zeuren van zingen, een zeil donkerde aan als een grote nachtvogel, en een vissersprauw met hoog opbuigende voorsteven, – met iets van een antiek schip – gleed het kanaal in. Een weemoed van levensgelatenheid, een berusting in al het kleine donkere aardse onder die eindeloze hemel, aan die zee van fosforiserende verte, dreef om en toverde een geheimzinnigheid, die beklemde...

De grote stevige man, die daar stond, wijdbeens, opademend de, langzaam met vlagen aanwaaiende, wind –

moe van zijn werk, van zijn zitten aan zijn schrijftafel, van zijn berekeningen der duitenkwestie – die afschaffing der duiten, door de Gouverneur-Generaal zijner persoonlijke verantwoordelijkheid opgelegd als een kwestie van belang – die grote stevige man, praktisch, koel van denken, kort beslist van langdurige gezagsuitoefening, voelde misschien niet die donkere geheimzinnigheid drijven over de Indische avondstad – hoofdplaats van zijn gewest – maar hij voelde een begeerte naar tederheid. Vaag voelde hij de begeerte van een kinderarm om zijn hals, van kleine hoge stemmen om zich heen, de begeerte naar een jonge vrouw, die glimlachend hem wachten zou. Hij dacht die sentimentaliteit in zich niet uit, hij was niet gewoon zich over te geven aan mijmering over zichzelve: hij had het te druk; zijn dagen waren te veel gevuld met belangen van allerlei aard, dan dat hij toe zou geven aan wat hij wist, dat zijn vlaagjes van zwakte waren: de onderdrukte opwellingen van jongere jaren. Maar al mijmerde hij niet, de stemming was onafweerbaar, als een druk op zijn brede borst, als een ziekte van tederheid, een malaise van sentimentaliteit in zijn anders heel praktisch gemoed van hoofdambtenaar, die hield van zijn werkkring, van zijn gewest; die hart had voor de belangen ervan, en wie het bijna onafhankelijk gezag van zijn betrekking geheel in harmonie was met zijn heersersnatuur; die met zijn krachtige longen zijn atmosfeer van wijde werkkring en ruim veld van zo verscheiden arbeid, met even veel genot gewoon was te ademen, als hij nu ademde de wijde wind van de zee. De begeerte, het verlangen, een heimwee, waren die avond vooral, vol in hem. Hij voelde zich eenzaam, niet alléén om het isolement, dat een hoofd van gewestelijk bestuur altijd min of meer omringt, wie men óf nadert conventioneel glimlachend-eerbiedig, om conversatie, óf kort, zakelijk-eerbiedig, om zaken. Hij voelde zich eenzaam, hoewel hij vader was van een huisgezin. Hij dacht aan zijn grote huis, hij dacht aan zijn vrouw en zijn kinderen. En hij voelde zich eenzaam, en alleen gedragen door het belang, dat hij stelde in zijn werk. Het was hem alles in zijn leven. Het vulde al zijn uren. Er over denkende sliep hij in, zijn eerste gedachte was voor het een of ander gewestelijk belang.
In dit ogenblik, moe van het cijferen, opademende in de wind, ademde hij tegelijk met de frisheid van de zee de

9

weemoed van de zee in, de geheimzinnige weemoed der Indische zeeën, de opspokende weemoed der zeeën van Java; de weemoed, die aanruist van verre als op suizende wieken van geheimzinnigheid. Maar zijn natuur was niet om zich over te geven aan mysterie. Hij ontkende het mysterie. Het was er niet: er was alleen de zee en de wind, die fris was. Er was alleen de walm van die zee, als iets van vis en van bloemen en zeewier; walm, die de frisse wind uitwoei. Er was alleen het ogenblik van herademing, en wat hij, onafweerbaar, voor geheimzinnige weemoed voelde toch sluipen in zijn, die avond, wat weke gemoed, dacht hij te zijn om zijn huislijke kring, die hij liever wat nauwer gevoeld had, dichter sluitende om wat in hem was vader en echtman. Was er van weemoed nog iets, dan was het dát. Uit de zee kwam het niet; uit de lucht aan, van verre niet. Hij gaf zich niet over aan een allereerste sensatie van wonderlijkheid... En hij plantte zich steviger, welfde zijn borst, richtte-op zijn flinke, militaire kop en snoof de walm in en de wind...

De hoofdoppasser, neergehurkt, met zijn gloei-vuurtouw in de hand, gluurde aandachtig op naar zijn heer, als dacht hij: wat doet hij hier zo vreemd te staan bij de vuurtoren... Zo vreemd, die Hollanders... Wat denkt hij nu... Waarom doet hij zo... Juist op dit uur op deze plek... De zeegeesten waren nu om... Er zijn kaaimannen onder het water, en iedere kaaiman is een geest... Zie, daar heeft men aan ze geofferd, pisang en rijst en dèndèng en een hard ei op een vlotje van bamboe; onderaan bij het voetstuk van de vuurtoren... Wat doet de Kandjeng Toean nu hier... Het is hier niet goed, het is hier niet goed... tjelaka, tjelaka... En zijn spiedende ogen gleden op en neer langs de brede rug van zijn heer, die maar stond en uitzag... Waar zag hij naar toe...? Wat zag hij aanwaaien in de wind...? Zo vreemd, die Hollanders, vreemd...

De resident, plotseling, keerde zich om en liep terug, en de oppasser, opschrikkend, volgde hem, blazende-aan de punt van zijn vuurtouw. De resident liep de zelfde weg terug; nu zat er een heer in de societeit, die groette, en een paar jongelui in het wit wandelden in de Lange Laan. De honden blaften.

Toen de resident de ingang naderde van het residentie-erf, zag hij vóor, aan de andere ingang, twee witte figuren, een

man en een meisje, die zich echter uitwisten in de nacht
onder de waringins. Hij ging recht naar zijn kantoor; een
andere oppasser naderde en hij gaf hem pet en stok.
Dadelijk zette hij zich aan zijn schrijftafel. Hij kon nog een
uur werken, vóor het diner.

II

Meerdere lichten waren opgestoken. Eigenlijk waren overal lichten ontstoken, maar in de lange, brede galerijen was
het maar even licht. Op erf en in huis brandden zeker niet
minder dan twintig, dertig petroleumlampen in kronen en
lantarens, maar het was niet meer dan vage lichtschemer,
die geel waasde door het huis. Een stroom van maneschijn
vloot in de tuin, deed de bloempotten opblanken, tintelde
in de vijver, en tegen de blanke lucht waren de waringins
als mollig fluweel.
De eerste gong voor het diner was geslagen. In de voorgalerij wipte een jonge man op een wipstoel, op en neer,
de handen achter het hoofd, zich vervelend. Een jong
meisje, neuriënd, liep door de middengalerij, als in afwachting. Het huis was gemeubileerd volgens het con-
ventionele type van residentie-woningen in het binnenland, plechtig en banaal. De marmeren vloer van de voorgalerij spiegelde gladwit; hoge palmen in potten stonden
tussen de pilaren; om marmeren tafels rijden zich wipstoelen. In de eerste binnengalerij, die in de breedte even-
wijdig liep aan de voorgalerij, stonden stoelen gerijd tegen
de wand, als voor een eeuwige receptie. De tweede binnengalerij, die zich uitstrekte in de lengte, vertoonde aan het
einde, daar waar zij zich weer verbreedde tot een galerij
in de breedte, een reusachtige rode satijnen portière aan
gouden kroonlijst. In de witte vlakken tussen de deuren
der kamers hingen óf spiegels in gouden lijst, staande op
marmeren consoles, óf lithogravures, – schilderijen, zoals
men in Indië zegt: Van Dijck te paard, Paul Veronese op
de trappen van een Venetiaans paleis, ontvangen door een
Doge; Shakespeare aan het hof van Elizabeth, en Tasso
aan het hof van Este –; maar in het grootste vak hing in
een koningsgekroonde lijst een grote ets: portret van
koningin Wilhelmina in kroningsornaat. In het midden der

middengalerij was een rood satijnen ottomane, bekroond door een palm. Verder vele stoelen en tafels, grote lampekronen overal. Alles was netjes onderhouden en van een pompeuze banaliteit, een onhuislijke afwachting van de eerst volgende receptie, zonder een enkel intiem hoekje. In het halflicht der petroleumlampen – in elke kroon was éen lamp ontstoken – strekten de lange, brede, wijde galerijen zich in een lege verveling uit.

De tweede gong sloeg. In de achtergalerij was de te lange tafel – als steeds wachtende gasten – gedekt voor drie personen. De spen en een zestal jongens stonden in afwachting bij de dientafels en de twee buffetten. De spen begon reeds borden met soep te vullen, en een paar van de jongens plaatsten de drie borden soep al op tafel, op de gevouwen servetten, die op de borden lagen. Toen wachtten zij weer af, terwijl de soep lichtjes dampte. Een andere jongen vulde de drie waterglazen met grote brokken ijs.

Het jonge meisje was nader gekomen, neuriënd. Zij was misschien zeventien jaar, en zij leek op haar gescheiden moeder: de eerste vrouw van de resident, een mooie nonna, die nu te Batavia woonde, en, naar men zeide, een stil speelhuis hield. Zij had een olijfbleke tint, met soms even de blos van een vrucht; zij had mooi zwart haar, dat natuurlijk kroesde aan haar slapen, en in een zeer grote wrong was vastgestoken, haar zwarte pupillen met vonkel-iris dreven in een vochtig blauwwit, waarom zware wimpers speelden, op en neer, op en neer. Haar mondje was klein en een beetje dik en haar bovenlip donsde even met een donker zweempje van haar. Zij was niet groot, en al te vol van vorm, als een haastige roos, die te snel openbloeit. Zij droeg een witte piqué rok en een witte linnen blouse met entredeux, en zij had om haar hals een schelgeel lint, dat heel aardig stond bij haar olijfbleekte, die soms opbloosde, plotseling, als met een stroom van bloed.

De jonge man uit de voorgalerij was aangeslenterd. Hij leek op zijn vader, groot, breed, blond, met een dikke blonde snor. Hij was nauwlijks drie-en-twintig jaar, maar hij zag er wel vijf jaar ouder uit. Hij droeg een wit pak van Russisch linnen, maar met een boordje en een das.

Eindelijk kwam ook Van Oudijck; zijn besliste trap naderde aan, als had hij het altijd druk, als kwam hij nu even eten tussen zijn werk door. Alle drie zetten zich zonder een woord en lepelden de soep.

– Hoe laat komt mama morgen? vroeg Theo.

– Om halftwaalf, antwoordde Van Oudijck, en zich wendende tot zijn lijfjongen, achter zich:

– Kario, denk er om, dat de njonja besar morgen om half twaalf afgehaald moet worden van het station.

– Kandjeng... fluisterde Kario.

Een gerecht van vis werd rondgediend.

– Doddy, vroeg Van Oudijck: met wie was je zoëven aan het hek?

Doddy keek haar vader langzaam, verwonderd aan, met haar vonkel-irissen.

– Aan... het hek? informeerde zij langzaam, met een zeer mollig accent.

– Ja.

– Aan... het hek...? Met niemand... Met Theo misschien.

– Was jij met je zuster aan het hek? vroeg Van Oudijck. De jongen fronste zijn dikke blonde brauwen.

– Kan wel... weet niet... herinner me niet...

Zij zwegen alle drie. Zij haastten het diner af, zich vervelende aan tafel. De vijf, zes bedienden, in witte baadjes met rode linnen omslagen, liepen zacht op de platte tenen, bedienden vlug en geruisloos. Men at nog biefstuk met sla, en pudding, en vruchten.

– Eeuwig biefstuk... mopperde Theo.

– Ja, die kokkie! lachte Doddy met haar keellachje. Zij geef altijd biefstuk, als mama niet is; kan haar niet schelen, als mama niet is. Zij verzint niet. Te erg toch...

Zij hadden in twintig minuten gegeten, toen Van Oudijck weer ging naar zijn kantoor. Doddy en Theo slenterden naar voren.

– Vervelend... gaapte Doddy. Kom, wij biljarten?

In de eerste binnengalerij, achter de satijnen portière, stond een klein biljart.

– Kom dan, zei Theo.

Zij speelden.

– Waarom moest ik samen met je aan het hek geweest zijn?

– Ach... té! zei Doddy.

– Nu, waarom?

13

– Pa hoef niet te weten.
– Met wie was je dan? Met Addy?
– Natuurlijk! zei Doddy. Zeg, is Stadsmuziek vanavond?
– Ik geloof wel.
– Kom, wij gaan, ja?
– Neen, ik heb geen lust.
– Ach, waarom dan niet?
– Ik heb geen lust.
– Ga mee nou?
– Neen.
– Met mama... jij wil wel, ja? zei Doddy boos. Ik weet heel goed. Met mama jij gaat altijd naar Stadsmuziek.
– Wat weet jij... klein nest!
– Wat ik weet? lachte zij. Wat ik weet? Ik weet wat ik weet.
– Hé! plaagde hij, een carambole mikkende met een ruwe stoot. Jij met Addy, hè!
– Nou, en jij met mama...
Hij haalde de schouders op.
– Je bent gek, zeide hij.
– Hoef niet te verbergen voor mij! Trouwens, iedereen zegt.
– Laat ze zeggen.
– Te erg toch van jou!
– Ach, stik...
Hij smeet zijn keu driftig neer en ging naar voren.
Zij volgde hem.
– Zeg Theo..., niet boos zijn dan. Ga nou mee naar Stadsmuziek.
– Neen...
– Ik zal niets meer zeggen, smeekte zij lief.
Zij was bang, dat hij boos zou blijven, en dan had ze niets en niemand; dan verveelde ze zich helemaal.
– Ik heb Addy beloofd, en ik kan toch niet alleen gaan...
– Nu, als je dan niet meer zulke idiote dingen zegt...
– Ja, ik beloof. Lieve Theo, ja, kom dan...
Zij was al in de tuin.
Van Oudijck verscheen op de drempel van zijn kantoor, waarvan de deur altijd open stond, maar dat met een groot schutsel afgesloten was van de binnengalerij.
– Doddy! riep hij.
– Ja, pa?

14

– Zou je morgen kunnen zorgen voor wat bloemen in mama's kamer?
Zijn stem was bijna verlegen en zijn ogen knipten. Doddy hield haar gegichel in.
– Goed pa... Ik zal zorgen.
– Waar ga je naar toe?
– Met Theo... naar Stadsmuziek.
Van Oudijck werd rood, boos.
– Naar de Stadsmuziek? Maar dat kan je me toch wel vragen! riep hij plotseling razend.
Doddy pruilde.
– Ik hou er niet van, dat je uitgaat, zonder dat ik weet waarheen. Vanmiddag ook was je weg, toen ik met je wandelen wou!
– Nu, soedah dan maar, zei Doddy en huilde.
– Je kan wel gaan, zei Van Oudijck: maar ik wil hebben, dat je het me eerst vraagt.
– Neen, ik heb geen trek meer! huilde Doddy. Soedah maar. Geen Stadsmuziek.
In de verte, in de tuin van Concordia hoorden zij de eerste klanken.
Van Oudijck was teruggegaan in zijn kantoor. Doddy en Theo wierpen zich in twee wipstoelen in de voorgalerij, en wipten met razernij, met de stoelen schaatsende over het gladde marmer.
– Kom, zei Theo. Laten we maar gaan. Addy wacht je.
– Neen, mokte zij. Kan niet schelen. Ik zal Addy morgen zeggen, papa zo onaardig. Hij bederft mijn plezier. En... ik zet geen bloemen in mama's kamer.
Theo grinnikte.
– Zeg, fluisterde Doddy. Die papa... hè? Zo verliefd, altijd. Hij had een kleur toen hij mij vroeg van die bloemen.
Theo grinnikte nog eens, en neuriede met de verre muziek mee.

III

De volgende morgen ging Theo om half twaalf met de landauer zijn stiefmoeder afhalen van het station.
Van Oudijck, die, op dat uur, meestal de politierol afdeed, had zijn zoon niets gezegd, maar toen hij uit zijn kantoor Theo in het rijtuig zag stappen en wegrijden, vond hij het

aardig van de jongen. Hij had Theo als kind afgodisch liefgehad, had hem als knaap nog bedorven, was met hem als jonge man dikwijls in botsing gekomen, maar nog dikwijls flakkerde de oude vaderpassie onweerstaanbaar op. Hij had zijn zoon op dit ogenblik meer lief dan Doddy, die die morgen nog steeds geboudeerd had, en geen bloemen in de kamer zijner vrouw gezet had, zodat hij aan Kario had bevolen voor bloemen te zorgen. Het speet hem nu in dagen geen vriendelijk woord tegen Theo gezegd te hebben en hij nam zich voor, straks dat toch waarlijk weer eens te doen. De jongen was wispelturig: in drie jaren was hij employé geweest op zeker vijf koffie-ondernemingen; nu was hij weer buiten betrekking, en hing thuis, zoekende naar iets anders.

Theo, aan het station, wachtte enkele minuten, toen de trein van Soerabaia aankwam. Hij zag mevrouw Van Oudijck dadelijk, en de twee kleine jongens, René en Ricus, in tegenstelling van hem twee kleine sinjo's, die zij van Batavia meebracht voor hun grote vacantie, en haar lijfmeid Oerip.

Theo hielp zijn stiefmoeder uitstijgen, de stationschef groette eerbiedig de vrouw van zijn resident. Zij knikte met haar glimlach terug, als een welwillende koningin. Zij duldde met haar glimlach, éven dubbelzinnig, dat haar stiefzoon haar kuste op de wang. Zij was een grote vrouw, blank, blond, over de dertig, met die lome statigheid van in Indië geboren vrouwen, dochters van geheel Europese ouders. Zij had iets, waarnaar men dadelijk keek. Het was om haar blanke vel, haar teint van melk, haar heel licht blond haar, haar ogen, vreemd grauw, soms even geknepen en altijd met een uitdrukking van dubbelzinnigheid. Het was om haar eeuwige glimlach, soms heel lief en innemend, en dikwijls onuitstaanbaar, vervelend. Men wist niet bij een eerste zien, of zij achter die blik iets borg, enige diepte, enige ziel, of dat het maar was kijken en lachen, en beide met die lichte dubbelzinnigheid. Spoedig echter merkte men óp haar glimlachend afwachtende onverschilligheid, als kon haar heel weinig schelen, als stelde zij geen belang, zelfs al zou de hemel boven haar instorten: als zou zij, glimlachend, dat wel aan zien komen. Haar tred was langzaam. Zij droeg een roze piqué rok en bolero, een wit satijnen lint om het middel, en een witte matelot met wit

satijnen strik; en haar zomers reispakje was zeer correct,
vergeleken bij dat van een paar andere dames op het per-
ron: drentelende in stijf uitgestreken „bébé's" – als nacht-
jurken – met tule hoeden en pluimen daarboven! – en in
haar zeer Europese verschijning was misschien alleen die
langzame pas, die lome statigheid de Indische nuance, dat,
wat haar onderscheidde van een vrouw, pas uit Holland.
Theo had haar arm toegebogen en zij liet zich leiden naar
het rijtuig – „de wagen" – gevolgd door de twee donkere
broertjes. Zij was twee maanden afwezig geweest. Zij had
een knik over en een glimlach voor de stationschef; zij had
een blik over voor de koetsier en de staljongen en zij zette
zich langzaam, loom, blanke sultane, en steeds met haar
glimlach, neer. De drie stiefzoons volgden haar; de meid
reed achter in een karretje. Mevrouw Van Oudijck zag
eens naar buiten en vond dat Laboewangi er nog steeds
uitzag als vroeger. Maar zij zeide niets. Zij trok zich langzaam weer terug en leunde achteruit. Haar wezen vertoonde een zekere tevredenheid, maar vooral die lichtende en
lachende onverschilligheid, als kon niets haar deren, als
was zij beschermd door een vreemde macht. Er was in deze
vrouw iets sterks, iets machtigs van louter onverschilligheid: er was in haar iets onkwetsbaars. Zij zag er uit, of
het leven geen vat op haar zou hebben, niet op haar teint
en niet op haar ziel. Zij zag er uit of zij niet kon lijden en
het was of zij glimlachte en zo tevreden was, omdat er
voor haar geen ziekte, geen leed, geen armoede, geen
ellende bestond. Een uitstraling van glanzend egoïsme was
om haar. En toch was zij, meestal, beminnelijk. Zij nam
meestal in, zij palmde in, omdat zij zo mooi was. Deze
vrouw, met haar glinsterende zelftevredenheid, was bemind, hoe men verder ook over haar sprak. Als zij sprak,
als zij lachte, ontwapende zij, en meer nog, was zij innemend. Het was trots, en, – misschien – juist óm haar
onpeilbare onverschilligheid. Zij stelde belang alleen in
haar eigen lichaam en in haar eigen ziel: ál het andere, ál
het andere was haar totaal onverschillig. Onmachtig iets
van haar ziel te geven, had zij nooit gevoeld dan voor zichzelve, maar zo harmonisch en zo innemend glimlachend,
dat men haar altijd beminnelijk vond, aanbiddelijk. Het
was misschien om de lijn van haar wangen, de vreemde
dubbelzinnigheid in haar blik, haar onuitwisbare glimlach,

de gratie van haar figuur, de klank van haar stem en haar altijd zo juiste woord. Als men haar eerst onuitstaanbaar vond, merkte zij dat niet op en werd juist allerinnemendst. Als men jaloers was, merkte zij dat niet op en prees juist, intuïtief, onverschillig weg – het kon haar totaal niet schelen – wat een ander in zich minder vond. Zij kon met het liefste gezicht een toilet bewonderen, dat zij afschuwelijk vond, en uit louter onverschilligheid was zij later niet vals en brak zelfs later die bewondering niet af. Haar mateloze onverschilligheid was haar levenskracht. Zij had zich aangewend alles te doen waar zij lust toe had, maar zij deed het met haar glimlach en, wat men ook praatte achter haar rug, zij bleef zó correct, zo betoverend, dat men het haar vergaf. Zij was niet bemind als men haar niet zag, maar zodra men haar zag, had zij alles weer gewonnen. Haar man bad haar aan, haar stiefkinderen – eigen kinderen had zij niet – konden het niet helpen, onwillekeurig, tegen zich in, van haar te houden; haar bedienden waren allen onder haar invloed. Zij bromde nooit, zij beval met een woord, en het gebeurde. Was er iets verkeerd, brak er iets, haar glimlach bestierf even... en dat was alles. En was haar eigen ziels- en lichaamsbelang in gevaar, dan wist zij het meestal af te wenden en nog zo voordelig mogelijk te schikken, zonder dat de glimlach zelfs bestierf. Maar zij had dit persoonlijk belang zo om zich geserreerd, dat zij de omstandigheden ervan meestal beheerste. Een noodlot scheen op deze vrouw niet te drukken. Haar onverschilligheid was glanzend, was geheel onverschillig – zonder minachting, zonder afgunst, zonder emotie: haar onverschilligheid was eenvoudig onverschilligheid. En de tact, waarmee zij instinctmatig, zonder ooit veel na te denken, haar leven leidde en beheerste, was zo groot, dat, misschien, als zij alles verloren zou hebben wat zij nu bezat – haar schoonheid, haar positie, bijvoorbeeld – zij nog onverschillig zou kunnen blijven, in haar onmacht om te lijden. Het rijtuig reed het residentie-erf in, juist toen de politierol begon. De Javaanse officier-van-justitie – hoofddjaksa – was reeds bij Van Oudijck in het kantoor: de djaksa en de politie-oppassers leidden de stoet der beklaagden: de inlanders hielden elkaar aan een punt van hun baadje vast en liepen op een trippelgangetje, maar de enkele vrouwen er tussen liepen alleen: onder een waringin-boom,

18

op enige afstand van de trappen van het kantoor hurkten zij allen neer, in afwachting. Een oppasser, horende de klok in de voorgalerij, sloeg half-een met de grote bel bij het oppassershuis. De luide slag trilde als een bronzen tong door de middag-blakende hitte na. Maar Van Oudijck had het rijtuig horen aanrollen en hij liet de hoofd-djaksa wachten: hij ging zijn vrouw tegemoet. Zijn gezicht klaarde op: hij kuste haar teder, met effusie, informeerde hoe zij het maakte. Hij was blij de jongens terug te zien. En zich herinnerende wat hij over Theo had nagedacht, had hij voor zijn oudste een vriendelijk woord. Doddy, nog met haar bouderend dik mondje, zoende mama. Zij liet zich zoenen, gelaten, glimlachend, zij kuste kalm terug, zonder koelheid, zonder warmte, juist doende wat zij doen moest. Haar man, Theo, Doddy bewonderden haar zichtbaar, zeiden, dat zij er goed uitzag; Doddy vroeg waar mama dat aardige reispakje vandaan had? In haar kamer, zag zij de bloemen en daar zij wist, dat Van Oudijck hiervoor steeds zorgde, aaide zij even haar man op de arm. De resident ging terug naar zijn kantoor, waar de hoofd-djaksa wachtte; het verhoor begon. Door de politie-oppasser opgeduwd kwamen de beklaagden, een voor een, hurken op de trap, voor de drempel van het kantoor, terwijl de djaksa hurkte op een matje, de resident zat voor zijn schrijftafel. Terwijl de eerste strafzaak behandeld werd, luisterde Van Oudijck nog naar de stem zijner vrouw in de middengalerij, toen de beklaagde zich verdedigde met de luide kreet van:
– Bot'n! Bot'n!
De resident fronste zijn wenkbrauwen en luisterde met aandacht... In de middengalerij zwegen de stemmen. Mevrouw Van Oudijck was zich gaan uitkleden, om sarong en kabaai aan te doen voor de rijsttafel. Zij droeg het coquet: een Solose sarong, een transparante kabaai, juwelen speldjes; witte leren muiltjes met een klein wit strikje er op. Zij was juist klaar, toen Doddy aan haar deur kwam en zeide:
– Mama, mama... daar is mevrouw Ván Does!
De glimlach bestierf even: de zachte ogen zagen donker...
– Ik kom dadelijk, kind...
Maar zij ging zitten en Oerip, de lijfmeid, sprenkelde parfum op haar zakdoek. Mevrouw Van Oudijck vlijde zich uit, en mijmerde wat na, in de loomheid na haar reis. Zij vond Laboewangi wanhopig vervelend na Batavia, waar

19

zij twee maanden gelogeerd had bij kennissen en familie, vrij en zonder verplichtingen. Hier, als residentsvrouw, had zij er enige, ook al schoof zij de meeste van zich af, op de vrouw van de secretaris. Zij was in zichzelve moe, ontstemd, ontevreden. Trots haar algehele onverschilligheid was zij menselijk genoeg om haar stille buien te hebben, waarin zij alles verwenste. Dan verlangde zij ineens iets dols te doen, dan verlangde zij, vaag-weg, naar Parijs... Zij zou dat nooit aan iemand laten merken. Zij kon zich bedwingen, en ook nu bedwong zij zich, voor zij zich weer vertoonde. Haar vaag Bacchantisch verlangen versmolt in haar loomheid. Zij strekte zich gemakkelijker, zij mijmerde, met bijna geloken ogen. Door haar bijna bovenmenselijke onverschilligheid krulde soms een vreemde fantasie, verborgen voor de wereld. Het liefst leefde zij in haar kamer haar leven van geparfumeerde verbeelding, vooral na haar maand in Batavia... Ná zo een maand van perversiteit had zij behoefte haar vagebonderende roze verbeelding te laten krullen en wolken voor haar knippende ogen. Het was in haar verder geheel dorre ziel als een onwerkelijke bloei van azuren bloemetjes, die zij kweekte met het enige sentiment, dat zij ooit zou kunnen voelen. Zij voelde voor geen mens, maar zij voelde voor die bloemetjes. Zo te mijmeren vond zij heerlijk. Wat zij had willen zijn, als zij niet behoefde te zijn, die zij was... De fantasie wolkte: zij zag een wit paleis en overal cupidootjes...

– Mama... kom dan tóch. Daar is mevrouw Ván Does, mevrouw Van Does, met twee stopflessen...

Het was Doddy aan haar deur. Léonie van Oudijck stond op en ging naar de achtergalerij, waar de Indische dame zat, de vrouw van de postkommies. Zij hield koeien en verkocht melk. Maar zij deed ook in andere handel. Zij was een dikke dame, even wat bruin, met vooruitstekende buik; zij droeg een heel eenvoudig kabaaitje met een smal kantje er om heen, en haar dikke handjes streelden de buik. Voor zich op tafel had zij twee stopflesjes staan, waarin iets glinsterde. Wat was dat van suiker, kristal, dacht mevrouw Van Oudijck vaag, toen zij zich plotseling herinnerde... Mevrouw Van Does zeide, dat zij blij was haar weer terug te zien. Twee maanden weg van Laboewangi. Toch te erg, die mevrouw Van Oudijck maar? En zij wees op de stopflessen. Mevrouw Van Oudijck glimlachte. Wat was het?

Geheimzinnig legde mevrouw Van Does een dik, naar achter omkrullend, slap geleed wijsvingertje tegen een der stopflessen aan, en zei, fluisterend:
– Inten-inten!
– Zo? vroeg mevrouw Van Oudijck.
Doddy, met grote ogen, en Theo, geamuseerd, tuurden naar de twee stopflesjes.
– Ja... U weet wel, van die dame... van wie ik u gesproken...
Haar naam wil zij niet noemen. Kassian, vroeger haar man een grote piet, en nu... ja toch zo ongelukkig; zij heeft niets meer. Alles op. Alleen nog deze twee flesjes. Al haar juwelen heeft zij uit laten nemen en de stenen bewaart zij hier in. Alles geteld. Zij vertrouwt mij toe, om te verkopen. Door mijn melk heb ik relatie. Wil u zien, mevrouw Van Oudijck, ja? Móoie stenen! De residen, hij koop voor u, nu u weer thuis is. Doddy, geef mij een zwart lapje; als fluweel, is het beste...
Doddy wist een stukje zwart fluweel door de djaït te laten zoeken in een kast met naairommel. Een jongen bracht glazen met tamarinde-stroop en ijs. Mevrouw Van Does, in haar slap-gelede vingertjes een tangetje, legde een paar stenen voorzichtig op het fluweel...
– Ja!! riep zij uit. Zie toch die water, mevrouw! Pr...áchtig!
Mevrouw Van Oudijck zag toe. Zij glimlachte allerliefst en zei toen met haar zachte stem:
– Die steen is vals, lieve mevrouw.
– Vals?? kreet mevrouw Van Does. Vals??
Mevrouw Van Oudijck zag naar de andere stenen.
– En die andere, mevrouw... – zij boog aandachtig, en zeide toen zo lief mogelijk:
– Die andere... zijn... óok vals...
Mevrouw Van Does zag haar aan, met plezier. Toen zei ze tegen Doddy en Theo, leuk:
– Die mama van jullie... pinter! Zij ziet dadelijk!
En zij lachte luid uit. Allen lachten. Mevrouw Van Does deed de kristallen weer in de fles.
– Een aardigheid, ja, mevrouw? Ik wou alleen maar zien of u verstand had. Natuurlijk u geloof mijn erewoord: ik zou u nooit verkopen... Maar deze... kijk...
En plechtig nu, bijna godsdienstig, opende zij het andere

stopflesje, waarin slechts enkele stenen waren: ze legde ze met liefde op het zwarte fluweel.

– Die is prachtig... voor een leontine, zei mevrouw Van Oudijck, turende op een zeer grote briljant.

– Nou... wat zeg ik u? vroeg de Indische dame.

En zij tuurden allen op de briljanten, op de echte, die uit het „echte" stopflesje, en hielden ze voorzichtig tegen het licht.

Mevrouw Van Oudijck zag, dat zij alle echt waren.

– Ik heb heus geen geld, lieve mevrouw! zeide zij.

– Deze grote... voor leontine... zeshonderd gulden... een koopje: ik verzeker u, mevrouw!

– O, mevrouw, neen nooit!

– Hoeveel dan? U doet goed werk als u koop. Kassian, haar man vroeger grote piet. Raad van Indië.

– Twee-honderd...

– Ja, kassian!! Twee-honderd!

– Twee-honderd-vijftig, maar niet meer. Ik heb heus geen geld.

– De residèn... fluisterde mevrouw Van Does, Van Oudijck bespeurende, die, nu de rol was afgelopen, naar de achtergalerij kwam. De residèn... hij koop voor u!

Mevrouw Van Oudijck glimlachte en keek naar de flonkerende druppel licht op het zwarte fluweel. Zij hield van juwelen, zij was niet geheel onverschillig voor briljanten. En zij keek op naar haar man.

– Mevrouw Van Does laat ons een hele boel moois zien, zeide zij strelend.

Van Oudijck voelde een schok in zijn borst. Het was hem nooit aangenaam mevrouw Van Does in zijn huis te zien. Zij had altijd wat te verkopen: de ene keer gebatikte spreien, de andere keer geweven muiltjes, een derde keer prachtige maar heel kostbare tafellopers, met goudgebatikte bloemen op geel geglansd linnen. Mevrouw Van Does bracht altijd iets mee, stond altijd in betrekking met vrouwen van vroegere „grote pieten", die zij hielp verkopen, voor heel hoge percenten. Een morgenvisite van mevrouw Van Does kostte hem iedere keer minstens enige rijksdaalders, en heel dikwijls vijftig gulden, want zijn vrouw had een kalme rust om altijd te kopen dingen, die zij niet nodig had, maar die zij te onverschillig was om niét van mevrouw Van Does te kopen. Hij zag niet dadelijk de twee stopflessen, maar hij zag de druppel licht op het zwarte fluweel, en hij begreep, dat de visite deze keer meer dan vijftig gulden zou kosten, als hij niet heel sterk was.

– Mevrouwtje! schrikte hij. Het is het einde van de maand; briljanten kopen, dat gaat niet vandaag! En nog wel stopflessen vol! riep hij uit, met een schrik, ze nu ziende schitteren op de tafel, tussen de glazen tamarindestroop.

– Ja, die residèn! lachte mevrouw Van Does, als was een resident altijd rijk.

Van Oudijck haatte dat lachje. Zijn huishouden kostte hem iedere maand enkele slordige honderden guldens meer dan zijn traktement en hij teerde in, had schulden. Zijn vrouw bemoeide zich nooit met geldzaken; zij had vooral voor deze haar glimlachendste onverschilligheid.

Zij liet de briljant even flonkeren en de steen schoot een blauwe straal.

– Hij is prachtig... voor twee-honderd-vijftig.

– Voor drie-honderd dan, lieve mevrouw...

– Drie-honderd? vroeg zij dromerig, spelend met het juweel. Of het drie-honderd of vier- of vijf-honderd was, het was haar alles om het even. Het liet haar totaal onverschillig. Maar de steen vond zij mooi en zij was al beslist die te nemen, voor hoeveel ook. En dáarom legde zij de steen rustig neer en zei: – Neen, lieve mevrouw, heus... de steen is te duur, en mijn man heeft geen geld.

Zij had dat zo lief gezegd, dat haar bedoeling niet was te raden. Zij was aanbiddelijk van zelfontzegging, terwijl zij die woorden uitsprak. Van Oudijck voelde een tweede schok in zijn borst. Hij kon zijn vrouw niets weigeren.

– Mevrouw, zeide hij. Laat de steen maar hier... voor drie-honderd gulden. Maar neem dan uw stopflessen in godsnaam mee.

Mevrouw Van Does keek jubelend op.

– Nou... wat heb ik u gezegd? Ik weet zeker, de residèn, hij koop voor u...!

Mevrouw Van Oudijck keek zacht verwijtend op.

– Maar Otto! zeide zij. Hoe is het nu toch mogelijk!

– Vind je de steen mooi?

– Ja, prachtig... maar zo veel geld! Voor één briljant! En zij trok de hand van haar man naar zich toe en zij duldde, dat hij haar kuste op het voorhoofd, omdat hij haar een

23

briljant had mogen kopen van drie-honderd gulden. Doddy en Theo knipoogden tegen elkaar.

IV

Léonie van Oudijck genoot steeds van haar siësta. Zij sliep maar een ogenblik, maar zij vond het heerlijk na de rijsttafel alleen in haar koele kamer te blijven, tot vijf uur, half zes. Zij las een beetje, meestal de tijdschriften van de leestrommel, maar voornamelijk deed zij niets en droomde. Het waren vage verbeeldingen, die opblauwden in haar middageenzaamheden. Niemand wist hiervan en zij hield ze zeer geheim, als een geheime zonde, als een ondeugd. Zij gaf zich veel eerder bloot – voor de wereld – waar het een liaison betrof. Ze duurden nooit lang, ze telden weinig mee in haar leven, zij schreef nooit brieven, en de gunsten, die zij verleende, gaven de bevoorrechte nooit enig recht in de dagelijkse omgang der conversatie. Zo was zij van een stille, correcte perversiteit, fysiek en moreel. Want ook haar verbeeldingen, hoe flauwtjes poëtisch ook, waren pervers. Haar meest geliefde auteur was Catulle Mendès: zij hield van al die bloemetjes van azuren sentimentaliteit, van die roze cupidootjes van affectatie, het pinkje in de lucht, de beentjes bevallig fladderend – rondom de meest verdorven motieven en thema's van afdwalende hartstocht. In haar slaapkamer hingen enkele platen: een jonge vrouw achterover op een kanten bed, en gezoend door twee stoeiende engeltjes; een ander: een leeuw met een pijl in de borst aan de voeten van een glimlachende maagd; een grote reclame-prent van odeur: een soort van bloemenimf, wier sluier aan alle kanten werd afgerukt door speelse parfumerie-cherubijntjes. Zij vond die plaat vooral prachtig, iets esthetischers kon zij zich niet voorstellen. Zij wist, dat de plaat monsterlijk was, maar zij had het nooit van zich kunnen verkrijgen het onding af te haken, ook al zag men er met schuinse ogen heen; de kennissen, haar kinderen, die in- en uitliepen in haar kamer, met de Indische gemakkelijkheid, die geen geheim maakt van het toilet. Zij kon er minuten heen staren als betoverd; zij vond het allerliefst, en haar eigen dromen geleken op die prent. Ook bewaarde zij een bonbon-doos met een keepsake plaatje, als het type van schoonheid, dat zij nog mooier vond dan zichzelve: het blosje op de wangen, de bruine brunette-ogen onder onwaarschijnlijk gouden haren, de boezem zichtbaar onder kant. Maar zij gaf zich nooit bloot in deze belachelijkheid, die zij vaag vermoedde; zij sprak nooit over die platen en doosjes, juist, omdat zij wist, dat ze lelijk waren. Maar zij vond ze mooi, zij vond ze heerlijk, zij vond ze kunst en poëzie. Zo waren haar liefste uren. Hier, te Laboewangi, dorst zij niet doen, wat zij te Batavia deed, en hier geloofde men nauwlijks wat men te Batavia vertelde. Toch verzekerde mevrouw Van Does, dat die resident, en die inspecteur – de een op reis, de ander op tournée –, en enkele dagen logerende in het residentie-huis, 's middags – gedurende de siësta – hun weg hadden gevonden naar de slaapkamer van Léonie. Maar te Laboewangi waren zulke werkelijkheden toch zeldzame intermezzo's tussen mevrouw Van Oudijcks roze middagvisioenen... Toch, deze middag scheen het...

Of zij, na een ogenblik gesluimerd te hebben en alle matheid van reis en warmte opgeklaard was van haar melkwitte teint – of zij, nu zij keek naar de stoeiende engeltjes van de parfumerie-reclame, niet met haar gedachte was bij al die roze poppetjes-tederheid, maar of zij luisterde naar buiten... Zij droeg alleen een sarong, die zij onder de armen had opgetrokken en op de borst in een wrong hield samengeknoopt.

Haar mooie blonde haren hingen los.

Haar mooie witte voetjes waren bloot, zij had haar muilen zelfs niet aangeslipt.

En zij keek door de latjes der jaloezie.

Tussen de bloempotten, die op de zijtrappen van het huis haar ramen met grote bladerenmassa's maskeerden, zag zij op een bijgebouw van vier kamers – de logeerkamers – waarvan er een was bewoond door Theo.

Zij bleef een poze turen en opende toen, op een kier, de jaloezie... En zij zag, dat ook de jaloezie van Theo's kamer zich even opende...

Toen glimlachte zij; knoopte vaster de sarong, en legde zich weer te bed.

Zij luisterde.

Na een ogenblik hoorde zij het grint even knarsen onder de druk van een muil. Haar jaloeziedeuren waren, zonder

gesloten te zijn, dichtgeslagen. Een hand opende ze nu voorzichtig...
Zij zag glimlachend om...
– Wat is er, Theo? fluisterde zij.
Hij kwam nader, hij was in slaapbroek en kabaai en hij zette zich op de rand van het bed en speelde met haar witte, mollige handen, en ineens zoende hij haar met razernij.
Op dit ogenblik siste er een steen door de kamer.
Zij schrikten beiden, zagen op, stonden in een ogenblik midden in het vertrek.
– Wie gooit er? vroeg zij bevende.
– Misschien een van de jongens – René of Ricus, die buiten spelen, antwoordde hij.
– Ze zijn nu nog niet op...
– Of iets, dat valt van boven...
– Het werd toch geslingerd...
– Zo dikwijls raakt er een steentje los...
– Maar dit is grint.
Zij raapte het steentje op. Hij, voorzichtig, zag naar buiten.
– Het is niets, Léonie. Het moet heus van boven zijn gevallen, uit de goot, door het raam. En toen is het weer opgesprongen. Het is niets...
– Ik ben bang, murmelde zij.
Bijna luid lachte hij en vroeg:
– Waarvoor?
Zij behoefden voor niets te vrezen. De kamer was gelegen tussen het boudoir van Léonie en twee grote logeerkamers, die alleen voor residenten, generaals en andere hooggeplaatsten werden bestemd. Aan de andere zijde der middengalerij waren de kamers van Van Oudijck, kantoor en slaapvertrek, en de kamer van Doddy, en de kamer van de jongens, Ricus en René. Léonie was dus geïsoleerd aan haar vleugel, tussen de logeerkamers in. Het maakte haar brutaal. Om dit uur was het erf geheel verlaten. Trouwens, zij was niet bang voor de bedienden. Oerip was geheel vertrouwd en kreeg dikwijls mooie geschenken: sarongs, een gouden pending; een lange diamanten kabaaispeld, die zij als een plaque van zilver en stenen droeg op de borst. Daar Léonie nooit bromde, vrijgevig was met voorschot, en een zekere schijnbare gemakkelijkheid had, – hoewel alles alleen gebeurde, zoals zij het wilde – was zij niet onbemind

26

en hoeveel de bedienden ook van haar wisten, zij hadden haar nog nooit verraden. Het maakte haar des te brutaler. Voor een doorgang tussen slaapkamer en boudoir hing een gordijn en het was, eens voor al, afgesproken tussen Theo en Léonie, dat hij, bij enig gevaar, rustig weg zou slippen achter die portière en zich door de tuindeur van het boudoir begeven zou naar buiten, als om de rozen-potten te bezien, die op de treden der trappen stonden. Zo zou het schijnen alsof hij van zijn eigen kamer zo juist was gekomen en maar even de rozen bezag. De binnendeuren van boudoir en slaapkamer waren gesloten, in de regel, omdat Léonie ronduit zeide, dat zij er niet van hield over-vallen te worden.

Zij hield van Theo, om zijn frisse jeugd. En hier op La-boewangi, was hij haar enige ondeugd, een doortrekkende inspecteur en de roze engeltjes niet meegerekend. Zij wa-ren nu als stoute kinderen, zij lachten stil, in elkanders armen. Maar zij moesten voorzichtig zijn. Het was vier uur geworden en zij hoorden in de tuin de stemmen van René en Ricus. Zij namen het erf in bezit voor hun vacan-tie. Dertien en veertien jaar, genoten zij van de grote tuin. Zij liepen in een blauw gestreept katoenen buisje en broek, op blote voeten en gingen naar de paarden, naar de duiven zien: ze plaagden Doddy's kakatoe, die op het dak der bij-gebouwen trippelde. Zij bezaten een tamme badjing. Zij maakten jacht op tokkè's, die zij schoten met een soempi-tan, tot grote ergernis der bedienden, omdat de tokkè's geluk aanbrengen. Zij kochten aan het hek katjang-goreng van een voorbijgaande Chinees, en scholden hem daarna uit:

– Katja... áng golengan! Tjina mampoes! nadoende zijn accent van kè. Zij klommen in de flamboyant en wiegelden als apen aan de takken. Zij wierpen de katten met stenen; zij hitsten de honden der buren op tot zij zich hees blaften en elkaar de oren stuk beten. Zij knoeiden met water bij de vijver, maakten zich ontoonbaar van modder en vuil en waagden het de Victoria Regia's te plukken, wat zij vol-strekt niet mochten doen. Zij onderzochten de stevigheid der groene vlakke Victoriabladeren – als presenteerbladen – en meenden er op te kunnen staan en zij dompelden onder... Dan namen zij lege flessen, plaatsten die op een rij en kegelden met keistenen. Dan visten zij uit de sloot terzijde van het huis met een bamboe allerlei naamloze drijvende dingen op en smeten er elkaar mee. Hun fantasie in uitvindingen was onuitputtelijk, en het uur der siësta was hun uur. Zij hadden een tokkè gevangen en een kat en lieten ze vechten met elkaar: de tokkè opende zijn muil van kleine krokodil en hypnotiseerde de kat, die afdroop, zich wegtrok uit de zwarte kraalblik, – met hoge rug, de haren steil van angst. En daarna aten de jongens zich ziek aan onrijpe manga's. Léonie en Theo hadden door de jaloezie bespied het gevecht van kat en tokkè en zagen de jongens nu rustig in het gras de onrijpe manga's eten. Maar het was het uur, dat de gestraften – een twaalftal – werkten op het erf, onder toezicht van een oude, deftige mandoor, met een rietje in de hand. Zij haalden water in tonnen en gieters van Devoe's-petroleumblikken gemaakt, soms ook in petroleumblikken zelve, en zij begoten de planten, het gras, het grint. Zij veegden dan het erf schoon met een luid geruis van lidi-bezems.

René en Ricus wierpen achter de mandoor, voor wie ze bang waren, de gestraften met afgeknabbelde manga's en scholden ze uit en trokken grimassen en apentronies. Doddy kwam aan, uitgeslapen, spelende met haar kakatoe, die zij droeg op de hand en die kaka! kaka! riep, en zijn gele kuif opzette met snelle nekbewegingen.

En Theo, nu, sloop achter het gordijn weg in het boudoir en, toen een ogenblik de jongens elkaar naliepen in een bombardement van manga's, en Doddy naar de vijver wandelde met haar sleeppas van heupwiegelende kreole, de kakatoe op haar hand, – kwam hij te voorschijn van achter de planten, rook aan de rozen, en deed of hij in de tuin had gewandeld, vóór hij zijn bad ging nemen.

V

Van Oudijck voelde zich aangenamer gestemd, dan hij zich in weken gevoeld had; in zijn huis scheen na die twee maanden saaie verveling weer iets van familieleven te komen; hij vond het prettig zijn twee rakkers van jongens in de tuin te zien ravotten, ook al deden zij allerlei kwaad, en vooral was hij heel tevreden, dat zijn vrouw weer terug was.

28

Zij zaten nu in de tuin, in négligé, thee te drinken, om half zes. Het was toch heel vreemd, maar Léonie vulde dadelijk het grote huis met een zekere comfortabelere gezelligheid, omdat zij er zelve van hield. Dronk Van Oudijck anders vlug een kop thee, die Kario hem bracht in zijn slaapkamer, vandaag al was die middagthee een prettig uur; er waren rieten stoelen en lange mailstoelen vóór buiten gezet; op een rieten tafel stond het theeblad; er was pisang goreng gebakken, en Léonie, in een Japanse, roodzijden kimono, haar blonde haar los, lag in een rieten stoel en speelde met de kaka van Doddy en voerde de vogel met gebak. Het was dadelijk heel anders, vond Van Oudijck, zijn vrouw gezellig, lief, mooi, nu en dan iets vertellende van de kennissen te Batavia, van de races te Buitenzorg, van een bal bij de Gouverneur, van de Italiaanse opera; de jongens, vrolijk, gezond, jolig, hoe vies ook van hun spelen – en hij riep ze eens bij zich, en ravotte even met ze en vroeg naar het Gymnasium – zij zaten in de tweede klasse; en zelfs Doddy en Theo schenen hem anders toe, Doddy snoezig en zangerig rozen nu plukkende aan de bloempotten en Theo, spraakzaam, met mama, en zelfs met hém. Een prettige trek speelde om Van Oudijcks snor. Hij zag er nog jong uit in zijn gezicht en nauwelijks scheen hij acht-en-veertig. Hij had een scherpe, levendige blik van vlug opzien, van acuut doordringen. Hij was wat zwaar en had aanleg nog zwaarder te worden, maar toch had hij behouden iets vlug militairs, en op zijn tournée's was hij onvermoeid; hij was een uitstekend ruiter. Groot en fors, tevreden met zijn huis en zijn gezin, had hij iets prettigs van stevige mannelijkheid, en lachte om zijn snor de joviale trek. En zich latende gaan, zich uitstrekkende in zijn rieten stoel, drinkende zijn kopje thee, sprak hij uit de gedachten, die meestal in zulk een uur van tevredenheid bij hem opwolkten. Ja, het was toch maar een goed leven in Indië, bij het Binnenlands Bestuur. Tenminste voor hem was het altijd goed geweest, maar hij had ook een beetje geboft. Nu was het wanhopig met de promotie; hij kende tal van assistent-residenten, die zijn tijdgenoten waren en die in jaren nog geen kans hadden resident te zullen worden. En dat was zeker een wanhopige toestand, zo lang te blijven in een betrekking van ondergeschiktheid aan een superieur, op die leeftijd nog bevelen af te moeten wachten van een resident. Hij had dat nooit kunnen uithouden, op zijn acht-en-veertigste jaar! Maar resident zijn, zelf bevelen, zelf besturen een gewest, groot en belangrijk als Laboewangi, met zo uitgebreide koffie-cultuur, zo talrijke suikerfabrieken, met zó vele erfpachtspercelen – dat was een genot, dat was leven: een leven groots en ruim als geen ander, en waarmee in Holland geen betrekking en leven te vergelijken was. Zijn grote verantwoordelijkheid was zijner heersersnatuur een genot. Zijn werkkring was gevarieerd: kantoorwerk en tournée; de belangen van zijn werk waren gevarieerd: men sufte niet dood op zijn kantoorstoel: na het bureau was er de vrije natuur, en het was altijd afwisseling, altijd iets anders. Hij hoopte over anderhalf jaar resident eerste-klasse te kunnen worden, als er een eerste-klasse gewest open kwam: Batavia, Semarang, Soerabaia, of een van de Vorstenlanden. En toch zou het hem dan aan zijn hart gaan, Laboewangi te moeten verlaten. Hij was gehecht aan zijn gewest, waarvoor hij vijf jaar al zoveel gedaan had, dat in die vijf jaar gekomen was tot zijn bloei, voor zoveel bloei mogelijk was in deze tijden van algemene malaise: de koloniën arm, de bevolking verarmd, de koffiecultuur slechter dan ooit, de suiker misschien over twee jaar een hevige crisis gaande tegemoet... Indië kwijnde, en zelfs in de nijvere Oosthoek begon te kankeren een loomheid en zwakte, maar toch voor Laboewangi had hij veel kunnen doen. Gedurende zijn bestuur was de bevolking in welvaart toegenomen; de irrigatie der rijstvelden was er uitstekend, nadat hij de ingenieur, eerst altijd in strijd met het B-B.[1]) had weten te winnen door zijn tact. Talrijke stoomtrammen waren aangelegd. De secretaris, zijn assistent-residenten, zijn controleurs waren hem toegedaan, al was het zwaar werken onder zijn bestuur. Maar hij had ook een prettige toon met ze, al was het werken zwaar. Hij kon joviaal vriendschappelijk zijn, al was hij de resident. Hij was blij, dat zij allen, zijn controleurs, zijn assistent-residenten vertoonden dat gezonde, blijmoedige type van de ambtenaar van B-B., tevreden met hun leven en werk, al bestudeerden zij ook tegenwoordig veel meer dan vroeger de Regeringsalmanak en de Ranglijst, voor hun promotie. Het was dan Van Oudijcks stokpaard-

1) Binnenlands Bestuur.

je zijn ambtenaren te vergelijken met de rechterlijke ambtenaren, die niet vertoonden dat opgewekte type: tussen beide groepen was dan ook steeds lichte naijver, animositeit... Ja, het was een prettig leven, het was een prettige werkkring, alles was goed, alles was goed. Er ging niets boven B-B. Het speet hem alleen, dat zijn verhouding tot de Regent niet gemakkelijker was, niet aangenamer was. Maar het was niet zijn schuld. Hij had de Regent steeds zeer nauwgezet gegeven wat hem toekwam, hem gelaten in zijn rechten, hem hoog gehouden tegenover de Javaanse ambtenaren. O, het speet hem zo innig, dat gestorven was de oude Pangéran, de vader van de Regent, de oude Regent, een nobele ontwikkelde Javaan. Met die had hij steeds gesympathiseerd, hem had hij dadelijk gewonnen door zijn tact. Had hij niet, nu vijf jaar geleden, toen hij aankwam te Laboewangi voor de bestuursovername de Pangéran – type van de echte Javaanse edelman – geïnviteerd aan zijn zijde plaats te nemen in zijn eigen rijtuig – en niet, zoals gebruikelijk was, de Regent laten volgen in een tweede rijtuig achter het residentsrijtuig –; en had hij niet door deze beleefdheid tegenover de oude prins alle Javaanse hoofden en ambtenaren dadelijk gewonnen en hen gestreeld in hun eerbied en liefde voor hun Regent: afstammeling van een der oudste Javaanse geslachten: de Adiningrats, vroeger, ten tijde der Compagnie, sultans van Madoera...? Maar Soenario, zijn zoon, de jonge Regent nu, hém kon hij niet vatten, niet doorpeilen – dit bekende hij zich slechts stilzwijgend –; hem zag hij alleen raadselachtig, die wajangpop, zoals hij hem noemde, altijd stijf, op een afstand tegenover hém, de resident, alsof hij – prins – neerzag op hem – Hollandse burgerman; en daarbij fanatiek, zonder oog voor de belangen zijner Javaanse bevolking, en alleen maar verloren in allerlei bijgelovige praktijken en fanatieke bespiegelingen. Hij zeide het niet ronduit, maar iets ontsnapte hem in de Regent. Hij kon die fijne figuur, met zijn strakke koolzwarte ogen, niet neerzetten als mens in het praktische leven, zoals hij steeds de oude Pangéran had kunnen doen. Die was hem altijd geweest, volgens de leeftijd, zijn vaderlijke vriend; volgens de etiquette zijn „jongere broeder", maar altijd medebestuurder van zijn gewest. Maar Soenario vond hij oneigenlijk, geen ambtenaar, geen Regent, alleen maar een fanatieke Javaan, die zich hulde in iets van geheim: allemaal nonsens, dacht Van Oudijck. Hij lachte om Soenario's faam van hoogheiligheid, die de bevolking hem gaf. Hij vond hem onpraktisch: een gedegenereerde Javaan, een gedetraqueerde Javaanse gommeux!

Maar zijn disharmonie met de Regent – disharmonie alleen van karakter, en nooit gekomen tot werkelijkheid van feit – hij draaide het mannetje immers om zijn vinger! – was de enige grote moeilijkheid, die hem gedurende al die jaren wel eens had laten piekeren. En zijn residentsleven had hij niet willen ruilen voor welk ander leven. O, hij tobde nu al, wat hij later zou doen als hij gepensioeneerd was. Het liefst zou hij zo lang mogelijk blijven in dienst; lid van de Raad van Indië, Vice-president... Wat hij niet zeide, maar stil ambieerde, was, in het verschiet, de troon van Buitenzorg. Maar men had tegenwoordig in Holland die vreemde manie om vreemden tot de hoogste betrekkingen te benoemen, Hollanders, baren, die totaal niets van Indië afwisten – in plaats van getrouw te blijven aan het principe, oud-Indische gedienden te kiezen, die van aspirant-controleur waren opgeklommen en de gehele ambtelijke hiërarchie op hun duimpje kenden... Ja, wat zou hij doen, gepensioeneerd? In Nice wonen? Zonder geld? Want sparen, dat ging niet; het leven was ruim, maar duur, en in plaats van te sparen maakte hij beren. Nu ja, dat kwam er nu niet op aan, dat werd afbetaald, maar later, later... De toekomst, de pensioenering, was hem alles-behalve een aangenaam vooruitzicht. Te vegeteren in Den Haag, in een klein huis, met een bittertje in de Witte en in de Besogne-kamer – met de oude pruiken... brr!! Hij rilde ervan. Hij zou er niet aan denken; hij wilde aan de toekomst dan maar in het geheel niet denken: misschien was hij dood voor die tijd. Maar nu was het heerlijk, zijn werkkring, zijn huis, Indië. Er was totaal niets bij te vergelijken. Léonie had hem glimlachend aangehoord; zij kende zijn stille verrukkingen, zijn dwepen met zijn betrekking; – zoals zij het noemde: zijn aanbidding van B-B. Zij vond het goed, zij had er niets tegen. Zij ook waardeerde de luxe van het resident-zijn. Het betrekkelijke isolement kon haar niet schelen, zij had meestal genoeg aan zichzelve... En zij antwoordde glimlachend terug, tevreden, beminnelijk, met haar teint van melk, dat nog blanker was onder de

lichte bedak tegen de rode zijde der kimono aan, en mooi
in de omgolving van haar blonde haren.

Die morgen, een ogenblik, was zij ontstemd geweest, had
Laboewangi, na Batavia, op haar gedrukt, met zijn verveling van binnenlandse hoofdplaats. Maar sinds had zij
gekregen een grote briljant; sinds had zij Theo terug...
Zijn kamer was vlak bij de hare. En hij zou nog wel in
lange tijd geen betrekking kunnen krijgen.

Dat waren haar gedachten, terwijl haar man, na zijn prettige ontboezeming, nog zalig lag na te denken. Dieper
dacht zij niet, iets als wroeging zou haar ten zeerste hebben
verbaasd, had zij er iets van kunnen voelen... Het begon
zachtjes aan te donkeren, de maan steeg al lichtend omhoog, en achter de fluweelmollige waringins, achter de
even op en neer wuivende pluimen der klapperbomen, die
als statiebossen van donkere struisveren hoog feestelijk
staken in de lucht, doezelde het laatste licht van de zon een
dof-gouden weerschijn, waartegen de molligheid der waringins, de statie van de klappers afstaken als zwart geëtst.
In de verte klonken de enkeltonige klanken van de gamelan, weemoedig, als van een waterheldere glazen piano,
met telkens er tussen een diepe dissonant...

VI

Van Oudijck, plezierig om zijn vrouw en kinderen, wilde
gaarne toeren, en de landauer werd ingespannen. Van Oudijck keek joviaal en prettig, van onder het brede goud-
galon van zijn pet. Léonie, naast hem, had een nieuwe
mauve mousseline japon aan, uit Batavia, en een hoed met
mauve papavers. Een dameshoed in het binnenland is een
luxe, iets van overgrote elegance, en Doddy, tegenover
haar, maar op zijn binnenlands zonder hoed, was in stilte
geërgerd en vond, dat mama haar toch wel had kunnen
zeggen, dat zij een hoed zou „gebruiken", zoals Doddy's
taaleigen luidde. Nu stak zij zo af bij mama, nu kon zij niet
velen, die zacht wuivende papavers! Van de jongens was
René mee, in een fris wit pakje. De hoofdoppasser zat op
de bok naast de koetsier en hield tegen zijn heup de grote
gouden pajong, symbool van het gezag. Het was over zes-
sen, het begon al te donkeren en over Laboewangi hing in

33

dit uur die fluwelen geluideloosheid, die tragische geheimzinnigheid van de schemer-atmosfeer der Oostmoesson-
dagen. Soms blafte alleen een hond, kirde een woudduif
en verbrak de oneigenlijkheid van het zwijgen, als van een
onbewoonde stad. Maar nu ook ratelde er dwars door heen
het rijtuig, trappelden de paarden de stilte in kleine flarden. Men kwam geen ander rijtuig tegen; een onbezielde
mensenloosheid hield de tuinen en galerijen betoverd. Een
paar jongelui in het wit wandelden, en namen de hoed af.
Het rijtuig had de notabele lanen verlaten en reed de Chinese kamp in, waar in de kleine winkels de lichtjes werden
ontstoken. De negotie was zo goed als gedaan: de Chinezen rustten uit, in allerlei slappe houdingen van benen in
de lucht en over elkaar, de armen rondom het hoofd, de
staarten los, of om het hoofd gebonden. Als het rijtuig
naderde, stonden zij op, bleven eerbiedig staan. De Javanen, voor het merendeel – de welopgevoeden, die manieren kenden – hurkten neer. Langs de weg stonden nu, verlicht met kleine petroleumlampjes, de wandelkeukentjes
gerijd, de drankverkopers, de gebakverkopers. De kleur in
de met talloze lichtjes opgegloeide avondduisternis, was
groezelig bont; de Chinese winkeltjes overvol van koop-
waren, en betekend met rode en gouden karakters en be-
plakt met rode en gouden papiertjes met spreuken; op de
achtergrond het huisaltaar met de heilige plaat: de witte
god, gezeten, en achter hem de grijnzende zwarte god.
Maar de straat verbreedde zich, veraanzienlijkte zich eensklaps; rijke Chinese huizen, als witte villa's, blankten zacht
op; en vooral trof een blanke paleisvilla van een schatrijke
ex-opiumpachter – rijk geworden in de dagen vóór de
opiumregie – een blank paleis van sierlijk stucwerk met
talloze bijgebouwen, de poorten der voorgalerij in een
monumentale Chinese stijl van voorname elegance en
zachte bonte goudkleur, in de diepte van het open huis het
zeer grote huisaltaar, de plaat der goden pronkende in
licht; de tuin aangelegd met gemaniëreerde krinkelpaden,
maar mooi volgezet met vierkante potten en lange bloem-
vazen van donker blauw-en-groen glazuur, waarin kostbare dwergplanten – erfstuk van vader op zoon – en alles
gehouden in een blinkende properheid, een verzorgde net-
heid van détail: de welvarende, kraakzindelijke luxe van
een millionnair opium-Chinees. Maar niet alle Chinese

woningen waren zo pronkerig open, de meeste lagen verborgen in tuinen achter hoge muren, gesloten, en doken terug in het geheim van hun huiselijk leven. Eensklaps waren de huizen gedaan en langs een brede weg strekten Chinese graven zich uit, rijke graven, de grasheuvel met de gemetselde ingang – ingang van dood – opgehoogd in de symboolvorm van het vrouwelijk orgaan: uitkomst van leven, – ruim grasveld er om heen: de ergernis van Van Oudijck, die berekende hoeveel bouw wel voor cultuur verloren was door die begraafplaats der rijke Chinezen. En de Chinezen schenen te triomferen in leven en dood in de anders zo stille stad van geheimzinnigheid, de Chinezen gaven er aan het eigenlijke karakter van drukke beweging, van handel, van rijk worden, van leven en sterven, want toen het rijtuig de Arabische wijk inreed – huizen als andere, maar somber, maar stijlloos, maar fortuin en existentie verborgen achter dichte deuren; in de voorgalerij wel stoelen, maar de heer des huizes somber gehurkt op de grond, onbeweeglijk, met zwarte blik het rijtuig achtervolgende – scheen dit stadsgedeelte nog tragischer geheimzinnig dan het notabele Laboewangi, en scheen het onuitzegbare mysterie uit te donzen als iets van de Islam, dat zich verspreidde over de héle stad, of het de Islam was, die de fatale melancholie van levensgelatenheid uitduisterde in de huiverende, geluideloze avond... Zij voelden dat niet in hun ratelende rijtuig, van hun kinderjaren aan die atmosfeer gewoon en niet gevoelig meer voor het sombere geheim, dat was als het naderen van een zwarte macht, die hen – overheersers met hun kreolenbloed – altijd en altijd had aangeademd, zodat zij ze nooit zouden vermoeden. Misschien als Van Oudijck nu en dan in de couranten las over het pan-islamisme, dat hem iets aanzweemde of de zwarte macht, het sombere geheim even opende voor zijn diepste gedachte. Maar zoals nu – toerende met vrouw en kinderen, in het geratel van zijn rijtuig, en het getrappel van zijn mooie Sydneyërs, de oppasser, met de gesloten pajong, die glinsterde als een dichtgestraalde zon, op de bok, voelde hij te veel zichzelve, zijn heersers-, zijn overheersersnatuur, om iets van het zwarte geheim te raden, iets van het zwarte gevaar te zien. En hij was vooral nu te prettig, om iets melancholieks te voelen, te zien. Hij zag, in zijn optimisme, zelfs niet het verval van zijn stad, die hij liefhad; ze troffen hem niet, nu zij doorreden, die immense zuilenvilla's, getuigende van vroegere planterswelvaart – verlaten, verwaarloosd, in verwilderde erven; een ervan ingenomen door een hout-aankapmaatschappij, die er de opzichter liet wonen en in de voortuin de balken stapelde. Treurig blankten de verlaten huizen op, met portieken van pilaren, die in de woest vergroeide erven spookten in de maan, als tempels van onheil... Maar zij zagen het zo niet: genietende de wiegeling op de zachte rijtuigveren, dommelde Léonie glimlachende, en Doddy spiedde, nu zij de Lange Laan weer naderden, uit, of zij niet Addy zag...

TWEEDE HOOFDSTUK

I

De secretaris Onno Eldersma had het druk. De post bracht iedere dag aan het residentie-bureau, waaraan twee kommiezen, zes klerken waren verbonden, tal van djoeroetoelis en magangs, gemiddeld een paar honderd brieven en stukken en de resident mopperde dadelijk zodra er achterstallig werk was. Hij werkte zelve stevig-aan, hij verlangde van zijn ambtenaren hetzelfde. Maar soms was het een stortvloed van stukken, requesten, aanvragen. Eldersma was het type van de, in zijn geschrijf opgaande bureauambtenaar, en Eldersma had het altijd druk. Hij werkte 's morgens, 's middags, 's avonds. Aan siësta deed hij niet. Hij rijsttafelde even om vier uur, en daarna rustte hij even uit. Gelukkig had hij een sterk gestel, fris, Fries, maar al zijn bloed, al zijn spieren, al zijn zenuwen waren hem nodig voor zijn werk. Het was niet wat schrijfwerk, wat paperassengedoe: het was handenarbeid van de pen, spierarbeid, zenuwarbeid, en altijd, altijd door. Hij brandde op, hij verteerde zichzelve, al schrijvende. Hij had geen andere ideeën meer, hij was niets meer dan ambtenaar, bureauman. Hij had een lief huis, een allerliefste bijzondere vrouw, een aardig kind, maar hij zag ze niet meer, al leefde hij, vaag, in zijn interieur. Hij werkte maar, nauwgezet, afdoende wat hij kon. Soms zeide hij de resident, dat het hem onmogelijk was meer te doen. Maar Van Oudijck, op dit punt, was onverbiddelijk, erbarmingloos. Hij was zelve gewestelijk secretaris geweest: hij wist wat het was. Het was werken, het was voortjakkeren als een karrepaard. Het was leven, eten, slapen, met de pen in de hand. Dan toonde Van Oudijck hem dat en dat werk, dat afgedaan moest worden. En Eldersma, die gezegd had, dat hij niet meer kon doen dan hij deed, deed het werk af, en deed dus altijd nog wat meer dan hij dacht te kunnen doen.
Dan zeide zijn vrouw, Eva: mijn man is geen mens meer, mijn man is geen man meer: mijn man is ambtenaar. Het

jonge vrouwtje, zeer Europees, vroeger nooit in Indië geweest, nu al een paar jaar te Laboewangi, had nooit geweten, dat men zó kon werken als haar man deed, in een land zo warm als Laboewangi was in de Oostmoesson. Zij had er zich eerst tegen verzet, zij had eerst haar rechten op hem willen doen gelden, maar toen zij waarlijk zag, dat hij geen minuut te veel had, zag zij van haar rechten af. Zij had dadelijk ingezien, dat haar man niet met haar zou meeleven, en zij niet met haar man, niet omdat hij geen goede man was, die veel van zijn vrouw hield, maar alleen omdat de post iedere dag tweehonderd brieven en stukken aanbracht. Zij had dadelijk gezien, dat zij in Laboewangi – waar niets was – haar troost moest vinden in haar huis, en later, in haar kind. Zij richtte haar huis in als een tempel van kunst en gezelligheid, en zij brak zich het hoofd over de opvoeding van haar kleine jongen. Zij was een artistiek ontwikkelde vrouw, en zij kwam uit een artistiek milieu. Haar vader was Van Hove, onze beroemde landschapschilder; haar moeder was Stella Couberg, onze beroemde concertzangeres. Eva, opgevoed in een tehuis van kunst en muziek, en die ze geademd had vanaf klein kindje uit haar prenteboekjes, en in haar kinderliedjes – Eva had een Oostindische ambtenaar getrouwd, en was hem gevolgd naar Laboewangi. Zij hield van haar man, een flinke Friese kerel, en iemand, genoeg ontwikkeld om belang te stellen in veel. En zij was gegaan, gelukkig om haar liefde, en met grote illusie over Indië, over al het oriëntalische der tropen. En zij had haar illusie willen behouden, hoe men haar ook gewaarschuwd had. Reeds in Singapore had haar getroffen de bronzen beeldkleur der naakte Maleiërs en het bonte oriëntalisme der Chinese en Arabische wijken; de Chrysanthème-poëzie der Japanse theehuizen, die zij voorbijreed... Maar spoedig al, in Batavia, was een teleurstelling grijs neergezeefd over haar verwachtingen, om overal in Indië iets moois te zien, een sprookje, de Duizend-en-een-Nacht. De zeden van het kleine, het gewone leven van iedere dag dempten al haar frisse lust tot bewonderen, en zij zag ineens al het belachelijke, nog vóór zij het mooie verder zien kon. In haar hotel de heren in nachtbroek en kabaai, uitgestrekt op de lange stoelen, de luie benen op de uitgeslagen latten, de voeten – hoewel zeer verzorgd – bloot, en de tenen rustig bewegende in een gemoedelijk spel van grote en kleine teen, zelfs terwijl zij voorbijging... De dames in sarong, kabaai – de enige praktische morgendracht, die men vlug verwisselt, twee-, driemaal in de morgen, – maar wat zo weinigen goed staat, en waarvan de rechte slooplijn van achteren vooral rechthoekig en lelijk is, hoe elegant en kostbaar men het ook draagt. De banaliteit der huizen met al hun kalk en hun teer en lelijke rissen bloempotten; het dorre verschroeide van de natuur, het viezige van de inlander... In het Europese leven al de kleine belachelijkheidjes: het sinjo-accent met de uitroepjes, de kleinsteedse deftigheidjes der ambtenaren – de Raden van Indië alléén dragende een hoge hoed... De streng afgemeten etiquettetjes: op een receptie vertrekt het eerst de hoogst geplaatste ambtenaar, en de anderen volgen na... En de kleine eigenaardigheidjes van tropische praktijk: de Devoe-kisten en blikken van petroleum gebruikt voor alles en nog wat: het hout voor ramen van winkels, voor vuilnisbakken en eigengemaakte meubeltjes; de blikken voor dakgoten en gieters en allerlei huiselijk instrument... Het jonge, zeer ontwikkelde vrouwtje, met haar illusies van de Duizend-en-een-Nacht, bij die eerste indrukken niet onderscheidende het kolonialistische, – de praktijk van de Europeaan, die zich inburgert in een land, vijandig aan zijn bloed – van het waarlijk poëtische, echt Indische, zuiver Oosterse, louter Javaanse – het jonge vrouwtje had om al die belachelijkheidjes, en om meerdere nog, dadelijk gevoeld haar teleurstelling, als een ieder, artistiek aangelegd, ze voelt in het koloniale Indië, dat in het geheel niet artistiek en poëtisch is, en waar men om de rozen in witte potten, nauwgezet, zoveel paardevijgen maar mogelijk stapelt als mest, zodat bij een bries de rozengeur zich vermengt met een fris besproeide meststank. En zij was onrechtvaardig geworden, als een ieder – echt Hollands, echt baar – het wordt voor het mooie land, dat hij zien wil volgens zijn voorbedachte visie van litteratuur, en dat hem het eerst treft in zijn belachelijke kantjes van kolonialisme. En zij vergat, dat het land zelve, het oorspronkelijk zo heel mooie land geen schuld had aan die belachelijkheid.

Zij had een paar jaren doorgemaakt, en zij had zich verwonderd, was nu eens geschrikt, dan weer geschokt, had nu eens gelachen, zich dan weer geërgerd, en had zich eindelijk, met de redelijkheid van haar natuur, – en praktische weerzijde van haar kunstziel, – gewend. Zij had zich gewend aan het spel der tenen, aan de mest om de rozen; zij had zich gewend aan haar man, die geen mens en geen man meer was, maar ambtenaar. Zij had veel geleden, zij had wanhopige brieven geschreven, zij had van heimwee gesmacht naar het huis harer ouders, zij was op het punt geweest plotseling te vertrekken – maar zij had het niet gedaan, om haar man niet in eenzaamheid achter te laten, en zij had zich gewend, en zij had zich geschikt. Zij had behalve de ziel van een artist – haar pianospel was buitengewoon – het hart van een dapper vrouwtje. Zij was haar man lief blijven hebben en zij wist, dat zij hem toch een gezellig huis gaf. Zij dacht heel ernstig over de opvoeding van haar kind. En toen zij zich had gewend, werd zij rechtvaardiger en zag zij eensklaps veel van het mooie Indië, waardeerde zij de statieuze gratie van een klapperboom, de exquise paradijssmaak van Indische vruchten, de pracht der bloeiende bomen, en had zij, in de binnenlanden, gezien de grootse adeldom van die natuur, de harmonieën der berggolvingen, de sprokewouden van reuzevarens, de dreigende ravijnen der kraters, de spiegeltrapterrassen der liquide sawah's, met het tedere groen der jonge padi, en, als een openbaring van artistieke visie was haar geweest het karakter van de Javaan: zijn sierlijkheid, zijn gratie, zijn groet en zijn dans, zijn voorname aristocratie, zo duidelijk dikwijls afstammeling van edel geslacht, van een oer-oude adel, en zich moderniserend tot diplomatische lenigheid, van nature aanbiddend het gezag, en noodlottig geresigneerd onder het juk van die heersers, wier gouden galonnen zijn ingeboren eerbied verwekken.

Om zich had Eva altijd gezien, in haar vaders huis, de eredienst van het artistieke en van het schone, zelfs tot decadentie toe; rondom haar had men haar altijd gewezen, in een omgeving van louter mooie dingen, in mooie woorden, in muziek, op de gratie-lijn van het leven, en misschien te uitsluitend op die gratie-lijn alleen. En nu was zij te veel getraind in deze school der schoonheid om te blijven in haar teleurstelling en alleen te zien de kalk en het teer der huizen, de kleine aanstellerijen der ambtenaren, de Devoe-kisten en de paardevijgen. Haar litteraire geest zag nu het paleisachtige van die huizen, het typische van die ambtenaarshoogmoed, die bijna niet anders zou kunnen zijn, en al die détails zag zij nauwkeuriger, in geheel die Indische wereld zag zij ruimer, tot het haar openbaring bij openbaring werd. Alleen bleef zij voelen iets vreemds, iets, dat zij niet kon analyseren, iets van mysterie, en donker geheim, dat zij voelde aandonzen in de nachten... Maar zij dacht, dat was niet meer dan stemming van duister en heel dicht loof, dat was als heel stille muziek van heel vreemde snaarinstrumenten, een mineur harpgeruis in de verte, een vage stem van waarschuwing... Een geruis in de nacht, meer niet, en waarover zij poëtiseerde.

Te Laboewangi – kleine binnenlandse hoofdplaats – verbaasde zij dikwijls de verbinnenlandste elementen, omdat zij had iets opgewondens, omdat zij was enthousiast, spontaan, blij te leven – zelfs in Indië – blij om de schoonheid van het leven, omdat zij had een gezonde natuur, zacht getemperd en weggedoezeld in een bekoorlijke aanstellerij van niets te willen dan het mooie, de mooie lijn, de mooie kleur, de kunstgedachte. Zij was aan die haar kenden, of antipathiek, of zeer sympathisch: weinigen voelden onverschilligheid voor haar. Zij had zich in Indië verworven een reputatie van bijzonderheid: haar huis was bijzonder, haar kleding bijzonder, de opvoeding van haar kind bijzonder, haar ideeën waren bijzonder, en alleen gewoon was haar Friese man, bijna te gewoon in die omgeving, die geknipt scheen uit een tijdschrift voor kunst. Daar zij hield van gezelligheid, verzamelde zij om zich heen zoveel Europees element als maar mogelijk, dat wel zelden artistiek was, maar waarin zij toch bracht een prettige toon, iets dat allen aan Holland deed denken. Dat clubje, die groep bewonderde haar, en volgde vanzelve de toon, die zij aangaf. Door haar meerdere ontwikkeling heerste zij, zonder dat zij de heersersnatuur had. Maar dat alles vond een ieder niet goed, en de anderen noemden haar excentriek. De club echter, de groep, bleef haar trouw, in de zachte loomheid van het Indische leven opgewekt door haar tot concerten, tot ideeën, tot levenslust. Zo had zij om zich heen de dokter en zijn vrouw, de hoofd-ingenieur en zijn vrouw, de controleurkotta en zijn vrouw, en soms, van buiten-af, een paar controleurs, een paar jonge employé's van de suikerfabrieken. Dat was om haar heen een vrolijk troepje, waarin zij heerste, met wie zij comedie speelde, picnics arrangeerde, en dat zij bekoorde door haar huis, en haar

41

japonnen, en de epicuristische kunstlijn van haar leven. Zij vergaven haar alles wat zij niet begrepen – haar levensesthetiek, haar muziek van Wagner – omdat zij hun vrolijkheid gaf, wat levenslust en gezelligheid in de doodsheid van hun ver-indisching. Daarvoor waren zij haar innig dankbaar. En zo was het gekomen, dat haar huis eigenlijk middelpunt van het sociale leven van Laboewangi was geworden, terwijl het residentie-huis, er tegenover, zich in zijn waringinschaduw met deftigheid terugtrok. Léonie van Oudijck was er niet ijverzuchtig om. Zij hield van haar rust, en zij liet dolgraag alles over aan Eva Eldersma. En zo bemoeide Léonie zich met niets, niet met feesten, niet met muziek- en comediegezelschap, niet met liefdadigheid; en al de sociale plichten, die een residentsvrouw anders op zich voelt rusten, droeg zij op Eva over. Léonie had eens in de maand haar receptie, sprak iedereen aan, glimlachte tegen iedereen en gaf op Nieuwjaar haar jaarlijks bal. Daarbij bepaalde zich het sociale leven in het residentie-huis. Zij leefde er verder in haar egoïsme, in de behaaglijkheid, die zij egoïstisch voor zich om zich heen schiep, in haar roze gedroom van engeltjes en in wat zij er oogsten kon van liefde. Soms, periodiek, had zij behoefte aan Batavia en ging zij er een paar maanden heen. En zo leefde zij, als residentsvrouw, haar eigen leven, en Eva deed alles, en Eva gaf de.toon aan. Het gaf soms kleine naijver, bijvoorbeeld tussen haar en de vrouw van de inspecteur van financiën, die vond, dat haar de eerste plaats toekwam na mevrouw Van Oudijck, en niet aan de vrouw van de secretaris. Dan was het een geharrewar met de Indische ambtenaars-etiquette en verhalen, praatjes deden de ronde, vergroot, verergerd, tot in de verst gelegen suikerfabriek van de residentie. Maar Eva stoorde zich niet aan de praatjes en zorgde liever voor wat gezelligheid in Laboewangi. En om iets goeds tot stand te brengen, heerste zij, met haar clubje. Men had haar gekozen tot presidente van het toneelgezelschap Thalia, en zij nam aan, maar op voorwaarde dat het reglement zou worden afgeschaft. Zij wilde wel koningin zijn, maar zonder grondwet. Men zeide haar algemeen, dat dit toch niet ging: er was altijd een reglement geweest. Maar Eva antwoordde, dat zij met een reglement niet wilde presideren. Dan zou zij liever alleen meespelen. Men gaf toe: de grondwet van Thalia werd afgeschaft, Eva heerste er absoluut, koos de stukken uit, verdeelde de rollen. En het was de bloeitijd van het gezelschap – men speelde, gedrild door haar, zo goed, dat men van Soerabaia kwam om de voorstellingen in Concordia bij te wonen. De stukken, die men speelde, waren van een gehalte, als nimmer in Concordia was gespeeld. Het maakte haar weer bemind, of in het geheel niet bemind. Maar zij ging door en zorgde voor wat Europese beschaving, om niet al te veel te „beschimmelen" in Laboewangi. En men deed laagheden om toch maar geïnviteerd te worden op haar dinertjes, die waren beroemd en berucht. Want zij eiste, dat haar heren in rok kwamen en niet in hun Singaporese jasjes, zonder hemd. Zij stelde rok en witte das in, en zij was onverbiddelijk. De dames waren als altijd gedecolleteerd, voor de koelte en vonden dat heerlijk. Maar haar arme heren stribbelden tegen, puften de eerste maal, kregen congestie in hun hoge boord; de dokter beweerde, het was ongezond; de oudgasten beweerden, het was dolligheid en breken met alle goeie, oude Indische gewoonten...

Maar toen men eerst een paar maal gepuft had in die rok en die hoge boord, vond iedereen de dinertjes van mevrouw Eldersma verrukkelijk, juist omdat ze zo Europees werden gehouden.

II

Eva ontving om de veertien dagen.

– Hoor, resident, het is geen receptie, verdedigde zij zich altijd tegen Van Oudijck. Ik weet heel goed, dat niemand mag *recipiëren*, in het binnenland, dan de resident en de residente. Het is heus geen receptie, resident. Ik zou niet durven het zo te noemen. Ik hou alleen maar open huis, om de veertien dagen, en ik vind het gezellig, als de kennissen dan komen... Het mag toch wel, niet waar, resident, als het geen *receptie* is?

Van Oudijck lachte dan vrolijk met zijn joviale, militaire snorlach, en vroeg of mevrouwtje Eldersma hem voor de gek hield. Zij mocht alles, als zij maar voortging te zorgen voor wat gezelligheid, voor wat comedie, voor wat muziek, voor wat prettig sociaal samenleven. Dat was nu eenmaal de plicht, die op haar rustte: te zorgen voor het mondaine element in Laboewangi.

Haar ontvangdagen hadden niets Indisch. In het residentie-huis bijvoorbeeld waren de recepties geregeld volgens het oud-Indisch binnenlandse gebruik: op de stoelen langs de wanden zaten al de dames naast elkaar, en mevrouw Van Oudijck liep ze langs, praatte met ieder een ogenblik, staande, terwijl de dames bleven zitten; in een andere galerij onderhield zich de resident met de heren. Het mannelijke element mengde zich niet met het vrouwelijke. Bitter, port en ijswater werden rondgediend.

Bij Eva liep men, wandelde men door de galerijen, zette zich hier, daar; men sprak met iedereen. Er heerste niet de statigheid als in het residentie-huis, maar er was de chic van een Franse salon, met een artistieke tint. En het was een gewoonte geworden, dat de dames zich meer kleedden voor Eva's dagen dan voor de recepties bij de resident; zij hadden bij Eva hoeden op, symbool van uiterste elegance in Indië. Gelukkig kon het Léonie niet schelen, het liet haar totaal onverschillig.

In de middengalerij nu, op een divan, zat Léonie en bleef er zitten met de Raden-Ajoe, de vrouw van de Regent. Zij vond die oude gewoonte gemakkelijk; ieder kwam naar haar toe. Zij had op haar eigen recepties al zoveel te lopen, langs de rij dames aan de wand... Nu nam zij haar rust, bleef zitten, glimlachte tegen wie haar zijn compliment kwam maken, Maar verder was het een woelige beweging van gasten. Eva was overal.

– Vindt u het hier mooi? vroeg mevrouw Van Does aan Léonie, met een blik over de middengalerij en haar oog gleed verwonderd langs de matte arabesken, als fresco, met calcarium op de zacht grijze wand geverfd, langs de djatihouten lambrisering, door handige Chinese meubelmakers gesculpteerd volgens een tekening uit de Studio, langs de bronzen Japanse vazen op djatihouten piedestals, en waarin bamboetakken en boeketten van reuze bloemen zacht overschaduwden tot aan het plafond toe.

– Vreemd... maar heel lief! Eigenaardig..., murmelde Léonie, wie Eva's smaak steeds een raadsel was. In zich teruggetrokken als in een tempel van egoïsme, kon haar wat een ander deed en voelde, niet schelen, en ook niet hoe een ander zijn huis arrangeerde. Maar zij had hier niet kunnen wonen. Zij hield meer van haar lithogravure's – Veronese, en Shakespeare, en Tasso – zij vond die deftig –

44

dan van de mooie bruine fotografieën naar Italiaanse meesters, die Eva hier en daar op ezels had staan. Het meest hield zij van haar bonbon-doos, en de parfumerie-reclame met de engeltjes.

– Vindt u die japon mooi? vroeg mevrouw Van Does weer aan Léonie.

– Jawel, glimlachte Léonie lief. Eva is heel knap; ze heeft die blauwe irissen zelve geschilderd op Chinese zij...

Zij zeide nooit iets anders dan lieve, glimlachende dingen. Zij sprak nooit kwaad; het was haar onverschillig. En zij wendde zich nu tot de Raden-Ajoe, en bedankte haar met lieve, slepende zinnen voor vruchten, die deze gezonden had. De Regent kwam haar aanspreken, en zij informeerde naar zijn beide zoontjes. Zij sprak in het Hollands, en de Regent en de Raden-Ajoe antwoordden in het Maleis. De Regent van Laboewangi, Raden Adipati Soerio Soenario was nog jong, even dertig jaar, een fijn Javaans gezicht als van een laatdunkende wajangpop, met een klein kneveltje, waaraan zorgvuldige puntjes gedraaid, en vooral een staarblik, die trof: een blik als in een voortdurende trance, een blik als peilende door de zichtbare werkelijkheid en ziende door ze heen, een blik uit ogen als kolen, soms dof en moe, soms opgloeiende als vonken van extase en fanatisme. Hij had bij de bevolking – bijna slaafs gehecht aan hun Regentenfamilie – een faam van heiligheid en geheimzinnigheid, zonder dat men er ooit het ware van hoorde. Hier, in Eva's galerij, maakte hij alleen een indruk van popperigheid, van voorname Indische prins: alleen zijn tranceogen verbaasden. De sarong, glad om zijn heupen, viel van voren lang neer in een bundel van platte, regelmatige plooien, die openwaaierden; hij droeg een wit gesteven hemd met diamanten knopen, en een klein blauw dasje; daarover een blauw laken uniformbuis met gouden uniformknopen, waarop de gekroonde W.; aan zijn blote voeten staken zwart verlakte, van voren opgepunte muilen; de hoofddoek, zorgvuldig met kleine plooien gekapt om zijn hoofd, gaf aan zijn fijne gezicht iets vrouwelijks, maar de zwarte ogen, nu en dan moe, vonkten telkens op in trance. In zijn blauw-en-gouden gordel, geheel van achteren, midden op de rug, stak de gouden kris; aan zijn kleine, slanke hand schitterde een grote steen en uit de zak van zijn buis wipte een sigarettenkoker van gouden vlechtwerk. Hij zeide niet

veel – soms keek hij of hij slaap had, dan weer gloeiden
op zijn vreemde ogen – en op wat Léonie zeide, antwoordde hij bijna uitsluitend alleen met een kort en hakkerig:
– Saja... Hij sprak de beide lettergrepen uit met een hard
en sissend beleefdheidsaccent, op iedere silbe evenveel
toon en nadruk. Hij vergezelde zijn beleefdheidswoordje
met een kort, automatisch hoofdknikje. Ook de Raden-
Ajoe, gezeten naast Léonie, antwoordde zo: Saja...
Maar zij lachte telkens even na, zacht verlegen. Zij was
nog heel jong, misschien even achttien jaar. Zij was een
Solose prinses, en Van Oudijck kon haar niet uitstaan, omdat zij Solose manieren, Solose zeggingen invoerde te Laboewangi, in haar laatdunkende hoogmoed of niets zo
voornaam en zuiver aristocratisch zou zijn als wat gewoonte was en gezegd werd aan het hof van Solo. Zij gebruikte hofwoorden, die de bevolking te Laboewangi niet
begreep, zij had de Regent opgedrongen een koetsier van
Solo, met de Solose galadracht: de pruik en de valse kne-
velbaard, waarnaar de bevolking tuurde met open ogen.
Haar gele tint was nog lichter opgeblankt door een lichte
laag van bedak, vochtig opgelegd, de wenkbrauwen waren
even opgebogen met een streekje zwart; in haar glanzende
kondé staken juwelen spelden in en het midden, een ke-
nanga-bloem. Zij droeg op een kainpandjang, die naar
Solose hofdracht lang sleepte voor haar voeten, een kabaai
van rood brokaat, met galon afgezet, en met drie grote
juwelen gesloten. Twee fabelstenen trokken, zwaar in zilver gezet, haar oren neer. Zij droeg lichte ajour kousen en
gouden sonket-muilen. Haar kleine, dunne vingertjes
waren stijf van ringen, als gezet in briljant, en zij had een
waaier van wit pluimendons in de hand.
– Saja... saja... antwoordde zij hoffelijk, met haar verlegen lachje. Léonie zweeg even, moe van alleen te praten.
Als zij de Regent en de Raden-Ajoe gesproken had over
hun zonen, wist zij niet veel meer te zeggen. Van Oudijck
die eerst door Eva was rondgeleid door haar galerijen –
want er was altijd weer iets nieuws te bewonderen – naderde zijn vrouw; de Regent rees op.
– En Regent, vroeg hij, in het Hollands: hoe gaat het met
de Raden-Ajoe Pangéran?
Hij informeerde naar de weduwe van de oude Regent, de
moeder van Soenario.

– Heel goed... dank u... murmelde de Regent in het Maleis: maar mama is niet meegekomen... al zó oud... gauw moe.

– Ik heb u even te spreken, Regent.

De Regent volgde Van Oudijck in de voorgalerij, waar niemand was.

– Het spijt mij, u te moeten zeggen, dat ik zo pas weer slechte tijding heb van uw broer, de Regent van Ngadji-wa... Men heeft mij geïnformeerd, dat hij dezer dagen weer gedobbeld en grote sommen heeft verloren. Weet u daar iets van?

De Regent sloot zich als op in zijn popperige strakheid, en bleef zwijgen. Alleen zijn ogen staarden, als zag hij verre dingen, door Van Oudijck heen.

– Weet u daar iets van, Regent?

– Tida...

– U, als hoofd van uw familie, draag ik op daarnaar te informeren en op uw broeder te letten. Hij dobbelt, hij drinkt, hij doet uw naam geen eer aan, Regent. Als de oude Pangéran ooit had kunnen vermoeden, dat zijn tweede zoon zich zo vergooide, zou hij groot verdriet gehad hebben. Hij droeg zijn naam hoog. Hij was een der verstandigste en edelste Regenten, die het Gouvernement ooit op Java heeft gehad, en u weet, hoe het Gouvernement de Pangéran waardeerde. Al in de tijd der Compagnie is Holland veel verschuldigd geweest aan uw geslacht, dat haar altijd trouw was. Maar de tijden schijnen te veranderen... Het is zeer treurig, Regent, dat een oude Javaanse familie van zo hoge traditie als de uwe, niet meer getrouw weet te blijven aan die traditie... Raden Adipati Soerio Soenario werd olijfbleek. Zijn trance-ogen doorstaken de resident, maar hij zag, dat deze ook kookte van woede. En hij doofde de vreemde vonk van zijn blik in een slaperige moeheid.

– Ik dacht, resident, dat u altijd liefde gevoeld had voor mijn huis, murmelde hij, bijna klagend.

– En u heeft goed gedacht, Regent. Ik had de Pangéran lief. Ik heb altijd uw huis bewonderd, en ik heb het altijd hoog willen houden. Ik wil het ook nu hoog houden, met u samen, Regent, hopende, dat u niet alleen ziet – als uw faam gaat – de dingen der andere wereld, maar ook de werkelijkheid rondom u heen. Maar het is uw broeder, Regent, die ik *niet* liefheb en onmogelijk kan hoogachten.

47

Men heeft mij gezegd – en die het mij zeiden, kan ik vertrouwen –, dat de Regent van Ngadjiwa niet alleen heeft gedobbeld... maar ook, dat deze maand de traktementen der hoofden te Ngadjiwa niet door hem zijn uitbetaald... Zij zagen elkaar strak aan, en de kalme, flinke blik van Van Oudijck ontmoette de trance-vonk van de Regent.

– De personen, die u inlichten, kunnen zich vergissen...

– Ik vermoed, dat zij mij niet zulke berichten zullen brengen zonder de onbetwijfelbaarste zekerheid... Regent, deze zaak is zeer kies. Nogmaals: u is het hoofd van uw familie. Onderzoek bij uw jongere broer in hoeverre hij zich vergrepen heeft aan het geld van het Gouvernement, en herstel zo spoedig mogelijk alles. Ik laat expres de zaak aan u over. Ik zal uw broer er niet over spreken om een lid van uw familie nog te sparen, zo lang ik kan. Het is aan u uw broer terecht te wijzen, hem te wijzen op wat in mijn ogen een misdaad is, maar die u door uw prestige als chef der familie nog te niet kunt doen. Verbied hem te dobbelen en beveel hem zijn passie meester te worden. Of anders voorzie ik zeer treurige dingen en zal ik uw broer moeten voordragen voor ontslag. U weet zelve hoe ongaarne ik dit zou doen. Want de Regent van Ngadjiwa is de tweede zoon van de oude Pangéran, die ik hoog heb gesteld, evenals ik uw moeder, de Raden-Ajoe Pangéran, altijd alle verdriet zou willen besparen.

– Ik dank u... murmelde Soenario.

– Bedenk goed wat ik u zeg, Regent. Als u niet uw broer tot rede kunt brengen, tot zelfbeheersing in zijn hartstocht – als de traktementen der hoofden niet zo spoedig mogelijk worden uitbetaald... dan zal *ik* moeten optreden. En zou *mijn* waarschuwing niet helpen... dan zou het de ondergang zijn van uw broer. U weet zelve: een Regent ontslaan is een zo grote exceptie, dat het schande over uw familie zou brengen. Werk met mij mee het geslacht der Adiningrats daarvoor te bewaren.

– Ik beloof het u... murmelde de Regent.

– Geef mij uw hand, Regent.

Van Oudijck drukte de dunne vingers van de Javaan.

– Kan ik u vertrouwen? vroeg hij nog eens.

– In leven, in dood...

– Laat ons dan nu naar binnen gaan. En deel mij zo spoedig mogelijk uw bevindingen mee...

De Regent boog. Hij was olijfbleek van een stille geheimzinnige woede, die als een kratervuur in hem werkte. Zijn ogen, achter in Van Oudijcks rug, priemden met een mysterie van haat de Hollander toe, de minne Hollander, de burgerman, de onreine hond, de goddeloze Christen, die niet hád aan te roeren met enige voeling van zijn vuile ziel iets van hem, van zijn huis, van zijn vader, van zijn moeder, van hun oer-heilige edelheid en adel... ook al hadden zij altijd gebogen onder de druk van wie sterker was...

III

– Ik heb op jullie gerekend, om te blijven eten, zei Eva.
– Natuurlijk, antwoordden de controleur Van Helderen en zijn vrouw.
De receptie – *geen* receptie, verdedigde zich Eva altijd – liep ten einde: de Van Oudijcks, het eerst, waren vertrokken; de Regent volgde. De Eldersma's bleven met hun intiem troepje alleen: dokter Rantzow, de hoofdingenieur Doorn de Bruijn, met hun vrouwen, en de Van Helderens. Zij zetten zich in de voorgalerij met een zekere ontspanning neer, en schommelden behaaglijk. Whiskey-soda's, limonades, met grote brokken ijs, werden rondgediend.
– Altijd stampvol, receptie van Eva, zei mevrouw Van Helderen. Voller dan verleden bij residèn...
Ida van Helderen was een typetje van blanke nonna. Zij probeerde altijd heel Europees te doen, netjes Hollands te spreken; zelfs gaf zij voor, dat zij slecht Maleis sprak, en dat zij noch van rijsttafel, noch van roedjak hield. Zij was klein, regelmatig molligjes; zij was heel blank, bleekblank, met grote zwarte verwonderde ogen. Zij was vol kleine geheimzinnige nukjes, haatjes, liefdetjes; alles sprong in haar op met geheimzinnige drijfveertjes, niet na te gaan. Soms haatte zij Eva, soms was zij dol op haar. Staat was er totaal niet op haar te maken; iedere handeling, iedere beweging, ieder woord kon een verrassing zijn. Zij was altijd verliefd, tragisch. Zij nam al haar kleine gevalletjes heel tragisch op, heel groot en somber – zonder het minste idee van verhouding – en stortte zich dan uit bij Eva, die lachte en haar troostte. Haar man, de controleur, was nooit in Holland geweest: hij had zijn opvoeding ge-

heel te Batavia gehad aan het Gymnasium-Willem III en aan de Indische Afdeling. En het was zeer vreemd te zien, deze kreool, schijnbaar geheel Europeaan, lang, blond, bleek, met zijn blonde snor, met zijn blauwe ogen van levendige uitdrukking, vol belangstelling, met zijn manieren van een fijnere hoffelijkheid dan de gigerl-sport-chic van Europa, en toch zo niets Indisch in ideeën, woorden, kleding; die sprak over Parijs en Wenen, alsof hij er jaren geweest was, terwijl hij Java nooit had verlaten; die dweepte met muziek – al was het hem ook moeilijk zich in Wagner te werken, als Eva die speelde –; en wiens grote illusie was het volgend jaar toch eindelijk eens naar Europa te gaan, met verlof, om de Franse Expositie te zien. Er was een verwonderlijke distinctie en ingeboren stijl in deze jonge man, als was hij niet een kind van Europese ouders, die steeds in Indië waren geweest, als was hij een vreemdeling van een land onbekend, van een nationaliteit, die men zich niet dadelijk wist te herinneren... Nauwlijks was er een zekere molligheid aan zijn accent – invloed van het klimaat –; hij sprak zijn Hollands zo correct, dat het bijna stijf zou geweest zijn tussen het slordige „slang'' van het moederland; en hij sprak zijn Frans, zijn Engels, zijn Duits met meer gemak, dan de meeste Hollanders die talen spreken. Misschien had hij van een Franse moeder dat exotisch beleefde en hoffelijke: ingeboren, prettig, natuurlijk. In zijn vrouw, ook van Franse origine, gesproten uit een kreolenfamilie van Bourbon, was dat exotische een geheimzinnige mengeling geworden, die niets dan kinderlijkheid was gebleven: een warreling van kleine gevoeletjes, kleine hartstochtjes, terwijl zij met haar grote sombere ogen tragisch het leven probeerde te zien, dat zij alleen maar inkeek als een slecht geschreven novelletje.

Zij meende nu verliefd te zijn op de hoofdingenieur, de doyen van het troepje, al grijzende, met een zwarte baard, en zij, tragisch, stelde zich scènes voor met `mevrouw Doorn de Bruijn, een zware, placide, melancholieke vrouw. Dokter Rantzow en zijn vrouw waren Duitsers; hij, dik, blond, vrij vulgair, met een buikje; zij, met een helder Duits gezicht van prettige matrone, levendig Hollands sprekende met een Duits accent.

Het was in dit clubje, dat Eva Eldersma heerste. Behalve Frans van Helderen, de controleur, bestond het uit al heel gewone Indische en Europese elementen, mensen zonder kunstlijn, zoals Eva zeide, maar zij had niet anders kunnen kiezen, in Laboewangi, en daarom amuseerde zij zich over de nonna-tragiekjes van Ida, en schikte zij zich naar de anderen. Haar man, Onno, als altijd moe van zijn werk, sprak niet veel mee, luisterde toe.

– Hoe lang is mevrouw Van Oudijck te Batavia geweest? vroeg Ida.

– Twee maanden, zei de doktersvrouw: heel lang deze keer.

– Ik heb gehoord, zei mevrouw Doorn de Bruijn – placide, melancholiek, en stil venijnig – dat deze keer één Raad van Indië, één Directeur en drie jongelui uit de handel mevrouw Van Oudijck te Batavia hebben geamuseerd.

– En ik kan jullie verzekeren, begon de dokter: dat als mevrouw Van Oudijck niet geregeld naar Batavia ging, zij een weldadige kuur zou missen, ook al doet zij die kuur op haar eigen houtje, en niet... op mijn voorschrift.

– Laat ons geen kwaad spreken! viel Eva bijna smekend in. Mevrouw Van Oudijck is mooi – van een rustig Juno-mooi, met de ogen van Venus – en mooie mensen in mijn omgeving vergeef ik veel. En u, dokter... – zij dreigde hem met de vinger –: geen ambtsgeheimen verklappen. U weet, dokters in Indië zijn dikwijls al te openhartig omtrent de geheimen van hun patiënten. Ik heb, als ik eens ziek ben, nooit iets anders dan hoofdpijn. Zal u dat nooit vergeten, dokter?

– De resident was gepreoccupeerd, zei Doorn de Bruijn.

– Zou hij weten... van zijn vrouw? vroeg Ida somber, met haar grote ogen vol zwart fluwelen tragiek.

– De resident is dikwijls zo, zei Frans van Helderen. Hij heeft zijn buien. Hij is soms prettig, vrolijk, joviaal, zoals verleden op de tournee. Dan heeft hij weer zijn sombere dagen, werkt, werkt, werkt, en bromt, dat er niet anders gewerkt wordt dan door hem...

– Mijn arme miskende Onno! zuchtte Eva.

– Ik geloof, dat hij zich overwerkt, ging Van Helderen door. Laboewangi is een ontzettend druk gewest. En de resident trekt zich te veel aan, zowel in zijn huis, als buiten-af. Zowel de verhouding met zijn zoon, als met de Regent.

– Ik zou de Regent laten springen, zei de dokter.

– Maar dokter, zei Van Helderen. Zoveel weet je toch wel

van onze Javaanse toestanden, om in te zien, dat dat zo maar niet gaat. De Regentenfamilie is te één met Laboewangi en te hoog in aanzien bij de bevolking....

– Ja, ik ken de Hollandse politiek... De Engelsen handelen in Brits-Indië hoger en willekeuriger met hun Indische prinsen. De Hollanders ontzien ze veel te veel.

– Het zou de vraag zijn, welke politiek op den duur de beste is, zei Van Helderen droog, die niet kon velen, dat een vreemdeling in een Nederlandse kolonie iets afbrak. Toestanden van ellende en hongersnood als in Brits-Indië kennen wij gelukkig bij ons niet.

– Ik zag de resident ernstig spreken met de Regent, zei Doorn de Bruijn.

– De resident is te gevoelig, zei Van Helderen. Hij gaat zeer zeker gebukt onder dat langzaam verval van die oude Javaanse familie, die familie, die fataal ondergaat, en die hij hoog zou willen houden. De resident, hoe koel praktisch ook, heeft daarin iets van een poëet. Hoewel hij het niet zou willen toegeven. Maar hij herinnert zich het glorieuze verleden van de Adiningrats, hij herinnert zich die laatste mooie figuur nog, de oude nobele Pangéran, en hij vergelijkt hem met zijn zonen, de een een dweper, de ander een dobbelaar...

– Ik vind onze Regent – niet die van Ngadjiwa: dat is een koelie – verrukkelijk! zei Eva. Ik vind hem een levende wajangpop. Alleen zijn ogen, daarvoor ben ik bang. Wat een verschrikkelijke ogen! Soms slapen ze, maar soms zijn ze als van een gek. Maar hij is zo fijn, zo voornaam. En de Raden-Ajoe ook is een exquis poppetje: saja... saja... Ze zegt niets, maar ze ziet er decoratief uit. Ik ben altijd blij als ze mijn jour decoreren, en ik mis iets, als ze er niet zijn. En dan de oude Raden-Ajoe Pangéran, grijs, waardig, een koningin...

– Een dobbelaarster van het eerste water, zei Eldersma.

– Ze verdobbelen alles, zei Van Helderen; zij en de Regent van Ngadjiwa. Zij zijn niet rijk meer. De oude Pangéran had prachtige waardigheidsinsigniën voor zijn gala, magnifieke lansen, een juwelen sirih-doos, kwispedoren – nuttige voorwerpen! – van onschatbare waarde. De oude Raden-Ajoe heeft alles verdobbeld. Ik geloof, dat zij niets meer heeft dan haar pensioen, ik meen twee-honderd-veertig gulden. En hoe onze Regent al zijn neven en nichten in

de Kaboepaten onderhoudt volgens Javaans gebruik, is mij een raadsel.
– Welk gebruik? vroeg de dokter.
– Iedere Regent verzamelt zijn gehele familie als parasieten om zich heen, kleedt ze, voedt ze, geeft ze zakgeld... en de bevolking vindt dat waardig en chic.
– Treurig... die vervallen grootheid! zei Ida, somber.
Een jongen kwam zeggen, dat het diner gereed was en men begaf zich naar de achtergalerij, en zette zich aan tafel.
– En wat is er in het vooruitzicht, mevrouwtje? vroeg de hoofdingenieur. Welke plannen zijn er? Laboewangi is stil geweest, de laatste tijd.
– Eigenlijk is het vreeslijk, zei Eva. Als ik jullie niet had, zou het vreeslijk zijn. Als ik niet altijd plannen maakte, ideeën had, zou het vreeslijk zijn, zo een bestaan in Laboewangi. Mijn man voelt dat niet, hij werkt, zoals u, heren, allen werken; wat kan men in Indië anders doen dan werken, trots de warmte. Maar voor ons vrouwen! Eigenlijk, wat een leven, als men zijn geluk niet geheel schept uit zichzelve, in zijn huis, in zijn kringetje – als men het geluk heeft dat kringetje te hebben. Niets van buiten af. Geen schilderij, geen beeld, dat men ziet; geen muziek, die men hoort. Wees niet boos, Van Helderen. Je speelt allerliefst violoncel, maar niemand in Indië blijft op de hoogte. De Italiaanse opera speelt de Trouvère. De dilettantengezelschappen – in Batavia heus heel goed – spelen... de Trouvère. En jij, Van Helderen... spreek het niet tegen. Ik heb je extase gezien, toen de Italiaanse opera uit Soerabaia verleden keer in de Societeit... de Trouvère kwam spelen. Je was verrukt.
– Er waren mooie stemmen bij...
– Maar twintig jaar geleden – zo hoor ik – was men hier ook verrukt over... de Trouvère. O, het is verschrikkelijk! Soms... ineens, beklemt het me. Soms voel ik ineens, dat ik mij niet gewend heb aan Indië, en dat ik nooit zal wennen, en heb ik een heimwee naar Europa, naar leven!
– Maar Eva... begon Eldersma, bang – bang, dat zij waarlijk eens gaan zou, hem alleen laten in zijn dan totaal vreugdeloos werkleven te Laboewangi –: soms waardeer je toch ook Indië, je huis, het prettige, ruime leven...
– Materieel...

– En waardeer je hier je werkkring; ik meen, het vele, dat je hier doen kan.

– Wat? Feesten arrangeren? Fancy-fairs arrangeren?

– De eigenlijke residente ben jij, Eva, zei Ida dwepend.

– Nu komen wij gelukkig weer op mevrouw Van Oudijck, plaagde mevrouw Doorn de Bruijn.

– En op het ambtsgeheim, zei dokter Rantzow.

– Neen, zuchtte Eva. Wij moeten iets nieuws hebben. Bals, feesten, pic-nics, bergtochten... we hebben al alles uitgeput. Ik weet niets meer. De Indische druk komt op me neer. Ik ben in een van mijn neerslachtige buien. Ik vind die bruine gezichten van mijn jongens ineens griezelig om me. Soms maakt Indië me bang. Voelen jullie dat geen van allen? Een vage angst, een geheimzinnigheid in de lucht, iets dreigends... Ik weet het niet. De avonden zijn soms zo vol geheimzinnigheid en er is iets mysterieus' in het karakter van de inlander, die zo ver van ons staat, zoveel van ons verschilt...

– Artistieke gevoelens, plaagde Van Helderen. Neen, ik voel dat niet. Indië is mijn land.

– Type! plaagde hem Eva terug. Hoe ben je zoals je bent? Zo curieus Europees; Hollands kan ik het niet noemen.

– Mijn moeder was een Française.

– Maar je bent toch een njò; hier geboren, hier opgevoed... En je hebt niets van een njò. Ik vind het heerlijk je ontmoet te hebben, ik hou van je als variëteit... Help mij dan ook. Opper iets nieuws. Geen bal en geen bergtocht. Ik heb behoefte aan iets nieuws. Anders krijg ik het heimwee naar de schilderijen van mijn vader, naar de zang van mijn moeder, naar ons mooi artistiek huis in Den Haag. Zonder iets nieuws ga ik dood. Ik ben niet als je vrouw, Van Helderen, altijd verliefd.

– Eva! smeekte Ida.

– Tragisch verliefd, met haar mooie, sombere ogen. Altijd eerst op haar man en dan op een ander. Ik ben nooit verliefd. Zelfs niet meer op mijn man. Hij wel op mij. Maar ik heb geen liefdenatuur. Er wordt hier in Indië wel veel gedaan aan liefde, nietwaar dokter. Dus... geen bal, geen bergtocht, geen liefde. Mijn God, wat dan, wat dan...

– Ik weet wel iets, zei mevrouw Doorn de Bruijn, en over haar placide melancholiek kwam een plotselinge angst. En

54

terzijde keek zij mevrouw Rantzow aan, de Duitse vrouw begreep haar blik...

– Wat dan? vroegen zij allen, nieuwsgierig.

– Tafeldans, fluisterden de beide dames.

Men lachte algemeen.

– Ach, zuchtte Eva, teleurgesteld. Een truc, een aardigheid, een spel voor een avond. Neen, ik moet iets hebben om minstens gedurende een maand mijn leven te vullen.

– Tafeldans, herhaalde mevrouw Rantzow.

– Wil ik u wat vertellen, zei mevrouw Doorn de Bruijn. Verleden, voor de aardigheid, probeerden wij een knaap te laten dansen. Wij beloofden elkaar heel eerlijk te zijn. De tafel... bewoog, en spelde: tikte volgens het alfabet.

– Maar was het eerlijk? vroegen de dokter, Eldersma, Van Helderen.

– U moet ons vertrouwen, verdedigden zich de twee dames.

– Top, zeide Eva. Wij hebben met ons diner gedaan. Laat ons tafeldans doen.

– Wij moeten elkaar beloven eerlijk te zijn... zei mevrouw Rantzow. Ik zie... dat mijn man antipathiek zal zijn. Maar Ida... een groot medium.

Zij stonden op.

– Moet het licht uit? vroeg Eva.

– Neen, zei mevrouw Doorn de Bruijn.

– Een gewoon knaapje?

– Een houten knaap.

– Met ons achten?

– Neen, laten wij eerst kiezen; bijvoorbeeld, jij Eva, Ida, Van Helderen en mevrouw Rantzow. De dokter is antipathiek, Eldersma ook. De Bruijn en ik kunnen jullie afwisselen.

– Vooruit dan, zei Eva. Een nieuwe ressource voor het maatschappelijk leven van Laboewangi. En eerlijk...

– Wij geven elkaar, als vrienden, ons woord van eer... dat wij eerlijk zullen zijn.

– Top, zeiden zij allen.

De dokter grinnikte. Eldersma haalde zijn schouders op. Een jongen bracht een knaapje. Zij zetten zich om het houten tafeltje en legden luchtig de vingers op, elkaar nieuwsgierig, wantrouwig aankijkende, mevrouw Rantzow plechtig, Eva geamuseerd, Ida somber, Van Helderen

55

onverschillig glimlachende. Eensklaps kwam een strakke trek over het mooie nonna-gezichtje van Ida.

De tafel trilde...

Men keek elkaar verschrikt aan, de dokter grinnikte. Toen, langzaam, lichtte de tafel een van haar drie poten op, en zette die weer voorzichtig neer.

– Heeft iemand bewogen? vroeg Eva.

Zij knikten allen van neen. Ida was bleek geworden.

– Ik voel trillingen in mijn vingers, murmelde zij. De tafel, nog eens, lichtte haar poot op, draaide even knarsend op de marmeren vloer een nijdige kwartcirkel, en zette de poot met een ruwe stamp neer. Zij keken elkaar verwonderd aan.

Ida zat als wezenloos, starende, de vingers uitgespreid, als extatisch. En de tafel, voor de derde maal, lichtte haar poot op.

IV

Het was zeker heel vreemd.

Eva twijfelde even of mevrouw Rantzow de tafel oplichtte, maar toen zij de Duitse doktersvrouw vragend aanzag, schudde deze het hoofd en zag zij, dat zij eerlijk was. Nog eens beloofde men elkaar volle zekerheid... En toen men dus zeker van elkander was in vol vertrouwen, was het allervreemdst, dat de tafel voortging met nijdige knarsende halfcirkels en met de poot te heffen en te tikken op de marmeren vloer.

– Openbaart zich hier een geest? vroeg mevrouw Rantzow, met een blik naar de poot van de tafel.

De tafel tikte eens: ja.

Maar toen de geest zijn naam zou spellen, de letters van zijn naam zou tikken volgens de letters van het alfabet kwam er:

– Z, X, R, S, A, en was de openbaring niet te volgen. Plotseling echter, ging de tafel haastig spellen, als zat iemand haar op de hielen... Men telde de tikjes en er kwam:

– Le...onie... Ou...dijck...

– Wat is er van mevrouw Van Oudijck...?

Er kwam een ruw woord.

De dames schrikten, behalve Ida, die als in een trance zat.

– De tafel heeft gesproken? Wat heeft die gezegd? Wat

is mevrouw Van Oudijck? riepen de stemmen door elkaar.

– Het is ongelooflijk! murmelde Eva. Zijn wij allen eerlijk? Ieder zwoer zijn eerlijkheid.

– Laten wij heus eerlijk zijn, anders is er geen aardigheid aan... Ik wou zo gaarne, dat ik zeker kon zijn...

Dat wilden zij allen: mevrouw Rantzow, Ida, Van Helderen, Eva. De anderen staarden nieuwsgierig toe, gelovende, maar de dokter geloofde niet: hij grinnikte.

Maar de tafel knarste nijdig en tikte en de poot herhaalde:

– Een...

En de poot herhaalde het ruwe woord.

– Waarom? vroeg mevrouw Rantzow.

De tafel tikte.

– Schrijf op, Onno! zei Eva tot haar man.

Eldersma zocht een potlood, papier, schreef op.

Er kwamen drie namen: één van een Raad van Indië, één van een Directeur, één van een jong mens van de handel.

– Als in Indië de mensen niet kwaad spreken, spreken de tafels kwaad! zei Eva.

– De geesten... murmelde Ida.

– Dit zijn meestal spotgeesten, doceerde mevrouw Rantzow.

Maar de tafel tikte voort...

– Schrijf op, Onno! zei Eva. Eldersma schreef.

– A-d-d-y! tikte de poot.

– Neen! riepen alle stemmen door elkaar, heftig ontkennend. Nu vergist de tafel zich! Tenminste de jonge De Luce is nog nooit met mevrouw Van Oudijck samen genoemd.

– T-h-e-o! verbeterde toen de tafel.

– Haar stiefzoon! Het is verschrikkelijk! Dat is wat anders! Algemeen bekend! riepen de stemmen toestemmend uit!

– Maar dat weten wij! zei mevrouw Rantzow, met haar blik naar de poot van de tafel. Kom, zeg nu iets, dat wij niet weten? Kom nu, tafel; kom nu, geest!

Zij sprak lief overtuigend tot de tafelpoot. Men lachte. De tafel knarste.

– Ernstig zijn! waarschuwde mevrouw Doorn de Bruijn. De tafel bonsde neer op Ida's schoot.

– Adoe! riep het mooie nonna-tje, als ontwakende uit haar trance. Tegen mijn buik...!

Men lachte, men lachte. De tafel draaide boos rond, en zij stonden van hun stoelen op, de handen op het knaapje en volgden de nijdige walsbeweging van het tafeltje mee.

– Het... volgende... jaar... tikte de tafel.

Eldersma schreef op.

– Ontzettende... oorlog...

– Tussen wie en wie?...

– Europa... en... China.

– Dat klinkt als een sprookje! grinnikte dokter Rantzow.

– La...boe...wangi, tikte de tafel.

– Wat? vroegen zij.

– Is... een... gat...

– Zeg nu iets ernstigs, tafel, smeekte mevrouw Rantzow lief, met haar prettige Duitse matronemanier.

– Ge...vaar... tikte de tafel.

– Waar?

– Dreigt... ging de tafel voort: Laboe...wangi.

– Gevaar dreigt Laboewangi?

– Ja! tikte de tafel éens, nijdig.

– Welk gevaar?

– Opstand...

– Opstand? Wie staan er op?

– Binnen twee... maanden... Soenario...

Men werd aandachtig.

Maar de tafel, ineens, onverwachts, sloeg weer tegen Ida's schoot aan.

– Adoe dan toch! riep het vrouwtje.

De tafel wilde niet meer.

– Moe... tikte ze.

Men bleef de handen opleggen.

– Uitscheiden... tikte de tafel.

De dokter, grinnikend, legde zijn korte, brede hand op, als een dwang.

– Vrek! schold de tafel uit, knarsend, draaiend. Ploert! schold ze verder.

En er kwamen enige vieze woorden na, aan het adres van de dokter, als riep een straatjongen ze na; vuile woorden, zonder slot noch zin.

– Wie verzint die woorden? vroeg Eva verontwaardigd.

Klaarblijkelijk verzon niemand ze, noch de drie dames,

58

noch Van Helderen, altijd zeer in de puntjes en die klaarblijkelijk verontwaardigd was over de ongegeneerdheid van de spotgeest.

– Het is heus een geest! zei Ida bleek.

– Ik schei uit, zei Eva zenuwachtig en hief haar vingers op. Ik begrijp niets van die onzin. Het is wel vermakelijk... maar de tafel is niet gewend aan fatsoenlijk gezelschap.

– Wij hebben een nieuwe ressource voor Laboewangi! spotte Eldersma. Geen pic-nic meer, geen bal... maar tafeldans!

– Wij moeten ons oefenen! zei mevrouw Doorn de Bruijn. Eva haalde de schouders op.

– Het is onverklaarbaar, zeide ze. Ik kan niet anders geloven, dan dat wij allen eerlijk waren. Het is niets voor Van Helderen om zulke woorden te suggereren.

– Mevrouw! verdedigde Van Helderen zich.

– Wij moeten het meer doen, zei Ida. Kijk, daar gaat een hadji het erf af...

Zij wees naar de tuin.

– Een hadji? vroeg Eva.

Zij zagen in de tuin. Er was niets te zien.

– O, neen, zei Ida. Toch niet. Ik dacht, dat het een hadji was... Het is niets: de maneschijn...

Het was al laat. Zij namen afscheid, lachende, vrolijk, zich verwonderende, maar geen verklaring vindende.

– Als de dames nu maar niet zenuwachtig zijn geworden! zei de dokter.

Neen, betrekkelijk waren zij niet zenuwachtig. Zij waren meer geamuseerd, al begrepen zij niet.

Het was twee uur, nu zij gingen. De stad was doodstil, sluimerende in de fluwelen schaduw der tuinen, terwijl de maneschijn stroomde.

V

De volgende dag, toen Eldersma naar het bureau was en Eva huishoudelijk door haar huis liep, in sarong en kabaai, zag zij Frans van Helderen door de tuin komen.

– Mag ik? riep hij.

– Zeker! riep zij. Kom binnen. Maar ik ben op weg naar mijn goedang.

En zij toonde haar sleutelmandje.
- Ik moet over een half uur bij de resident zijn, maar ik ben te vroeg... Daarom loop ik even aan.
Zij glimlachte.
- Maar ik ben bezig, hoor! zeide zij. Ga maar mee naar de goedang.
Hij volgde haar: hij droeg een zwart lustre jasje, omdat hij straks naar de resident moest.
- Hoe is Ida? vroeg Eva. Heeft zij goed geslapen na de spiritistiche séance van gisteren?
- Zo, zo, zei Frans van Helderen. Ik geloof niet, dat het goed voor haar is het weer te doen. Zij werd telkens wakker met een schrik, ze viel me om de hals en vroeg vergeving, ik weet niet waarom.
- Het heeft mij helemaal niet nerveus gemaakt, zei Eva. Hoewel ik er niets van begrijp...
Zij opende de goedang, zij riep haar kokkie, bedisselde met deze het eten. De kokkie was latta, en Eva had er plezier in de oude meid te plagen.
- La...la-illa-lala! riep zij en de kokkie schrikte en riep terug, herstelde zich ogenblikkelijk, vergiffenis smekend.
- Boeang, kokkie, boeang! riep Eva en de kokkie, gesuggereerd, gooide een tetampa met ramboetans en mangistans neer, dadelijk zich herstellende, smekende, de verspreide vruchten oprapend - en haar hoofd schuddende en smakkende met de tong.
- Kom, ga mee! zei Eva tot Frans. Anders breekt ze me straks mijn eieren. Ajo, kokkie, kloewar!
- Ajo, kloewar! herhaalde de latta kokkie. Alla, njonja, minta ampon, njonja, alla soedah njonja!
- Kom nog even zitten, vroeg Eva.
Hij volgde haar.
- U is zo vrolijk, zeide hij.
- U niet?
- Neen, ik ben melancholiek, de laatste tijd.
- Ik ook. Dat zei ik je gisteren. Het ligt in de lucht van Laboewangi. Wij moeten maar alles van onze tafeldans verwachten. Zij zetten zich in de achtergalerij. Hij zuchtte.
- Wat is er? vroeg zij.
- Ik kan het niet helpen, zeide hij. Ik hou van je, ik heb je lief.
Zij zweeg even.

– Alweer, zeide zij verwijtend.
Hij antwoordde niet.
– Ik heb je gezegd, ik heb geen liefdenatuur. Ik ben koud.
Ik hou van mijn man, van mijn kind. Laat ons vrienden
zijn, Van Helderen.
– Ik strijd ertegen: het geeft niets.
– Ik hou van Ida, ik zou haar voor niets ter wereld onge-
lukkig willen maken.
– Ik geloof niet, dat ik ooit van haar gehouden heb.
– Van Helderen...
– Misschien alleen van haar mooie gezichtje. Maar hoe
blank ook, ze is een nonna. Met haar kuurtjes, haar kinder-
achtige tragiekjes. Ik heb dat vroeger zo niet ingezien. Nu
zie ik het in. Ik heb wel voor u Europese vrouwen ontmoet. Maar u is mij een openbaring geweest, van al het
bekoorlijke, gratieuze, artistieke in een vrouw... Wat in
u exotisch is, sympathiseert aan mijn exotisme.
– Ik stel je vriendschap op hoge prijs. Laat dat zo blijven.
– Soms ben ik net gek, soms droom ik... dat wij samen in
Europa reizen, in Italië, in Parijs zijn. Soms zie ik ons
samen, in een dichte kamer, bij een vuur, u pratende over
kunst en ik over het modern-sociale van deze tijd. Maar
daarna zie ik ons intiemer.
– Van Helderen...
– Het geeft mij niet meer of u mij waarschuwt. Ik heb je
lief, Eva, Eva...
– Ik geloof, dat in geen land zoveel lief wordt gehad als in
Indië. Het is zeker door de warmte...
– Verpletter me niet onder je sarcasme. Geen vrouw heeft
ooit zo tot mijn gehele ziel-en-lichaam gesproken als jij,
Eva...
Zij haalde de schouders op.
– Wees niet boos, Van Helderen, maar ik kán niet tegen
die banaliteiten. Laat ons verstandig zijn. Ik heb een char-
mante man, jij een lief vrouwtje. Wij zijn onderling goede,
gezellige vrienden.
– Je bent zo koel.
– Ik wil ons geluk van vriendschap niet bederven.
– Vriendschap!
– Vriendschap. Er is niets wat ik buiten het geluk in mijn
huis zo hoog waardeer. Ik zou zonder vrienden niet kun-

nen leven. Gelukkig met mijn man, met mijn kind, heb ik daarna vrienden het eerst nodig.

– Om je te bewonderen, om over ze te heersen, zei hij boos. Zij zag hem aan.

– Misschien, zeide zij koel. Ik heb misschien behoefte bewonderd te worden en te heersen. Wij hebben allen onze zwakheden.

– Ik heb de mijne, sprak hij bitter.

– Kom, sprak zij, liever. Laat ons goede vrienden blijven.

– Ik voel mij diep ongelukkig, zeide hij dof. Het is of ik alles gemist heb in mijn leven. Ik ben nooit van Java af geweest, en ik voel iets onvolkomens in mij, omdat ik nooit sneeuw en ijs heb gezien. Sneeuw... dat is mij iets als een vreemde, onbekende zuiverheid. Waarheen ik verlang, kom ik zelfs nooit langs. Wanneer zie ik Europa? Wanneer dweep ik niet meer met de Trouvère en ben ik eens te Bayreuth? Wanneer bereik ik jou, Eva. Ik strek naar alles voelhorens uit, als een insect zonder vleugels... Wat is verder mijn leven. Met Ida, met drie kinderen, in wie ik hun moeder voorzie, jaren lang controleur blijven, dan – misschien, assistent-resident worden... en het blijven. En dan eindelijk ontslag krijgen, of vragen, en te Soekaboemi gaan wonen, vegeterende op een klein pensioen. Ik voel in mij alles verlangen naar het ledige...

– Je hebt toch je werk lief, je bent een goed ambtenaar. Eldersma zegt het altijd: wie in Indië niet werkt en zijn werk niet liefheeft, is verloren...

– Jij hebt geen natuur van liefde, en ik heb er geen van werken, van *niets* dan werken. Ik kan werken voor een doel, dat ik mooi voor mij zie, maar ik kan niet werken... om te werken en de leegte van mijn leven te vullen.

– Je doel is Indië...

Hij haalde de schouders op.

– Een groot woord, zeide hij. Dat kan zijn voor iemand als de resident, wie het meeloopt in zijn carrière, die nooit heeft zitten turen op ranglijsten en heeft zitten speculeren, op de éen zijn ziekte en de ander zijn dood... om promotie. Voor iemand als Van Oudijck, die waarlijk, in volle idealistische eerlijkheid meent, dat zijn doel Indië is, niet voor Holland, maar voor Indië zelf; voor de Javaan, die hij, ambtenaar, beschermt tegen de willekeur van landheren en planters. Ik ben cynischer aangelegd...

– Maar wees niet lauw over Indië. Het is geen groot woord: ik voel het zo. Indië is geheel onze grootheid, van ons, Hollanders. Hoor vreemdelingen spreken over Indië, zij zijn allen verrukt over de glorie ervan, over onze wijze van koloniseren... Doe niet mee met onze ellendige Hollandse geest in Holland, die niets van Indië weet, die altijd een woord van spot heeft voor Indië, in hun kleine, stijve, burgerlijke engdenkendheid...

– Ik wist niet, dat u zo met Indië dweepte. Gisteren nog voelde u hier angst, en verdedigde ik mijn land...

– O, ik voel er de huivering van, de geheimzinnigheid in de avond, waarin iets schijnt aan te dreigen, ik weet niet wat: een bange toekomst, een gevaar voor ons, voor ons.. Ik voel, dat ik – persoonlijk – ver van Indië af blijf staan, al wil ik het niet... Dat ik hier mis kunst, dat, waarin ik werd opgevoed. Dat ik hier mis in het leven van de mensen de mooie lijn, waarop mijn beide ouders mij altijd wezen... Maar onrechtvaardig ben ik niet. En Indië, als onze kolonie, vind ik groot; ons in onze kolonie, vind ik groot...

– Vroeger misschien, nu verongelukt alles, nu zijn wij niet groot meer. U is een artistieke natuur: u zoekt, niettegenstaande u ze zelden vindt, tóch altijd de artistieke lijn in Indië. En dan komt dat grote, die glorie u voor de geest. Dat is de poëzie. Het proza is: een reusachtige maar uitgeputte kolonie, steeds uit Holland bestuurd met één idee: winstbejag. De werkelijkheid is niet: de overheerser groot in Indië, maar de overheerser kleine armzielige uitzuiger; het land uitgezogen, en de werkelijke bevolking – niet de Hollander, die zijn Indisch geld opmaakt in Den Haag; maar de bevolking, de Indose bevolking, verknocht aan de Indische grond, – neergedrukt in de minachting van de overheerser, die éens die bevolking uit zijn eigen bloed verwekte – maar nú dreigende op te staan uit die druk en die minachting... U, artistiek, voelt het gevaar naderen, vaag, als een wolk, in de lucht, in de Indische nacht; ik zie het gevaar al heel werkelijk oprijzen – voor Holland – zo niet van Amerika en van Japan uit, dan uit Indië's eigen grond.

Zij glimlachte.

– Ik hou ervan als je zo praat, zeide zij. Ik zou je eindelijk gelijk geven.

– Als ik met praten zovéel bereiken kon! lachte hij bitter, opstaande. Mijn half uur is om: de resident wacht mij en hij houdt er niet van een enkele minuut te wachten. Adieu, vergeef mij.

– Zeg mij, zeide zij: ben ik coquet?

– Neen, antwoordde hij. U is die u is. En ik kan niet anders, ik heb u lief... Ik strek mijn arme voelhorens uit, altijd. Dat is mijn noodlot...

– Ik zal u helpen mij te vergeten, zeide zij, met een lieve overtuiging.

Hij lachte even, groette, ging. Zij zag hem oversteken de weg naar het residentie-erf, waar een oppasser hem tegemoet kwam...

– Eigenlijk is het leven toch één zelfbedrog, één dwalen in illusie, dacht zij droef, melancholiek. Een groot doel, een werelddoel... of een klein doel voor zichzelf, voor zijn eigen lijf en ziel... o God, wat is alles weinig! En wat dwalen wij rond, zonder iets te weten. En elk zoekt zich zijn doeletje, zijn illusie. Gelukkig is alleen een exceptie, als Léonie van Oudijck, die leeft niet meer dan een mooie bloem, een mooi beest.

Haar kindje dribbelde naar haar toe, een aardige, dikke, blonde jongen.

– Kind! dacht zij. Wat zal het jou zijn? Wat zal jouw beurt je geven? Ach, misschien niets nieuws. Misschien een herhaling van wat al zoveel malen geweest is. Het leven is een roman, die zich telkens herhaalt... O, als men zich zo voelt, dan drukt Indië.

Zij omhelsde haar jongen, haar tranen dropen in zijn blonde krulletjes.

– Van Oudijck zijn residentie: ik mijn kringetje van... bewondering en heersen... Frans zijn liefde... voor mij... wij hebben allen ons speelgoed, zoals mijn kleine Onno met zijn paardje speelt. Wat zijn wij weinig, wat zijn wij weinig...! Ons gehele leven lang stellen wij ons aan, verbeelden ons van alles, denken lijn en richting en doel te geven aan ons arme dwaalleventje. O, hoe kom ik zo, mijn kind? Mijn kind, en wat, wat zal het jou zijn??

DERDE HOOFDSTUK

I

Vijftien paal van Laboewangi, dertien paal van Ngadjiwa lag de suikerfabriek Patjaram, van de familie De Luce – half Indoos, half Soloos – vroeger millionnair, door de laatste suikercrisis niet zo rijk meer, maar toch nog een talrijk huisgezin onderhoudend. In deze familie, die zich steeds bij elkander hield – een oude moeder en grootmoeder, Solose prinses; de oudste zoon, administrateur; drie dochters getrouwd en met haar mannen – employé's – levende in de schaduw der fabriek; drie jongere zonen, werkzaam op de fabriek; de talrijke kleinkinderen, spelende om en bij de fabriek; de achterkleinkinderen kiemende om en bij de fabriek – in deze familie waren de oude Indische tradities bewaard, die – vroeger algemeen – tegenwoordig zeldzamer worden door een drukker Europees verkeer. De moeder-en-grootmoeder was een dochter van een Solose prins, getrouwd met een jonge, energieke avonturier en bohémien, van een adellijke Franse familie uit Mauritius, Ferdinand de Luce, die, na enige jaren zwerven en zoeken zijn plaats in de wereld, als hofmeester op een boot naar Indië was getogen, na allerlei levensverwisseling gestrand was te Solo en er beroemd was geworden om een gerecht van tomaten, en een van gefarceerde lomboks! Door zijn recepten verschafte Ferdinand de Luce zich toegang tot de Solose prins, wiens dochter hij later huwde, en zelfs tot de oude Soesoehoenan. Na zijn huwelijk was hij grondbezitter geworden, volgens de Solose adat vazal van de Soesoehoenan, wie hij iedere dag rijst en vruchten voor de huishouding der Dalem zond. Toen had hij zich gelanceerd in de suiker, radende de millioenen, die een goedgunstig lot voor hem verborgen hield. Hij was gestorven vóór de crisis, in alle rijkdom en eer.

De oude grootmoeder, in wie niets meer de jonge prinses herinnerde, die Ferdinand de Luce getrouwd had om vooruit te komen, werd door de bedienden en het Javaanse personeel van de fabriek nooit anders dan met een kruipende eerbied genaderd, en ieder gaf haar de titel van Raden-Ajoe Pangéran. Zij sprak geen woord Hollands. Gerimpeld als een verschrompelde vrucht, met haar verdoofde ogen en haar verlepte sirih-mond, leefde zij rustig haar laatste jaren voort, altijd in een donkere zijden kabaai, met juwelen gesloten aan hals en nauwe mouwen, vóór haar getaande blik het visioen van haar vroegere Dalem-grootheid, door haar verlaten uit liefde voor die Franse edelman-kok, die haar vader verlekkerd had met zijn recepten; in haar gedoofd gehoor het aanhoudend geruis der centrifuges – als van stoombootschroeven – gedurende de maandenlange maaltijd – om zich heen haar kinderen, kleinkinderen, achterkleinkinderen; de zonen en dochteren door de bedienden genoemd Raden en Raden-Adjeng, allen nog altijd omgeven door de bleke aureool van hun Solose afkomst. De oudste dochter was gehuwd met een volbloed, blonde Hollander; de zoon, die op haar volgde, met een Armeniaans meisje; de twee andere dochters waren gehuwd met Indo's, beiden bruin, hun kinderen, bruin, – getrouwd, en ook kinderen hebbend – zich mengende met de blonde familie der oudste dochter; en de glorie der gehele familie was de jongste zoon-en-broeder, Adrien of Addy, die Doddy van Oudijck het hof maakte, en, trots de drukte van de maal-tijd, telkens te Laboewangi was.

In deze familie waren bewaard gebleven traditie, die al uitgestorven zijn, – zoals men zich ze herinnert bij Indische families van jaren her. Hier vond men nog, op het erf, in de achtergalerij de talloze baboe's, van wie er een alleen bedak fijn wrijft, een andere voor doepa zorgt, een derde sambal stampt, allen met dromende ogen, met lenige, spelende vingers. Hier was het nog, dat de rij der schotels aan de rijsttafel geen einde nam; dat een lange rij bedienden – de een na de ander – weer een andere sajoer, weer een andere lodèh, weer een andere ajam plechtig ronddiende, terwijl, achter de dames gehurkt, de baboe's in een aarden tjobè sambal wreven naar de verschillende smaken en eisen der verwende verhemeltetjes. Hier was het nog de gewoonte, dat, als de familie de races bijwoonde te Ngadjiwa, elk der dames verscheen met een baboe achter zich, langzaam, lenig, plechtig; de ene baboe met een bedakpotje, de andere met een pepermunt-bonbonnière – een binocle – een waaier – een flacon, als een hofstoet met rijksinsigniën. Hier vond men ook nog de gastvrijheid van vroeger; de rij logeerkamers open voor wie aanklopte; hier kon men blijven zolang men wilde; niemand vroeg naar reisdoel, naar datum van vertrek. Een grote eenvoud van ziel, een alomvattende hartelijkheid, gedachteloos en ingeboren, heerste hier met een grenzeloze verveling en matheid, de ideeën gene, de woorden weinige, de zachte glimlach vergoedende idee en woord; het materiële leven zat-vol, de gehele dag rondgedien van koele dranken en kwee-kwee's en roedjak, drie baboe's apart aangewezen om roedjak te maken en kwee-kwee. Tal van dieren over het erf: een kooi vol apen, enige lorre's, honden, katten, tamme badjings, en een kantjil: een klein exquis hertje, dat vrij rondliep. Het huis, gebouwd aan de fabriek, in de maal-tijd dreunende van het machine-gedruis – het stoomboot-schroef-geluid – was ruim en met de oude, ouderwetse meubels gemeubileerd: de lage houten bedden met vier gesculpteerde klamboestijlen, de tafels met dikke poten, de wipstoelen met bijzonder ronde ruggen, – alles zoals men het niet meer zou kunnen kopen, alles zonder één moderne tint, behalve – alleen gedurende de maal-tijd – het elektri-sche licht in de voorgalerij! De bewoners, altijd ongekleed, de heren in het wit of blauw-gestreept; de dames in sarong en kabaai, zich bezig houdende met aap of lorre of kantjil, in eenvoud van ziel, met altijd dezelfde lieve aardigheid, langzaam en slepend, en hetzelfde zachte lachje. De harts-tochten, die er wel waren, sluimerden in, in die zachte glim-lach. Dan, de maal-tijd voorbij, alle drukte voorbij – als de rissen der suikerkarren, getrokken door de prachtige sappi's, met glanzende bruine huiden, altijd en altijd meer riet aangebracht hadden over de met ampas bedekte weg, die vernield was door de brede karresporen –; de bibit voor het volgende jaar gekocht, de machines stil – plotseling herademing uit de stage arbeid, de zo lange, lange zondag, de rust van maanden, de behoefte aan feest en pret: het grote diner bij de landvrouw, met een bal en tableaux-vivants; het gehele huis vol gasten, die bleven en bleven, bekend en onbekend: de oude, gerimpelde grootmama, de landvrouw, de Raden-Ajoe, mevrouw De Luce, hoe men haar ook noemen wilde – beminnelijk met haar doffe ogen en haar sirih-mond, beminnelijk tegen iedereen, achter

zich steeds een anak-mas, een „gouden kindje", een opgenomen, arm prinsesje, dat haar, de grote prinses uit Solo,
een gouden sirih-doos achterna droeg: een klein slank
vrouwtje van acht jaar, het voorhaar met een franje geknipt, met natte bedak het voorhoofd geblankt, al ronde
borstjes onder het roze zijden kabaaitje en de gouden mi-
niatuur-sarong om de smalle heupjes, als een poppetje, een
speelgoed voor de Raden-Ajoe, mevrouw De Luce,
douairière De Luce. En voor de kampongs de volksfeesten, een aloude mildheid, waarin geheel Patjaram deelde:
volgens de traditie der millioenentijd, die altijd werd nage-
komen, trots crisis en malaise.
Het was nu na de maal-tijd en na de feesten een betrekkelijke rust in huis, en een slepende Indische kalmte was in-
getreden. Maar voor de feesten waren overgekomen mevrouw Van Oudijck, Theo en Doddy en zij logeerden gedurende enkele dagen nog te Patjaram. Om de ronde marmeren tafel, waarop glazen stroop, limonade, whiskey-
soda, zat een grote cirkel van mensen: zij spraken niet veel,
zij schommelden behaaglijk op en neer, nu en dan wisse-
lend een enkel woord. Mevrouw De Luce en mevrouw
Van Oudijck spraken Maleis, maar niet veel: een zachte,
goedmoedige verveling zeefde neer op zovele schomme-
lende mensen. Vreemd was het te zien die verschillende
types; de mooie melkblanke Léonie naast de geel gerimpelde Raden-Ajoe-douairière, Theo, Hollands blank en
blond met zijn volle lippen van sensualiteit, die hij van zijn
nonna-moeder had; Doddy, als een rijpe roos al met haar
vonkel-irissen in de zwarte pupillen; de zoon-administra-
teur, Achille de Luce, – groot, fors, bruin, – wiens gedachte
alleen ging over zijn machinerieën en zijn bibit; de tweede
zoon, Roger, – klein, mager, bruin – boekhouder, wiens
gedachte alleen ging over de winst van dat jaar, met zijn
Armeniaanse vrouwtje; de oudste dochter, al oud, – dom,
lelijk, bruin, – met haar volbloed Hollandse man, die er
uitzag als een boer, de andere zonen en dochteren, in alle
nuances van bruin, en niet dadelijk uit elkaar te kennen;
om hen heen de kinderen, de kleinkinderen, de baboe's, de
kleine gouden pleegkinderen, de lorre's en de kantjil – en
over al deze mensen en kinderen en beesten als uitgeschud
één goedhartigheid van samenleving, maar ook over alle
de mensen één trots op hun Solose stammoeder, die achter

hun aller hoofden een bleke aureool van Javaanse aristocratie deed glimmen, waarop niet het minst fier waren de
Armeniaanse' schoondochter en de boers Hollandse
schoonzoon.

Het levendigst van al deze, door lang patriarchaal samenleven in elkaar versmeltende elementen, was de jongste
zoon, Adrien de Luce, Addy, in wie het bloed van de Solose prinses en dat van de Franse avonturier zich harmonieus vermengd hadden, menging, die hem wel geen hersenen had gegeven, maar een mooiheid van jonge sinjo,
met iets van een Moor, iets verleidelijk zuidelijks, iets
Spaans, – alsof in dit laatste kind de beide zo vreemde elementen van ras zich voor het eerst harmonieus hadden ge-
paard, voor het eerst zich hadden gehuwd in volkomen
bekendheid met elkaar – alsof in hem, dit laatste kind na
zovele kinderen, avonturier en prinses voor het eerst zich
in harmonie hadden ontmoet. Iets van verbeelding of in-
tellect scheen Addy niet te hebben, onmachtig twee denk-
beelden te verenigen tot één groep van gedachte; voelen
deed hij alleen met de vage goedhartigheid, die neergezeefd was over de héle familie, en verder was hij als een
mooi dier, in zijn ziel en hersenen ontaard, maar ontaard tot niets, tot één groot niets, tot één grote leeg-
heid, terwijl zijn lichaam geworden was als een wedergeboorte van ras, vol kracht en mooiheid, terwijl zijn
merg en zijn bloed en zijn vlees en zijn spieren geworden waren tot één harmonie van fysieke verleidelijkheid,
zo louter dom mooi zinnelijk, dat de harmonie dadelijk
sprak tot een vrouw. Deze jongen had maar te verschijnen,
als een mooie, zuidelijke god, of alle vrouwen zagen naar
hem, en namen hem op in het diepe van haar verbeelding,
om hem zich later weer te roepen voor haar geest; deze
jongen behoefde maar op een race-bal te Ngadjiwa te
komen, of alle jonge meisjes waren op hem verliefd. Hij
plukte de liefde, waar hij ze vond, volop in de kampongs
van Patjaram. En alles wat vrouw was, was op hem verliefd, vanaf zijn moeder tot zijn kleine nichtjes. Doddy van
Oudijck was smoorlijk op hem. Verliefd was zij van kindje
van zeven al honderden malen geweest, op wie maar voorbijging voor de blik harer vonkel-irissen, maar zoals op
Addy nog nooit. Het straalde zo uit haar wezen, dat het
was als een vlam, dat een ieder het zag, en glimlachte. Het

69

maal-feest was haar geweest één verrukking – als zij danste met hem; één marteling – als hij danste met een ander. Hij had haar niet gevraagd, maar zij dacht hém te vragen ten huwelijk, en te sterven als hij niet wilde. Zij wist, de resident, haar vader, wilde niet; hij hield niet van die De Luce's, van die Solose-Franse boel, als hij zeide, maar als Addy wilde, zou haar vader toegeven, omdat zij, Doddy, anders zou sterven. Voor dat kind van liefde was die jongen van liefde de wereld, het heelal, het leven. Hij maakte haar het hof, hij zoende haar stilletjes op de mond, maar niet meer dan hij, gedachteloos, anderen deed; hij zoende andere meisjes ook. En kon hij, dan ging hij verder, natuurlijk-weg, als een verzengende jonge god, een god zonder gedachte. Maar voor de dochter van de resident had hij nog enig ontzag. Hij had noch moed, noch brutaliteit, zonder veel passie van keuze, vindende een vrouw een vrouw, en zo zat van overwinning, dat hinderpalen hem niet prikkelden. Zijn tuin was vol van bloemen, die zich alle hieven naar hem toe; hij strekte de hand uit, bijna zonder te zien: hij plukte maar. Terwijl zij schommelden om de tafel, zagen zij hem door de tuin aankomen en alle de ogen van die vrouwen gingen naar hem toe, als naar een jonge Verleider, die kwam in de zonneschijn, als een stralenkrans om hen heen. De Raden-Ajoe-douairière glimlachte en zag naar haar jongste zoon, verliefd op haar kind, haar lieveling; achter haar, op de grond gehurkt, gluurde met grote ogen het gouden pleegkindje uit; de zusters keken uit, de nichtjes keken uit, en Doddy werd bleek, en Léonie van Oudijcks blanke melktint tintte zich met een roze weérschijn, die weggleed in de glans van haar glimlach. Werktuiglijk zag zij Theo aan; hun ogen ontmoetten elkaar. En deze zielen van liefde-alleen, van liefde der ogen, der monden, van liefde van het gloeiende vlees, begrepen elkaar, en Theo's jaloezie gloeide zo fel Léonie tegen, dat de roze weerschijn bestierf, dat zij bleek werd en bang: een plotseling onberedeneerde angst, die door haar gewone onverschilligheid heenhuiverde, terwijl de Verleider, in zijn stralenkrans van zonneschijn, nader kwam en nader...

II

Mevrouw Van Oudijck had beloofd nog een paar dagen te
Patjaram te blijven, en zij zag hier eigenlijk tegen op, niet
geheel thuis in dit element van ouderwetse Indischheid.
Maar toen Addy verscheen, bezon zij zich. In het diepste
geheim van zichzelve erediende deze vrouw haar zinnelijkheid als in de tempel van haar egoïsme, offerde deze melkblanke kreole al het intieme van haar roze verbeelding, van
haar onblusbaar verlangen en in die eredienst was zij als
gekomen tot een kunst, een kennis, een wetenschap: die
van met een enkele blik vast te stellen, voor zich, wat haar
aantrok in de man, die haar naderde; in de man, die haar
voorbijging. In de ene was het zijn houding, was het zijn
stem; in de andere was het de lijn van zijn nek op zijn
schouders; in een derde was het zijn hand op zijn knie;
maar wat het ook was, zij zag het dadelijk, met een enkele
blik, zij wist het ogenblikkelijk in een enkele seconde, zij
had de voorbijganger geoordeeld in een ondeelbaar ogenblik, en zij wist dadelijk wie zij verwierp – en dat waren de
meesten – en wie zij waardig keurde, – en dat waren er
velen. En wie zij verwierp in dat ondeelbare ogenblik van
haar opperste gerecht, met die enkele blik, in die enkele
seconde, behoefde ook nooit te hopen: zij, priesteres, liet
hem niet toe in de tempel. Voor de anderen was de tempel
open, maar alleen achter het gordijn van haar correctheid.
Hoe brutaal ook, zij was altijd correct, de liefde was altijd
geheim; voor de wereld was zij niet anders dan de innemend glimlachende residentsvrouw, een beetje indolent;
en die iedereen overwon met haar glimlach. Zag men haar
niet, dan sprak men kwaad van haar; zag men haar, dan
had zij dadelijk overwonnen. Tussen allen, met wie zij het
geheim van haar liefde deelde, was als een vrijmetselarij,
als een mysterie van eredienst: nauwlijks, even met elkaar,
fluisterden zij een paar woorden, bij een zelfde herinnering. En glimlachend, melkblank, rustig, kon Léonie zitten in een grote cirkel, om een marmeren tafel, met minstens twee, drie mannen, die wisten van het geheim. Het
verstoorde niet haar rust en het bedierf niet haar glimlach.
Zij glimlachte tot vervelens toe. Nauwlijks gleed haar blik
van de een naar de ander, en oordeelde zij nog eens even
na, met haar onfeilbare kennis van oordeel. Nauwlijks

wolkten bij haar óp de herinneringen aan de verleden uren, nauwlijks gedacht zij de afspraak voor de volgende dag. Het was het geheim, dat alleen bestond in het mysterie van het samen-zijn, en dat immers nooit werd gesproken voor de profane wereld. Zocht in de cirkel een voet de hare, zij trok de hare terug. Zij flirtte nooit, zij was zelfs wel eens een beetje vervelend, stijf, correct, glimlachend. In de vrijmetselarij tussen de geïnitieerden en haar gaf zij het mysterie bloot, maar voor de wereld, in de cirkels om de marmeren tafels, gaf zij zelfs geen blik, geen handdruk, zweemde haar japon zelfs geen broekspijp aan.

Zij had zich die dagen verveeld te Patjaram, waar zij de invitatie voor het maal-feest had aangenomen, omdat zij vroegere jaren al geweigerd had, maar nu zij Addy zag naderen, verveelde zij zich niet meer. Natuurlijk kende zij hem al jaren lang en had zij hem zien opgroeien van kind tot jongen, tot man, en had zij hem als jongen zelfs wel eens gezoend. Al lang had zij hem geoordeeld, de verleider. Maar nu, terwijl hij kwam in de aureool van de zonneschijn, oordeelde zij hem nog eenmaal: zijn mooie, slanke dierlijkheid en het gloeien van zijn verleidersogen in het schaduwbruin van zijn jonge Morengezicht, de krullende zwelling van zijn zoenlippen met het jonge dons van zijn knevel; het tijgersterke en lenige van zijn Don-Juan-leden: het vlamde haar alles tegen, zodat zij de ogen knipte. Terwijl hij groette, zich zette, een vrolijkheid van woorden rondgooide in die cirkel vol lome spraak en sluimerende gedachten, – alsof hij een handvol van zijn zonneschijn, van het stofgoud zijner verleiding rondsmeet over allen, alle die vrouwen: moeder en zusters en nichtjes en Doddy en Léonie, – zag Léonie hem aan, zoals zij hem allen aanzagen, en haar blik gleed naar zijn handen. Zij had die handen kunnen zoenen, zij verliefde ineens op die vorm van vingers, op die bruine tijgerkracht van palm; zij verliefde ineens op geheel het jonge wilde-dierachtige, dat als een geur van mannelijkheid wademde uit geheel die jongen. Zij voelde haar bloed kloppen, nauwlijks betoombaar, trots haar grote kunst zich koel en correct te houden, in de cirkels om de marmeren tafels. Maar zij verveelde zich niet meer. Zij had een doel voor de volgende dagen. Alleen... zo klopte haar bloed, dat Theo haar blos had gezien en de trilling van haar oogleden. Verliefd als hij op haar was,

72

had zijn oog haar ziel doordrongen. En toen zij opstonden om te rijsttafelen, in de achtergalerij, waar de baboe's al hurkten om in stenen potjes met stampers ieders verschillende oelèk te wrijven, beet hij haar alleen dit woord toe:
– Pas op!!
Zij schrikte; zij voelde, dat hij haar dreigde. Dat was nooit gebeurd; allen, die gedeeld hadden in het mysterie, hadden haar altijd ontzien. Zij schrikte zo, zij was zó verontwaardigd om dat aanraken van het tempelgordijn – in een galerij vol mensen – dat het borrelde in haar rustige onverschilligheid, en dat zij tot opstand werd gewekt in haar altijd onbezorgde zelfkalmte. Maar zij zag hem aan, en zij zag hem blond, breed, groot, haar man in het jong, zijn Indische bloed alleen zichtbaar in de zinnelijkheid van zijn mond, en zij wilde hem niet verliezen: zij wilde zijn type hebben naast het type van de Moorse verleider. Zij wilde hen beiden; zij wilde proeven het verschil van hun beider manne-bekoring; dat even ver-indooste Hollandse blond-en-blanke, en het wilde-dierachtige van Addy. Haar ziel trilde, haar bloed trilde, terwijl de lange rij der schotels plechtstatig rondging. Zij was zo in opstand, als zij nog nooit was geweest. Het ontwaken uit haar placide onverschilligheid was als een wedergeboorte, als een onbekende emotie. Zij was verwonderd dertig te zijn, en dit voor het eerst te voelen. Een koortsachtige slechtheid bloeide in haar op, als met bedwelmende rode bloemen. Zij zag naar Doddy, zij zat naast Addy; zij kon bijna niet eten, het arme kind, gloeiende van liefde... O, de Verleider, die maar had te verschijnen...! En Léonie, in die koorts van slechtheid, jubelde te zijn de mededingster van haar zoveel jongere stiefdochter... Zij zou op haar passen, zij zou zelfs Van Oudijck waarschuwen. Zou het ooit tot een huwelijk komen? Wat kon het haar schelen: wat deerde haar, Léonie, huwelijk?! O, de Verleider! Nooit had zij hem, de opperste, zo gedroomd in haar roze uren van siësta! Dat was geen charme van cherubijntjes; dat was de sterke lucht van een tijgerbekoring: het goudgevonkel van zijn ogen, de spier-lenigheid van zijn sluipende klauw... En zij glimlachte tegen Theo, met één blik van zichgeven: gróte zeldzaamheid in de cirkel van rijstetende mensen. Zij gaf zich anders nooit, in publiek. Nu gaf zij zich even, blij om zijn jaloezie. Zij hield ook razend van hem. Zij vond het heer-

lijk dat hij bleek en boos zag, van ijverzucht. En om haar
heen was de zonnemiddag één gloed en de sambal prikkel-
de haar droog verhemelte. Een licht zweet parelde aan haar
slapen, haar borst perelde onder de kant der kabaai. En zij
had tegelijk henbeiden willen omhelzen, Theo en Addy,
in één omhelzing, in één mengeling van verschillende lust,
ze beiden drukkende tegen haar lijf aan van liefdevrouw...

III

Die nacht was als een dons van fluweel, loom neerzevende
uit de luchten. De maan, in haar eerste kwartier, vertoonde
een heel smalle sikkel, horizontaal, als een Turkse halve-
maan, aan wier punten het onverlichte gedeelte der schijf
zich naief uitstippelde tegen de nacht. Een lange laan van
tjemara's strekte zich uit voor het landhuis, de stammen
recht, het lover als uitgeplozen pluche en gerafeld fluweel,
watte-achtig gedot tegen de wolken aan, die laag drijvende
al een maand te voren de naderende regenmoesson aan-
kondigden. Woudduiven kirden soms en een tokkè sloeg,
eerst met twee rammelende voorslagen, als bereidde hij
zich; dan met zijn vier-, vijfmaal herhaalde roep van:
– Tokkè, tokkè... ! eerst krachtig, dan buigende en ver-
zwakkende. De gardoè in zijn huisje vóor aan de grote
weg, waaraan de slapende passer nu zijn lege stalletjes
plekte, sloeg elf houten slagen op zijn tong-tong, en toen
nog een heel laat karretje ging voorbij, riep hij met een
schorre stem: – Werr-da! De nacht was als een dons van fluweel, loom neerzevende luchten, als een omwemelende
geheimzinnigheid, als een beklemmende aandreiging van
toekomst. Maar in die geheimzinnigheid, onder de geplozen zwarte watten, het gerafelde pluche der tjemara's,
was als een onontkoombare verlokking tot liefde, in de
windloze nacht, als een fluisteren om dit uur niet te laten
voorbijgaan... Wel als een spotgeest sarde de tokkè, droog
komiek doende, en de gardoè met zijn: werda! deed schrikken, maar zachtjes kirden de woudduiven en geheel de nacht
was als één dons van fluweel, als één grote alkoof, die het
pluche der tjemara's gordijnden, terwijl de zwoelte der verre
regenwolken – die gehele maand aan de einder – omduizelde
met een drukkende tover. Geheimzinnigheid en betovering

dreven in de donzende nacht, zeefden neer in de alkoof, die schemerde, versmeltende alle denken en ziel en warm visioenende voor de zinnen...

De tokkè zweeg, de gardoè dommelde in: de donzen nacht heerste, als een toveres, gekroond met de sikkel der maan. Zij liepen zacht aan, twee gestalten van jeugd, de armen om elkaars middel, mond zoekende mond in het dwingen van de betovering. Zij schaduwden aan onder het geplozen fluweel der tjemara's, en zacht, in hun witte kleren, blankten zij aan, als het paar van liefde, dat eeuwig is, en zich altijd herhaalt, overal. En hier vooral was het paar van liefde als onvermijdelijk in de tovernacht, was het als één met de nacht, opgeroepen door de toveres, die heerste –; hier was het fataal, opgebloeid als een dubbele bloem van noodlotliefde, in het donzen mysterie der dwingende luchten.

En de Verleider scheen te zijn de zoon van die nacht, de zoon van die onontkoombare koningin van de nacht, die het meisje, zwak, voerde mee. In haar oren scheen de nacht te zingen met zijn stem en haar kleine ziel smolt vol van haar zwakte, in de magische machten. Zij liep-aan tegen zijn zijde, voelende zijn lijfswarmte dringen door haar verlangende maagdelijkheid heen, en haar blik zwom naar hem op, met de smachtingen van haar vonkel-iris, die opdiamantte in haar pupil. Hij, dronken door de macht van de nacht, de toveres, die was als zijn moeder, dacht haar eerst verder te voeren, aan geen werkelijkheid meer denkende, zonder ontzag meer voor haar, zonder vrees meer voor wie ook – dacht haar verder te voeren, voorbij de gardoè, die dommelde, over de grote weg, in de kampong, die daar school tussen de statie-vederbossen der klapperbomen, als het baldakijn hunner liefde - haar te voeren naar een schuilplaats, een huis, dat hij kende, een bamboehut, die men voor hem zou openen. Toen zij eensklaps stilhield en schrikte.

En zijn arm omklemde en zich nog dichter drukte tegen hem aan en hem bezwoer van neen, dat zij bang was...

– Waarom? vroeg hij zacht, met zijn stem van fluweel, even donzig diep als geheel de nacht was, waarom dan niet, vannacht, vannacht eindelijk; zonder gevaar zou het zijn...

Maar zij, ze rilde, ze sidderde en ze smeekte:

75

– Addy, Addy, neen... neen... ik durf niet verder...
ik ben bang, dat de gardoè ons ziet, en dan... daar loopt...
een hadji... met een witte tulband op...
Hij zag uit naar de weg; aan de overkant wachtte de kampong onder het baldakijn van de klapperbomen, met de
bamboehut, die men zou openen...
– Een hadji...? Waar Doddy? Ik zie niemand...
– Hij ging over de weg, hij keek naar ons om, hij zag ons,
ik zag zijn ogen schitteren en hij is gegaan achter die
bomen, in de kampong...
– Lieveling, ik heb niets gezien...
– Jawel, jawel, ik durf niet, Addy: o toe, laat ons terug-
gaan!!!
Zijn mooi Moors gezicht verduisterde: hij zag al het hutje
zich openen door de oude vrouw, die hij kende, die hem
aanbad als iedere vrouw hem aanbad, van zijn moeder af
tot zijn kleine nichtjes. En nog eens poogde hij haar over
te halen, maar zij wilde niet, zij bleef staan, zij klampte
zich op haar voetjes. Toen keerden zij terug, en zwoeler
waren de wolken, laag aan de horizon, en dichter was het
dons van de nacht, als een warme sneeuw; voller, zwarter
was het gerafel van de tjemara's. Het landhuis schemerde
op, onverlicht, diep in slaap. En hij smeekte haar, hij bezwoer haar hem die nacht niet te verlaten, dat hij sterven
zou, die nacht, zonder haar... Al gaf zij toe, beloofde,
haar armen om zijn hals... toen zij weer schrikte en weer
uitriep:
– Addy... Addy... daar, alweer... die witte figuur...
– Je schijnt overal hadji's te zien! spotte hij.
– Daar dan, kijk...
Hij keek, hij zag waarlijk nu in de donkere voorgalerij een
witte figuur hen naderen. Maar het was een vrouw...
– Mama! schrikte Doddy.
Het was werkelijk Léonie en ze kwam langzaam naar hen toe.
– Doddy, zeide zij zacht. Ik heb overal naar je gezocht. Ik
ben zo bang geweest. Ik wist niet waar je was. Waarom ga
je zo laat nog wandelen? Addy... ging zij zacht voort, lief
moederlijkjes als tegen twee kinderen. Hoe kan je zo doen,
en zo laat nog met Doddy wandelen. Je moet het heus
nooit meer doen, hoor! Ik weet wel, dat het niets is, maar
als iemand het zag! Je moet me beloven het *nooit* meer te
doen?!

76

Zij smeekte het liefjes, innemend verwijtend, doende of zij hen wel begreep, of zij wel wist, dat zij voor elkaar blaakten in de donzende tovernacht, in haar woorden hen dadelijk vergevend. Zij zag er uit als een engel, met haar ronde, blanke gezicht in het loshangende golvende blonde haar; in de witte zijden kimono, die in soepele plooien om haar hing. En zij trok Doddy naar zich toe, en zoende het kind, en Doddy's tranen wiste zij af. En toen, zachtkens, duwde zij Doddy weg, naar haar kamer in de bijgebouwen, waar zij veilig sliep tussen zovele andere kamers vol dochters en vol kleinkinderen van de oude mevrouw De Luce. En terwijl Doddy zacht wenend ging, naar de eenzaamheid van die kamer, sprak Léonie nog tegen Addy, zacht verwijtend, liefjes waarschuwend als een zuster nu, terwijl hij, mooi Moors bruin, met een verlegen blague voor haar stond. Zij waren in de schemer der donkere voorgalerij en buiten wierookte de nacht de onontkoombare walmen van weelde, van liefde, van donzend mysterie. En zij verweet en zij waarschuwde, en zij zeide, dat Doddy een kind was, en dat hij geen misbruik mocht maken... Hij haalde zijn schouders op, hij verdedigde zich, met zijn blague: als stofgoud vielen zijn woorden op haar, terwijl als van een tijger zijn ogen vonkelden. Hem overredende toch voortaan arme Doddy te sparen, vatte zij zijn hand – zijn hand, waarop zij verliefd was – zijn vingers, zijn palm, die zij die morgen, in haar verwarring, had kunnen kussen – en zij drukte die hand en zij weende bijna, en zij smeekte hem genade voor Doddy... Hij merkte het eensklaps, hij zag haar aan met de bliksem van zijn wildedieren-blik en hij vond haar mooi, hij vond haar vrouw, melkblank, en hij wist haar priesteres vol geheime kennis... En ook over Doddy sprak hij, haar dichter naderende, haar aanvoelende, drukkende tussen zijn handen haar beide handen, haar doende begrijpen, dat hij begreep. En nog wenende doende en smekende, leidde zij hem voort en zij opende haar kamer. Hij zag een flauw licht en haar meid, Oerip, die zich door de buitendeur verwijderde, en zich daar te slapen legde, als een trouw dier, op een matje. Toen lachte zij hem tegemoet, en hij, verleider, was verbaasd over de gloed van de lach van die blanke en blonde verleideres, die haar zijden kimono afwierp en als een beeld voor hem stond, naakt, haar armen breidende open...

Oerip, buiten, luisterde even. En zij wilde glimlachende, zich leggen te slapen, dromende van de mooie sarongs, die de Kandjeng haar morgen zou geven, toen zij even schrikte en over het erf zag lopen, en verdwijnen in de nacht, een hadji met witte tulband...

IV

Die dag zou de Regent van Ngadjiwa, de jongere broeder van Soenario, op Patjaram een bezoek komen brengen, omdat mevrouw Van Oudijck de volgende dag vertrok. Men wachtte hem af in de voorgalerij, schommelend om de marmeren tafel, toen zijn rijtuig de lange avenue der tjemara's binnenratelde. Zij stonden allen op. En nu vooral bleek het hoe hoog de oude Raden-Ajoe, de douairière, in aanzien was, hoe nauw verwant zij was aan de Soesoehoenan zelve, want de Regent stapte uit, en zonder een stap verder te doen, hurkte hij neer op de eerste trap van de voorgalerij, en maakte eerbiedig de semba, terwijl, achter zijn rug, een volgeling, die de gesloten goud-en-witte pajong als een dichtgestraalde zon ophield, zich nog kleiner maakte en kromp in-een van vernietiging. En de oude vrouw, de Solose prinses, die weer de Dalem voor haar ogen zag schitteren, naderde hem, heette de Regent welkom in de hoffelijkheid van het paleis-Javaans – de taal tussen vorstelijke gelijken – tot de Regent oprees, en, achter haar, de familiekring naderde. En de wijze, waarop hij toen eerst groette de vrouw van zijn resident, hoe beleefd ook, was bijna neerbuigend, vergeleken bij zijn kruiperigheid van zo-even... Hij zette zich toen tussen mevrouw De Luce en mevrouw Van Oudijck, en een slepend gesprek begon. De Regent van Ngadjiwa was een ander type dan zijn broeder Soenario: groter, grover, zonder dat levende wajang-poppige van deze: hoewel jonger, zag hij er ouder uit, zijn trekken verstard van hartstocht, zijn ogen verbrand van hartstocht: hartstocht voor vrouwen, voor wijn, hartstocht voor opium, hartstocht vooral voor spel. En een stille gedachte scheen op te vonkelen in dat slepende lome gesprek, zonder idee en de woorden zo weinig, telkens gescandeerd door het hoffelijke: saja, saja, waarachter zij allen verborgen hun geheime verlangen...

Men sprak Maleis, omdat mevrouw Van Oudijck niet Javaans dorst praten: de fijne, moeilijke taal, vol tinten van etiquette, waaraan nauwlijks een enkele Hollander zich waagt tegenover Javanen van rang. Zij spraken weinig, zij schommelden zacht; een vage glimlach van hoffelijkheid duidde aan, dat ieder mee deed met het gesprek, ook al wisselden alleen mevrouw De Luce en de Regent nu en dan een enkel woord... Tot zij eindelijk, de De Luces, de oude mama, de zoon Roger, de bruine schoondochters, zich niet inhouden konden, zelfs niet voor mevrouw Van Oudijck en verlegen lachten, terwijl dranken en koek werden rondgediend; tot zij, trots hun hoffelijkheid, elkaar snel raadpleegden met een paar woorden Javaans, over Léonie heen, en de oude mama eindelijk haar vroeg, zich niet meester meer, of zij het kwalijk zou nemen, als zij een ogenblikje speelden. En zij zagen haar allen aan, de vrouw van de resident, de vrouw van de gezagsman, die, zij wisten het, haatte hun dobbelspel: hun verderf, waarin verongelukte de hoogheid der Javaanse geslachten, die hij hoog wilde houden, trots henzelve. Maar zij, te onverschillig, dacht er niet aan met een enkel woord van tactvolle scherts hen te weerhouden, haar man ter wille: zij, de slavin van haar eigen hartstocht, liet hen slaven zijn van de hunne, in de wellust van hun slavernij. Zij glimlachte alleen, en duldde gaarne, dat in de schemer van de wijde vierkante binnengalerij zich de spelers trokken terug; de dames, nu begerig tellende haar geld in haar zakdoek, wisselende bij de heren, tot zij zich zetten dicht bij elkaar, en, de ogen op de kaarten, de ogen spiedende in elkanders ogen, speelden en speelden eindeloos door, winnende, verliezende, betalende of opstrijkende, de zakdoek met geld even open en weer dicht, zonder woorden, alleen met het klein vierkant gedwarrel der kaarten, in de schemer van het binnenvertrek. Speelden zij slikoer of ,,stoteren''? Léonie wist het niet, onverschillig, ver van die passie en blij, dat Addy naast haar bleef en Theo jaloers hem aanzag. Wist hij wat, vermoedde hij iets, zou Oerip altijd zwijgen? Zij genoot in de emotie en zij wilde hen beiden, zij wilde blank en bruin beide, en dat Doddy zat aan de andere zijde van Addy, en bijna verkwijnd, schommelde, deed haar een acuut en slecht plezier. Wat was er anders in het leven, dan zich te laten gaan naar de drang van zijn weelde-verlangen?

Zij had geen ambitie, onverschillig voor het hoge van haar positie; zij, de eerste vrouw der residentie, die al haar verplichting schoof op Eva Eldersma, wie het geen aandoening gaf, dat honderden op de recepties te Laboewangi, te Ngadjiwa en elders haar begroetten met een plichtpleging, die zweemde naar vorstelijk eerbetoon, – die stilletjes, in haar roze pervers gedroom – een roman van Mendès in de handen – lachte om die overdrijving der binnenlanden, waarin de residentsvrouw een koningin kan zijn. Zij had geen andere ambitie dan de man te hebben, die zij waardig koos; geen ander zieleleven dan de eredienst van haar lichaam, als een Afrodite, die priesteres van zichzelve zou zijn. Wat kon het haar schelen of zij daar speelden, of de Regent van Ngadjiwa zich verwoestte! Zij vond het integendeel belangrijk op zijn verteerd gezicht die verwoesting gade te slaan en zij zou zorgen zichzelve nog meer dan gewoonlijk te verzorgen, zich door Oerip te laten masseren haar gelaat en haar leden, door Oerip nog meer te laten bereiden de blanke liquide bedak, de wondercrème, toverzalf, waarvan Oerip wist het geheim en die het vlees hield hard en rimpelloos en blank als een mangistan. Zij vond het belangwekkend de Regent van Ngadjiwa te zien opbranden als een kaars, dom, versuft van vrouwen, wijn, opium, kaarten, misschien van kaarten het meest, van het versuffende turen op kaarten, dobbelende, de kans berekenend, die niet te berekenen was, bijgelovig berekenend, uittellende volgens de wetenschap der petangans de dag, het uur, dat hij spelen moest om te winnen, het aantal van de medespelers, de hoeveelheid van zijn inzet... Nu en dan zag zij tersluiks naar de gezichten der spelers, in de binnengalerij verdonkerd in schemer en winzucht, en zij bedacht, wat Van Oudijck zou zeggen, hoe boos hij zou zijn, als zij hem hiervan vertelde... Wat deerde het hem of die Regentenfamilie zich ruïneerde? Wat deerde haar zijn politiek, de gehele Hollandse politiek, die zo gaarne in waardig aanzien houdt de Javaanse adel, door welke zij de bevolking regeert? Wat deerde haar of Van Oudijck denkende aan de oude nobele Pangéran, weemoed voelde om de zichtbare ondergang zijner kinderen? Haar deerde het alles niets, haar deerde nu alleen zichzelve, en Addy, en Theo. Zij zou die middag haar stiefzoon, haar blonde, toch zeggen, niet zo jaloers te zijn. Het werd zichtbaar, zij was zeker, dat Doddy het zag. Had zij gisteren het arme kind niet gered? Maar hoe lang zou dat smachten duren? Zou zij Van Oudijck liever niet waarschuwen, als een goede, voorzichtige moeder...? Haar gedachten dwaalden loom; de morgen was broeiend, in die laatste zengende dagen der Oostmoesson, wanneer klamheid op de leden parelt. Dan trilde haar lichaam. En Doddy latende met Addy, troonde zij Theo mee, en berispte hem, dat hij zo jaloers keek van machteloze woede. Zij maakte zich een beetje boos en vroeg wat of hij wilde... Zij waren terzijde van het huis gegaan, in de lange zijgalerij; daar waren apen in een kooi, pisangschillen er om heen gestrooid, van de vruchten, die de beesten gegeten hadden, door de kleinkinderen gevoed. Reeds een paar maal had men gegongd voor de rijsttafel, en in de achtergalerij hurkten al de baboe's, wrijvende een ieders sambal. Maar om de speeltafel scheen men niets te horen. Alleen werden de fluisterende stemmen hoger, scheller, en zowel Léonie en Theo, als Addy en Doddy luisterden op. Een twist scheen plotseling los te barsten, trots het gesus van mevrouw De Luce, tussen Roger en de Regent. Zij spraken Javaans, maar zij lieten de hoffelijkheid varen. Zij scholden als koelies elkaar voor valsspelers uit. Telkens hoorde men het sussend gedoe van de oude mevrouw De Luce, bijgestaan door haar dochters en schoondochters. Maar ruw werden stoelen verzet, een glas brak, Roger scheen de kaarten woest neer te gooien. Alle de vrouwen daarbinnen susten met hoge stemmen, met doffe stemmen, fluisterend, met uitroepjes, met kreetjes van genade en verontwaardiging. Aan alle hoeken van het huis luisterden de bedienden, talloos. Toen zakte de twist: lange verklaringen redeneerden nog boos op tussen de Regent en Roger; de vrouwen susten: cht...! cht...! verlegen voor de residentsvrouw, uitkijkende waar zij toch was. En eindelijk werd het stil en gingen zij stil zitten, hopende, dat de twist niet te veel gehoord zou zijn. Tot ten laatste, heel laat, bij drieën, de oude mevrouw De Luce, de dobbelpassie nog lichtende in haar uitgedoofde ogen, maar waardig verzamelende al haar prestige van prinses, in de voorgalerij kwam, en, doende of er niets gebeurd was, vroeg of mevrouw Van Oudijck aan tafel kwam.

V

Ja, Theo wist. Hij had na de rijsttafel met Oerip gesproken en hoewel de meid eerst had willen ontkennen, bang de sarongs te zullen verliezen, had zij niet kunnen blijven liegen, heel zwakjes maar betuigend van neen, van neen... En nog vroeg in die zelfde middag, had hij Addy opgezocht, razend van jaloezie. Maar gekalmeerd had hem de onverschillige rust van die mooie jongen, met zijn Moorse gezicht, al zo zat van zijn overwinningen, dat hijzelve nooit ijverzucht voelde. Gekalmeerd had hem die totale afwezigheid van een enkele gedachte in die Verleider, die ogenblikkelijk vergat, na het uur van liefde, zo harmonisch vergat, dat Addy met ogen van naieve verbazing had opgekeken, toen Theo, rood, ziedende, in zijn kamer gekomen was en, vóór zijn bed, – waarin hij lag geheel naakt, als zijn gewoonte was in zijn siësta, jong prachtig als brons, subliem als een antieke statue – had staan betuigen, dat hij hem op zijn gezicht zou slaan... En zo naief was Addy's verbazing geweest, zo harmonisch zijn onverschilligheid, zo totaal scheen hij vergeten het liefde-uur van de vorige nacht, zo rustig had hij gelachen om het idee van te vechten om een vrouw, dat Theo was bedaard, en op de rand van zijn bed was gaan zitten. En toen had Addy – een paar jaren jonger, maar met zijn ongeëvenaarde ondervinding – hem toch gezegd, dat hij dat toch niet meer doen moest, zo boos worden om een vrouw: een maîtresse, die zich gaf aan een ander. En bijna vaderlijk, meelijdend, had Addy hem geklopt op de schouder, en omdat zij nu toch wisten van elkaar, hadden zij eens vertrouwelijk met elkaar gesproken en elkander vertrouwelijk uitgehoord. Andere dingen vertrouwden zij elkander toe, over vrouwen, over meisjes. Theo vroeg of Addy Doddy zou trouwen. Maar Addy zei, dat hij aan trouwen niet dacht, en dat de resident ook niet zou willen, omdat die van zijn familie niet hield en hen te Indisch vond. Met een enkel woord liet hij toen uitkomen ook zijn trots op zijn Solose afkomst, ook zijn trots op de aureool, die bleek glom achter alle hoofden der De Luce's. En Addy vroeg Theo of hij wel wist, dat hij in de kampong een broertje had lopen. Theo wist van niets. Maar Addy verzekerde het hem: een zoontje van papa, hoor, uit de tijd, toen de oude nog controleur was geweest te Ngadjiwa; een kerel van hun leeftijd, geheel ver-njoòd: de moeder was dood. Misschien wist de oude het zelf niet, dat hij nog een kind in de kampong had zitten, maar het was waar, iedereen wist het; de Regent wist het, de patih wist het, de wedono wist het, en de minste koelie wist het. Een werkelijk bewijs was er niet, maar wat zo geweten werd door de hele wereld, was even waar als het bestaan van de wereld. Wat de kerel deed? Niets, vloeken, betuigend, dat hij een zoon was van de Kandjeng Toean Residèn, die hem in de kampong liet verrekken. Waarvan hij leefde? Van niets, van hetgeen hij hoogweg bedelde, van wat men hem gaf, en dan... van allerlei praktijken: van door de districten rondgaan, door alle dessa's, en vragen of er niets te klagen viel en dan requestjes opstellen; van lui op te porren naar Mekka te gaan en hen passage te laten bespreken bij heel goedkope stoombootonderneminkjes, waarvan hij stil agent was: hij ging dan tot in de verste dessa en toonde er reclameplaten, waarop een stoomboot vol Mekka-gangers, en de Kaaba, en het Heilige Graf van Mohammed. Zo scharrelde hij rond, dikwijls gemengd in standjes, eens in een ketjoe-partij, soms gekleed met een sarong, soms met een oud gestreept katoenen pakje, en hij sliep nu hier en dan daar. En toen Theo verbaasd was, en zeide nooit iets gehoord te hebben van die halve broer, en nieuwsgierig was, stelde Addy voor, hem eens op te gaan zoeken, als hij misschien te vinden was in de kampong. En Addy, vrolijk, nam vlug zijn bad, kleedde zich in een fris wit pak, en zij gingen over de weg, langs de rietvelden de kampong in. Het duisterde al onder de zware bomen, de bananen hieven hun bladeren als fris groene roeispanen op, en onder het statiebaldakijn der klapperbomen, scholen de bamboe-huisjes, dichterlijk oosters, idyllisch met hun atap daken, de deurtjes dikwijls al dicht, en zo ze openstonden, het zwarte verschietje naar binnen omlijstend, met de vage lijn van een balé-balé, waarop een duisterende figuur hurkte. De kale schurftige honden blaften; de kinderen, naakt, met belletjes aan de onderbuik, liepen weg en gluurden uit de huisjes: de vrouwen bleven rustig, de Verleider herkennend en vaag lachend, knippend de ogen als hij voorbij ging in zijn glorie. En Addy toonde het huisje waar zijn oude baboe woonde, Tidjem, de vrouw, die hem hielp, die altijd haar deur voor hem opende, als hij haar hutje nodig had, die hem aanbad, als zijn moeder hem aanbad en zijn zusters en zijn kleine nichtjes. Hij toonde Theo het huisje en dacht aan zijn wandeling van gisternacht, met Doddy, onder de tjemara's. De baboe Tidjem zag hem en liep op hem toe, in verrukking. Zij hurkte bij hem neer, zij omhelsde zijn been tegen haar verlepte borst, zij wreef haar voorhoofd tegen zijn knie, zij kuste hem op zijn witte schoen, zij zag hem aan in vervoering: haar mooie prins, haar Raden, die zij gewiegd had als klein mollig jongske, in haar toen al verliefde armen. Hij klopte haar op de schouder en gaf haar een rijksdaalder, en hij vroeg haar of zij wist waar si-Oudijck was, omdat zijn broeder hem wilde zien.

Tidjem stond op en zij wenkte hem mee: het was nog een heel eind lopen. En zij kwamen uit de kampong, op een open weg, waarlangs rails lagen en de krandjangs suiker vervoerd werden naar de prauwen, die aan een steiger daar, in de Brantas, lagen gereed. De zon ging onder, in een immense uitwaaiering van oranje straalbundels; als donker mollig fluweel gedoezeld tegen die trots van gloed waren de verre geboomtelijnen, die de bibitvelden begrensden, nog niet beplant en liggende in sombere aarde-kleur van brake akkers uit; van de fabriek kwamen enkele mannen en vrouwen, zich begevende naar huis. Bij de rivier, bij de steiger, was onder een heilige, vijfvoudige, de vijf stammen in elkaar vergroeide waringinboom met wijd uitwandelende wortels, een kleine passer van draagkeukentjes opgezet. Tidjem riep de veerman en hij zette hen over, over de oranje Brantas, in het laatste geel van de als een pauwestaart waaierende zon. Toen zij over waren, viel de nacht als met haastige wazen over elkaar heen, en de wolken, die de gehele novembermaand dreigden aan lage kimmen, drukten zwoel op de atmosfeer. En zij traden een andere kampong in, hier en daar opgelicht met een petroleumlichtje, neergezet, in een lang lampeglas, zonder ballon. Tot zij eindelijk kwamen bij een huisje, half van bamboe, half van Devoe-kist-planken; half met pannen, half met atap gedekt. Tidjem wees en, nog eens hurkend, en Addy's knie omhelzend en kussend, vroeg zij verlof terug te gaan. Addy klopte op de deur: een gebrom, een gestommel rommelde binnen op, maar toen Addy riep, werd de deur met een schop geopend en de beide jongelui traden

84

binnen in de enige kamer van het huisje – half bamboe, half petroleumplank: een balé-balé met een paar vuile kussens in een hoek, waarvoor een slap, sitsen gordijn bengelde –, een wrakke tafel met een paar stoelen – een petroleumlamp op, zonder ballon; en wat rommel van kleine benodigdheden, gestapeld op een Devoe-kist in een hoek. Een verzuurde opiumlucht had alles doordrongen.

En aan de tafel zat si-Oudijck met een Arabier, terwijl een Javaanse vrouw op de balé-balé hurkte, zich een sirihblad bereidend. Enige bladen papier, die op de tafel lagen tussen de Arabier en de sinjo, frommelde de laatste haastig bijeen, zichtbaar wrevelig over het onverwachte bezoek. Maar hij herstelde zich en joviaal doende, riep hij uit:

– Zo, Adipati, Soesoehoenan! Sultan van Patjaram! Suikerlord! Hoe maak je het, mooie vent, meidenkerel!

Zijn joviale stortvloed van begroetingen hield niet op, terwijl hij de papieren bij elkander graaide en de Arabier een teken gaf, waarop deze door de andere deur, achter, verdween.

– En wie heb je daar bij je, Raden Mas Adrianus, lekkere Lucius...

– Je broertje, antwoordde Addy.

Si-Oudijck keek plotseling op.

– O zo, zeide hij, en hij sprak half Hollands, gebroken, Javaans, Maleis door elkaar: ik herken hem, mijn echte. En wat komt de kerel doen?

– Eens zien, hoe jij er uit ziet...

De twee broers zagen elkander aan, Theo nieuwsgierig, blij dit te hebben uitgevonden, als een wapen tegen de oude, zo dit wapen eens nodig bleek; de andere, si-Oudijck, geheim in zich houdende, achter zijn bruine slimme loergezicht, al zijn jaloezie, al zijn bitterheid en haat.

– Woon je hier? vroeg Theo, om iets te zeggen.

– Neen, ik ben op het ogenblik bij haar, antwoordde si-Oudijck met een hoofdbeweging naar de vrouw.

– Is je moeder lang geleden gestorven?

– Ja. De jouwe leeft nog, nietwaar? Ze is in Batavia. Ik ken haar. Zie je haar ooit?

– Neen.

– Hm... Hou je meer van je stiefmoeder?

– Dat gaat nog al vrij wel, zei Theo droog. Ik geloof niet, dat de oude weet, dat je bestaat.

– Jawel, dat weet hij wel.
– Neen, ik geloof niet. Heb je ooit met hem gesproken?
– Jawel. Vroeger al. Jaren geleden.
– En...?
– Het geeft niet. Hij zegt, dat ik zijn zoon niet ben...
– Dat zal dan ook wel moeilijk uit te maken zijn.
– Wettig ja. Maar het is een feit, en algemeen bekend.
Bekend door heel Ngadjiwa.
– Heb je niets geen bewijs?
– Alleen de eed van mijn moeder, toen zij stierf, voor
getuigen...
– Kom, vertel mij eens het een en ander, zei Theo. Loop
een eind met ons mee, hier is het benauwd...
Zij gingen de hut uit, en door de kampongs slenterden zij
terug, terwijl si-Oudijck vertelde. Zij liepen langs de Brantas, die avondvaag slingerde onder een gepoeier van ster-
ren.
Het deed Theo goed hiervan te horen, van die huishoudster zijns vaders, uit diens controleurstijd, verstoten om
een ontrouw, waaraan zij onschuldig was: het kind later
geboren en nooit erkend, nooit gesteund; de jongen, zwer-
vende van kampong tot kampong, romantisch prat op zijn
ontaarde vader, die hij uit de verte in het oog hield, hem
volgend met zijn loerblik toen die vader assistent-resident,
resident werd, trouwde, scheidde, weer trouwde; te hooi
en te gras wat lerende van schrijven en lezen van een
magang, die hem bevriend was... Het deed de echte zoon
goed hiervan te horen, omdat hij in het diepst van zich,
hoe blond en hoe blank ook, meer was de zoon van zijn
moeder, de nonna, dan de zoon van zijn vader; omdat hij
in het diepst van zich die vader haatte, niet om die aanleiding of deze reden, maar om een geheimzinnige bloed-
antipathie, omdat hij zich, trots zijn voorkomen en voor-
doen van blonde en blanke Europeaan, geheimzinnig verwant voelde aan deze onechte broer, een vage sympathie
voor hem voelde, beiden zonen van eenzelfde moederland,
waarvoor hun vader niet voelde dan alleen met zijn aan-
geleerde ontwikkeling: de kunstmatig, humaan aange-
kweekte liefde der overheersers voor de overheerste grond.
Van zijn kinderjaren af, had Theo zich zo gevoeld, ver
van zijn vader; en later was die antipathie een sluimerende
haat geworden. Het deed hem genoegen te horen afbreken

86

die onlaakbaarheid van zijn vader: edel mens, hoog intègre ambtenaar, die zijn huisgezin liefhad, die zijn residentie liefhad, die de Javaan liefhad, die hoog wilde houden de Regentenfamilie – niet alleen omdat zijn instructie hem in het Staatsblad voorschreef de Javaanse adel in aanzien te houden, maar omdat zijn eigen hart het hem zeide, als hij zich de nobele Pangéran heugde... Theo wist wel, dat zijn vader zo was, zo onlaakbaar, zo hoog, zo intègre, zo edel, en het deed hem goed hier, in de avond vol geheim aan de Brantas, te horen tornen aan die onlaakbaarheid, aan die hoge, intègre adel; het deed hem goed te ontmoeten een verstoteling, die hem in één ogenblik die hoog tronende vaderfiguur vuil gooide met slijk en smerigheid, hem neertrok van zijn voetstuk, hem laag deed zijn als ieder ander, zondig, slecht, harteloos, onedel. Een slechte blijdschap was er om in zijn hart, zoals er een slechte blijdschap was, dat hij bezat de vrouw van die vader, die die vader aanbad. Wat te doen met dat donkere geheim wist hij nog niet, maar hij nam het tot zich als een wapen; hij wette het, daar in die avond, terwijl hij uithoorde de kleurling met zijn loeroog, die uitvaarde en zich opwond. En Theo borg zijn geheim, borg zijn wapen diep bij zich. Grieven kwamen bij hem los, en ook hij nu, de echte zoon, schold op zijn vader, bekende hoe de resident hem, zijn zoon, niet méér hielp vooruit te komen dan hij de eerste beste klerk zou doen; hoe hij hem éénmaal had aanbevolen bij de directie van een onmogelijke onderneming, een rijstland, waar hij, Theo, niet langer had kunnen blijven dan een enkele maand, hoe hij hem daarna overgelaten had aan zijn lot, hem tegenwerkte als hij op concessies jaagde, zelfs in andere residenties dan Laboewangi, zelfs in Borneo, tot hij nu genoodzaakt was thuis te blijven hangen en klaplopen, niets vindende door zijn vaders schuld, getolereerd in dat huis, waar alles hem antipathiek was...

– Behalve je stiefmoeder! viel droog in si-Oudijck.

Maar Theo ging voort, zich nu gevende op zijn beurt en de broer vertellende, dat al was hij erkend en gewettigd, het toch niet vet soppen zou zijn. Zo wonden zij zich beiden op, blij elkander ontmoet te hebben, bevriend in dit enkele uur. En naast hen liep Addy, zich verwonderend over die vlugge sympathie, maar verder zonder gedachte. Zij waren een brug overgegaan en met een omweg waren

zij gekomen achter de fabrieksgebouwen van Patjaram. Hier nam si-Oudijck afscheid van hen, van Theo met een handdruk, waarin deze een paar rijksdaalders liet glijden, die gretig werden aangenomen, met een opflikkering van de loerblik, maar zonder een woord van dank. En langs de nu stille fabriek begaven Addy en Theo zich naar het landhuis: de familie liep buiten in de tuin en in de tjemara-laan. En terwijl de beide jongelui naderden, liep hen tege-moet het achtjarige gouden kindje, het pleegprinsesje van de oude mama, met haar franje van haar en haar gebedakte voorhoofdje, in haar rijke poppe-kledijtje. Zij liep op hen toe en bij Addy bleef zij eensklaps staan en zag naar hem op. Addy vroeg wat zij wilde, maar het kind antwoordde niet, zag alleen naar hem op, en toen, uitstrekkende haar handje, vlijde zij hem over zijn hand met haar handje. Het was in het schuwe kind zo duidelijk onweerstaanbaar magnetisch: dat aanlopen, stilstaan, opkijken en vlijen, dat Addy luid oplachte, en zich bukte en haar luchtigjes kuste. Het kind, tevreden, huppelde terug. En Theo, nog op-gewonden van die middag, eerst door zijn gesprek met Oerip, door zijn verklaring met Addy, zijn ontmoeting met de halve broer, zijn ontboezemingen over zijn vader – Theo, zich bitter voelende en interessant, was zo ge-ergerd door dat onbelangrijke doen van Addy en het kleine kindje, dat hij, bijna boos, uitriep:
– Ach jij... jij wordt toch nooit anders dan een meiden-vent!

VIERDE HOOFDSTUK

I

Het was Van Oudijck meestal meegelopen in het leven. Uit een eenvoudige, Hollandse familie, zonder geld, was zijn jeugd geweest een harde, maar nooit wrede school van reeds vroege ernst, van dadelijk stevig-aan werken, van reeds dadelijk uitkijken naar de toekomst, naar de loopbaan, naar de plaats, die hij zo spoedig mogelijk eervol zou willen innemen tussen zijn medemensen. Zijn Indologische studiejaren te Delft waren even genoeg vrolijk geweest, om hem te laten denken, dat hij jong was geweest, en omdat hij mee had gedaan aan een maskerade, meende hij zelfs, dat hij al een heel losse jeugd had gehad, van veel geld stuk slaan en geboemel. Zijn karakter was samengesteld uit veel stil Hollandse degelijkheid, een meestal ietwat sombere en saaie levensernst van verstandelijke praktijk: gewend uit te zien naar zijn eervolle plaats onder de mensen, was zijn ambitie ritmisch, gestadig ontwikkeld, tot een maathoudende eerzucht, maar ontwikkeld alleen in die lijn, langs welke zijn oog altijd gewoon was te turen: de hiërarchische lijn van het Binnenlands Bestuur. Het was hem altijd meegelopen: van veel capaciteit, was hij veel gewaardeerd, was vroeger assistent-resident dan de meesten en jong resident geworden, en eigenlijk was zijn eerzucht bevredigd nu, omdat zijn betrekking van gezag geheel harmonieerde met zijn natuur, wier heerszucht gelijkmatig met haar eerzucht was gegaan. Eigenlijk was hij nu tevreden, en hoewel zijn oog nog veel verder uit zag en voor zich zag schemeren een zetel in de Indische Raad en zelfs de troon te Buitenzorg, – had hij dagen, waarin hij, levensernstig en tevreden, beweerde, dat resident eersteklasse te worden – behalve het hogere pensioen – alleen iets vóór had te Semarang en Soerabaia, maar dat de Vorstenlanden maar heel lastig waren, en Batavia zo een eigenaardige en bijna verkleinde positie had, te midden van zo vele hoge ambtenaren – Raden van Indië en Directeuren.

En al zag zijn oog dus verder, zijn praktische middelmaat-tevredenheid zou geheel bevredigd zijn, zo men hem had kunnen voorspellen, dat hij resident van Laboewangi zou sterven. Hij had zijn gewest lief, en hij had Indië lief; naar Holland, naar het vertoon van Europese beschaving, ver-langde hij nooit, toch zelve zeer Hollands gebleven, en vooral hatende alles wat half-bloed was. Het was de tegen-stelling in zijn karakter, want hij had zijn eerste vrouw – een nonna – niet anders dan uit liefde genomen, en zijn kinderen, in wie het Indische bloed sprak – uiterlijk bij Doddy, innerlijk bij Theo, terwijl René en Ricus geheel twee kleine sinjo's waren – had hij lief met een zeer sterk sprekend vaderlijk gevoel, met al het tedere en sentimen-tele, dat in het diepe van hem sluimerde: behoefte om veel te geven en te ontvangen in de cirkel van zijn huiselijk leven. Langzamerhand was deze behoefte uitgebreid tot de cirkel van zijn gewest: er was in hem een vaderlijke trots op zijn assistent-residents en controleurs, onder wie hij populair was en die van hem hielden en alleen maar een-maal in de zes jaren, dat hij resident van Laboewangi was, had hij niet overweg gekund met een controleur, die kleur-ling was, en die hij, na een poos geduld met hem en zich, had laten overplaatsen, had laten springen, als hij zeide. En hij was trots, dat hij, trots zijn straffe autoriteit, trots zijn straffe werkdrang, bemind was onder zijn ambtenaren. Des te meer deed hem leed die steeds geheimzinnige vijand-schap met de Regent, zijn „jongere broeder", volgens de Javaanse titulatuur, en in wie hij ook gaarne de jongere broeder gevonden had, die onder hem, de oudere, be-stuurde zijn Javaanse bevolking. Het deed hem leed, dat hij het zo getroffen had en hij dacht dan aan andere Regen-ten; niet alleen aan de vader van deze, de nobele Pangéran, maar aan anderen, die hij kende: de Regent van D., ont-wikkeld, zuiver Hollands sprekend en schrijvend, steller van klaar-duidelijke Hollandse artikelen in couranten en tijdschriften; de Regent van S., jong, wat luchthartig en ijdel, maar zeer vermogend en veel goed doende, in de Europese samenleving als een dandy, galant tegen de dames. Waarom moest hij het zo treffen in Laboewangi met deze stil nijdige, geheimzinnige fanatieke wajang-pop, met zijn faam van heilige en tovenaar, dom verafgood door het volk, in welks welvaart hij geen belang stelde, en dat hem toch aanbad alleen om het prestige van zijn oude naam – in wie hij altijd gevoelde een tegenwerking, nooit uitgesproken maar toch zo duidelijk tastbaar onder zijn ijskoude correctheid! En daarbij dan nog in Ngadjiwa, de broer, de speler, de dobbelaar –, waarom moest hij het zo getroffen hebben met zijn Regenten?

Van Oudijck was in een sombere bui. Hij was gewoon nu en dan, geregeld, anonieme brieven te krijgen, venijnig uit stille hoekjes uitgespogen laster, nu een assistent-resident, dan een controleur bekladderend; nu de Indische hoofden, dan zijn eigen familie besmeurend; soms in de vorm van vriendschappelijke waarschuwing, soms in die van hatelijke schaadvreugd, hem toch vooral de ogen willende openen voor de gebreken van zijn ambtenaars, voor de misdrijven van zijn vrouw. Hij was er zo gewoon aan, dat hij de brieven niet telde, ze vluchtig of nauwlijks las, en ze zorgeloos verscheurde. Gewoon voor zichzelve te oordelen, maakten de nijdige waarschuwingen geen indruk, hoe zij ook als sissende slangen opstaken haar kop tussen al de brieven, die de post hem dagelijks bracht; en voor zijn vrouw was hij zo blind, Léonie had hij zo altijd blijven zien in de rust van haar glimlachende onverschilligheid, en in het cirkeltje van huiselijke gezelligheid, dat zij zeer zeker om zich heen trok – in de holle leegte van het met zijn stoelen en ottomane steeds recipiërend residentiehuis –, dat hij nooit zou kunnen geloven aan het allerminste van al die laster. Hij sprak er haar nooit over. Hij hield van zijn vrouw; hij was verliefd op haar, en daar hij haar in gezelschap steeds bijna stil zag, daar zij nooit flirtte of coquet was, blikte hij nooit in de verdorven afgrond, die haar ziel was. Trouwens, hij was thuis geheel blind. Hij had thuis die volslagen blindheid, die zo dikwijls hebben mannen, zeer kundig en bekwaam in betrekking en werkkring, gewend scherp om te blikken in het wijde perspectief van hun arbeidsveld, maar bijziende thuis; gewoon te analyseren de massa der dingen, en niet de détails van een ziel; wier mensenkennis is gebaseerd op principe, en die de mensen in types verdelen, als met een rolverdeling in een ouderwets toneelspel; die dadelijk doorgronden de arbeids-geschiktheid hunner ondergeschikten, maar wie zelfs nooit aanzweemt iets van het in elkaar geslingerd complexe, als verwarde arabesken, als verwilderde ranken van het zielsingewikkelde hunner huisgenoten, steeds blikkende over hun hoofden heen, steeds denkende over hun woorden heen, en zonder belang voor al het veeltintige, van >tie en haat en nijd en leven en liefde, dat regenboogt, vlak voor hun oog. Hij had zijn vrouw lief en hij had lief zijn kinderen, omdat hij behoefte had aan vaderlijkheid, aan vader-zijn, maar hij kende noch vrouw, noch kinderen. Van Léonie wist hij niets en nooit had hij bevroed, dat Theo en Doddy, onuitgesproken, hun moeder, zo ver, in Batavia, verongelukt tussen onzegbare praktijken, trouw waren gebleven, en zonder liefde waren voor hem. Hij meende, dat zij wél liefde hem gaven, en hij... als hij over ze dacht, werd een sluimerende tederheid in hem wakker.

De anonieme brieven kreeg hij iedere dag. Nooit hadden zij indruk gemaakt, maar de laatste tijd verscheurde hij ze niet meer, maar las ze aandachtig en borg ze weg in een geheime lade. Waarom, had hij niet kunnen zeggen. Het waren beschuldigingen tegen zijn vrouw, het waren besmeuringen tegen zijn dochter. Het waren bangmakerijen, dat een kris in het duister mikte naar zijn leven. Het was hem waarschuwen, dat zijn spionnen geheel onvertrouwbaar waren. Het was hem zeggen, dat zijn verstoten vrouw gebrek leed en hem haatte; het was hem zeggen, dat hij een zoon had, naar wie hij nooit had omgekeken. Het was stil wroeten in al het geheime en duistere van zijn leven en werkkring. Ondanks zichzelve, maakte het hem somber. Het was alles vaag en hij had zich niets te verwijten. Voor zichzelve en voor de wereld, was hij goed ambtenaar, goed echtgenoot en goed vader, was hij goed mens. Dat men hem verweet onrechtvaardig hier te hebben geoordeeld, daar wreed en onbillijk te hebben gehandeld, zijn eerste vrouw te hebben verstoten, een zoon in de kampong te hebben lopen, dat men met vuil wierp naar Léonie en Doddy – het maakte hem somber dezer dagen. Want er was met geen reden te grijpen, dat men zo deed. Voor deze man met zijn praktische zin was het vage juist het ergerlijkste. Een open strijd zou hij niet vrezen, maar dit schijngevecht in de schaduw maakte hem zenuwachtig en ziek. Hij kon niet bevroeden waarom het was. Er was niets. Hij kon zich het gelaat van een vijand niet denken. En elke dag kwamen de brieven, en iedere dag was een vijandelijkheid in schaduw om hem heen. Het was te mystiek voor zijn natuur om hem niet bitter en somber en treurig te maken. Toen verschenen, in mindere bladen, uitingen van een kleine, vijandige pers, beschuldigingen vaag of tastbaar onwaar. Een haat borrelde overal op. Hij kon niet bevroeden waarom, hij werd ziek van te peinzen waarom. En hij sprak er met niemand over en besloot zijn leed hierover diep in zich.

Hij begreep het niet. Hij kon niet bevroeden waarom het zo was, waarom het zo werd. Er was geen logica in. Want de logica zou zijn, dat men hem niet haten zou maar beminnen, hoe hoog streng men hem ook vond. En temperde hij zelfs niet die hoge strengheid zo dikwijls onder de joviale lach van zijn brede snor, onder een gemoedelijkere vriendschappelijkheid van waarschuwing en terechtwijzing? Was hij op tournee's niet de gezellige resident, die de tournee met zijn ambtenaren beschouwde als een sport, als een heerlijke excursie te paard, door de koffietuinen, aandoende de koffie-goedangs; als een prettige feesttocht, die de spieren ontspande na zo vele weken bureauwerk, het grote gevolg van districthoofden op hun kleine paardjes, achter, de kittige dieren aapachtig vlug berijdend, vlaggetjes in de hand, de gamelan overal waar hij langs kwam uitsprenkelende blij kristallen verwelkomsttonen, en, 's avonds het met zorg bereide maal in de pasàngrahan en, tot laat in de nacht, het omberpartijtje? Hadden zij hem dan niet gezegd, zijn ambtenaren, een ogenblik los van alle formaliteit, dat hij een leuke resident was, te paard onvermoeid, jolig aan tafel, en zó jong, dat hij vàn de tandak-meid wel aannam de slendang en met haar tandakte een ogenblik, heel knap doende de hiëratische lenigheden der handen en voeten en heupen – in plaats van zich met een rijksdaalder los te kopen en haar te laten dansen met de wedono? Nooit voelde hij zich prettig, als op tournee. En nu dat hij somber was, ontevreden, niet begrijpende wat stille krachten hem tegenwerkten in het duister – hem, de man van oprechtheid en licht, van eenvoudig levensprincipe, van ernstige arbeidsdegelijkheid – dacht hij spoedig op tournee te gaan en in die sport zich te bevrijden van de hem neerdrukkende somberheid. Hij zou dan Theo vragen mee te gaan, om zich eens te verzetten een paar dagen. Hij hield van zijn jongen, al vond hij hem onverstandig, onbezonnen, onbesuisd, niet volhoudend in zijn werk, nooit tevreden met zijn superieuren, te tacteloos weerstrevend zijn administrateur, tot hij zich weer onmogelijk maakte op koffie-onderneming of suikerfabriek, waar hij werkzaam was. Hij vond, dat Theo zelve zijn weg moest vinden, als hij, Van Oudijck, gedaan had, in plaats van geheel te steunen op de protectie, het residentschap van zijn vader. Hij was geen man van nepotisme. Hij zou zijn zoon nooit voortrekken boven een ander, die evenveel recht had. Hij had neven, tuk op concessies in Laboewangi, vaak gezegd, dat hij liefst geen familie had in zijn gewest, en zij niets van hem hadden te wachten dan een volstrekte onpartijdigheid. Zo was hij er gekomen, zo verwachtte hij, dat zij er zouden komen, en Theo ook. Maar toch, in stilte sloeg hij Theo gade, met al zijn vaderlijkheid, met het bijna sentimentele van zijn tederheid; in stilte betreurde hij het diep, dat Theo niet volhardender was, en niet meer uitzag naar zijn toekomst, naar zijn loopbaan, naar een eervolle plaats onder de mensen, hetzij van aanzien, hetzij van geld. De jongen leefde er maar op los, zonder gedachte aan morgen... Misschien was hij, uiterlijk, wat koel tegen Theo; nu, hij zou eens vertrouwelijk met hem spreken, hem raad geven, en nu zou hij vragen in alle geval, of Theo meeging op tournee. En het idee van een kleine zes dagen paard te rijden in de zuivere lucht om de bergen, de koffietuinen door, te inspecteren de irrigatiewerken, te doen het hem alleraangenaamste van zijn werkkring, verruimde zijn ziel, verhelderde hem zijn blik, tot hij niet meer aan de brieven dacht. Hij was een man van het klare eenvoudige leven: hij vond het leven natuurlijk en niet verward ingewikkeld: langs een zichtbare trap van open geleidelijkheid was zijn leven gegaan, uitziende naar een blinkende top van eerzucht, en wat er krioelde, wat er woelde in schaduw en duister, wat er opborrelde uit afgrond, dicht bij zijn voet, had hij nooit kunnen en willen zien. Hij was blind voor het leven, dat er werkt onder het leven. Hij geloofde er niet aan, zomin als een bergbewoner, die lang aan een stille vulkaan heeft gewoond, gelooft aan het inwendige vuur, dat diep geheimzinnig voortleeft en alleen ontsnapt als wat hete stoom en zwavellucht. Hij geloofde noch aan de kracht boven de dingen, noch aan de kracht in de dingen zelve. Hij geloofde niet aan het zwijgende Noodlot en niet aan de stille Geleidelijkheid.

Hij geloofde alleen aan wat hij zag met het open oog: aan de oogst, de wegen, districten en dessa's, en aan de welvaart van zijn gewest; alleen aan zijn carrière, die hij als een stijgende lijn vóór zich zag. En in deze onbenevelde klaarheid van simpele mannelijke natuur, in deze voor de gehele wereld zichtbare klaarduidelijkheid van rechtvaardige heerszucht, rechtmatige eerzucht, en praktisch levensplichtbesef was alleen deze zwakte: de tederheid, diep en vrouwelijk sentimenteel voor de huiselijke kring – die hij, blind, niet zag in de ziel – en alleen zag volgens zijn vastgesteld principe; zoals zijn vrouw en zijn kinderen *moesten* zijn.

Ondervinding had hem niet geleerd. Want ook zijn eerste vrouw had hij zo lief gehad, als hij nu liefhad Léonie. Hij had zijn vrouw lief, omdat ze was, zijn vrouw, de zijne: de voornaamste van de kring. Hij had de kring lief, óm de kring en niet als individuën, die zijn de schakels. Ondervinding had hem niet geleerd. Hij dacht niet volgens de tintwisseling van zijn leven, hij dacht volgens zijn ideeën en principes. Ze hadden hem man en krachtig gemaakt, en ook goed ambtenaar. Ze hadden hem, volgens zijn natuur, ook meestal goed mens laten wezen. Maar omdat hij had zoveel tederheid, onbewust, ongeanalyseerd en alleen diep gevoeld, en omdat hij niet geloofde aan de stille kracht, aan het leven in het leven, aan wat er krioelde en woelde als vulkaanvuren onder de bergen van majesteit, als troebelen onder een troon, omdat hij niet geloofde aan de mystiek der zichtbare dingen, kon het leven hem vinden, onvoorbereid en zwak, als het afweek – godenrustig en sterker dan mensen – van wat hém logisch dacht.

II

De mystiek der zichtbare dingen op dat eiland van geheimzinnigheid, dat Java is... Uiterlijk de dociele kolonie met het overheerste ras, dat niet opgewassen was tegen de ruwe koopman, die, in de glorietijd van zijn republiek, met de jonge kracht van een jeugdig volk, gretig en winzuchtig, rond en koel, plantte voet en vlag op de ineen stortende keizerrijken, op de tronen, die wankelden, als had de grond vulkanisch geaardbeefd. Maar, diep in zijn ziel,

95

nooit overheerst, hoewel zich, voornaam minachtend glimlachend, schikkend, lenig neervlijende onder zijn noodlot; diep in zijn ziel, trots een in het stof kruipende eerbied, vrij levend een eigen mysterie-leven, verborgen voor de Westerse blik, hoe die ook het geheim te doorgronden zoekt – als met een wijsbegeerte van toch vooral glimlachend voorname rust te bewaren, buigzaam toegevende, hoffelijk schijnbaar naderende – maar diep in zich heilig zeker van eigen mening, en zo wijd verwijderd van alle overheersers-gedachte, overheersers-beschaving, dat een verbroedering tussen meester en dienaar nooit zijn zal, omdat onoverkomelijk het verschil blijft, dat voortwoekert in ziel en bloed. En de Westerling, prat op zijn macht, op zijn kracht, op zijn beschaving, humaniteit, troont hoog, blind, egoïst, eigendachtig tussen al de ingewikkelde raderen van zijn autoriteit, die hij uurwerkzeker laat grijpen in elkaar, controle op iedere wenteling, tot voor vreemden, buitenaf, een meesterwerk, wereldschepping, schijnt te zijn die overheersing der zichtbare dingen: kolonisatie van de bloedvreemde, zielvreemde grond.

Maar onder al dit vertoon schuilt de stille kracht, en sluimert nu, en wil niet strijden. Onder al die schijn der zichtbare dingen, dreigt het wezen der stille mystiek, als smeulend vuur in de grond en als haat en mysterie in het hart. Onder al deze rust van grootheid dreigt het gevaar, en rommelt de toekomst als de onderaardse donder in de vulkanen, onhoorbaar voor het menselijk oor. En het is alsof de overheerste het weet en maar laat gaan de stuwkracht der dingen en afwacht het heilige ogenblik, dat komen zal, als waar zijn de geheimzinnige berekeningen. Hij, hij kent de overheerser met één enkele blik van peildiepte; hij, hij ziet hem in die illusie van beschaving en humaniteit, en hij weet, dat ze niet zijn. Terwijl hij hem geeft de titel van heer en de hormat van meester, kent hij hem diep in zijn democratische koopmansnatuur, en minacht hem stil en oordeelt hem met een glimlach, begrijpelijk voor zijn broeder, die glimlacht als hij. Nooit vergrijpt hij zich tegen de vorm van de slaafse knechtschap, en met de semba doet hij of hij de mindere is, maar hij weet zich stil de meerdere. Hij is zich bewust van de stille kracht, onuitgesproken: hij voelt het mysterie aandonzen in de ziedende wind van zijn bergen, in de stilte der geheimzwoele nachten, en hij voorgevoelt het verre gebeuren. Wat is, zal niet altijd zo blijven: het heden verdwijnt. Onuitgesproken hoopt hij, dat God zal oprichten, wat neer is gedrukt, eenmaal, eenmaal, in de ver verwijderde opendeiningen van de dageradende Toekomst. Maár hij voelt het, en hoopt het, en weet het, in de diepste innigheid van zijn ziel, die hij nooit opensluit voor zijn heerser. Die hij ook niet zou kunnen opensluiten. Die altijd blijft als het onleesbare boek, in de onbekende, onvertaalbare taal, waarin wel de woorden dezelfde zijn, maar verschillend de tinten dier woorden, en anders regenbogend de schakeringen der twee gedachten: prisma's, waarin de kleuren verschillen, als brekende uit twee zonnen: stralingen uit twee werelden. En nooit is er de harmonie, die begrijpt; nooit bloeit er de liefde, die eender voelt, en altijd is er tussen de kloof, de diepte, de afgrond, het verre, het wijde, waaruit aandonst het mysterie, waarin als in een wolk, de stille kracht eens zal openbliksemen.

Zo voelde Van Oudijck niet de mystiek der zichtbare dingen.
En onvoorbereid en zwak kon het goddelijk rustige leven hem vinden.

III

Ngadjiwa was een vrolijker plaats dan Laboewangi: er lag een garnizoen; uit het binnenland, van de koffie-landen, kwamen dikwijls administrateurs en employé's eens afzakken om pret te maken; tweemaal 's jaars hadden de races er plaats, waarvan de feestelijkheden een gehele week in beslag namen: ontvangst van de resident, paardenverloting, bloemencorso en opera, twee of drie bals, die de feestvierders onderscheidden in bal-masqué, gala-bal en soirée-dansante; 'een tijd van vroeg opstaan en laat naar bed gaan, van in enkele dagen honderden guldens verteren met écarté en aan de totalisator... Die dagen spatte-uit de zucht tot plezier en prettige levensvreugd; naar die dagen zagen maanden lang uit koffie-planters en suiker-employé's; voor die dagen spaarde men het halve jaar. Van alle kanten stroomde het vol, in de twee hotels; ieder huisgezin borg

logé's; met hartstocht wedde men, in een vloed van champagne, het publiek, ook de dames, de racepaarden kennende, zo goed als waren zij alle haar eigendom; op de bals
geheel thuis, allen kennende allen, als op familie-partijen,
terwijl de walsen en Washington-post en Graziana gedanst
werden met de slepende gratie der Indose danseurs en
danseuses, de maat kwijnend, de slepen zacht zwevend, de
glimlach van rustige verrukking om de half geopende
monden, met die dromerige wellust van dansen, die zij zo
bevallig gebaren, dansers en danseressen van Indië, en niet
het minst zij, wie het Javaanse bloed stroomt door de
aderen. De dans is bij hen niet de woeste sport, plomp ge-
sprongen met luide lach bonzende tegen elkaar, niet het
ruwe verwar der lanciers van onze Hollandse jongelui-bals,
maar het is – vooral bij de Indo's – niets dan hoffelijkheid
en gratie: een kalme uitbloei van bewegingsbevalligheid;
een gratieus tekenende arabesk van precieze pas op zuivere
maat over de vloeren der societeitszalen; een harmonie van
bijna achttiend'eeuwse, jong-nobele dansgolving, en
-sleping, en -zweving, op het toch zo primitieve boem-
boem der Indische muzikanten. Zo danste Addy de Luce,
alle ogen van vrouwen en meisjes gevestigd op hem, hem
volgende, hem smekende met de blik ook haar mee te
nemen in het gegolf en gedein, dat was als dromend mee-
gaan op water... Dat was uit het bloed van zijn moeder,
dat was nog iets van de gratie van srimpi's tussen wie zijn
moeder haar kinderjaren geleefd had, en de mengeling van
het Westers-moderne en Oosters antieke gaf hem bekoring,
onweerstaanbaar...

Nu, op het laatste bal, de soirée dansante, danste hij zo
met Doddy, en, na haar, met Léonie. Het was al laat in de
nacht, vroeg in de morgen: buiten bleekte de dag. Een ver-
moeidheid lag over de zaal uitgespreid en Van Oudijck gaf
ten laatste te kennen aan de assistent-resident Vermalen, bij
wie hij met zijn familie logeerde, dat hij gaan wilde. Hij
bevond zich op dat ogenblik in de voorgalerij der societeit,
sprekende met Vermalen, toen de patih eensklaps uit de
schaduw van de tuin op hem afkwam en, zichtbaar ontroerd, neerhurkte, de semba maakte en sprak:

– Kandjeng! Kandjeng! Geef mij raad, zeg mij toch wat
ik doen moet! De Regent is dronken en loopt op straat en
vergeet geheel zijn waardigheid.

De feestvierders gingen naar huis. De rijtuigen rolden aan; men steeg in; de rijtuigen rolden weg.

Op de weg, voor de societeit, zag Van Oudijck een Javaan: het bovenlijf bloot; hij had zijn hoofddoek verloren en zijn lange zwarte haren zwierden los, terwijl hij heftig gebaarde en luid sprak. Groepen in de duisterende schaduw verzamelden zich, toekijkende van verre.

Van Oudijck herkende de Regent van Ngadjiwa. De Regent had reeds gedurende het bal zich zonder beheersing gedragen, nadat hij met kaartspel veel had verloren en allerlei wijn door elkaar had gedronken.

– Was de Regent al niet naar huis? vroeg Van Oudijck.

– Zeker, Kandjeng! klaagde de patih. Ik had de Regent al naar huis gebracht, toen ik zag, dat hij zich niet meer beheersen kon. Hij was op zijn bed al neergestort; ik meende, in diepe slaap. Maar zie, hij is ontwaakt en opgestaan; hij heeft de Kaboepatèn verlaten en is weer hierheen gekomen. Zie hem, hoe hij doet! Hij is dronken, hij is dronken en hij vergeet wie hij is, wie zijn vaders waren!

Van Oudijck begaf zich naar buiten, met Vermalen. Hij naderde de Regent, die heftige gebaren uitsloeg en met luide stem uitsprak een onverstaanbare rede.

– Regent! zei de resident. Weet u niet meer waar en wie u is?

De Regent herkende hem niet. Hij vaarde tegen Van Oudijck uit, hij riep al de vervloekingen des hemels over zijn hoofd.

– Regent! zei de assistent-resident. Weet u niet wie tot u spreekt en tot wie u spreekt?

De Regent schold Vermalen uit. Zijn bloeddoorschoten ogen bliksemden dronken woede en krankzinnigheid. Met de patih probeerden Van Oudijck en Vermalen hem in een rijtuig te helpen, maar hij wilde niet. Prachtig subliem in zijn ondergang, verheerlijkte hij zich in de krankzinnigheid zijner tragedie, stond hij als uitgebarsten uit zichzelve, half naakt, met de zwierende haren, met het grote gebaar zijner dolle armen, was niet grof en niet dierlijk meer, maar werd tragisch, heldhaftig, vechtend met zijn noodlot, op de rand van een afgrond... De overmaat zijner dronkenschap scheen hem door een vreemde kracht te heffen uit zijn langzame verdierlijking, en, beschonken, verhief hij zich, torende hij hoog, dramatisch, boven die Europeanen. Van

Oudijck zag hem in stupefactie aan. Nu werd de Regent handgemeen met de patih, die hem bezwoer... Op de weg verzamelde zich de bevolking, stil, ontzet: de laatste gasten kwamen uit de societeit, waar de lichten donkerden. Onder hen bevonden zich Léonie van Oudijck, Doddy en Addy de Luce. Zij hadden alle drie nog de vermoeide wellust van de laatste wals in de ogen.

– Addy! zei de resident. Je kent de Regent intiem. Probeer of hij je herkent.

De jonge man sprak de beschonken waanzinnige toe, in zacht Javaans. Eerst ging de Regent voort met zijn woorden van vervloeking, werd reusachtig zijn gebaar van razernij; toen scheen hij echter in de zachtheid van die taal een bekende herinnering te horen. Hij zag Addy lang aan. Zijn gebaar zakte, zijn verheerlijking van beschonkenheid doofde uit. Het was eensklaps of zijn bloed begreep het bloed van die jonge man, of hun zielen elkander verstonden. De Regent knikte weemoedig en begon te klagen, lang-uit, de armen omhoog geheven. Addy wilde hem in een rijtuig helpen, maar de Regent weerstreefde: hij wilde niet. Toen nam Addy zijn arm in zijn arm met zachte drang, en liep langzaam met hem voort. De Regent, al klagende, met tragisch wanhoopsgebaar, liet zich geleiden. De patih volgde, met een paar volgelingen, die de Regent uit de Kaboepatèn waren nagelopen, machteloos... De stoet verdween in het donker.

Léonie, met een glimlach, moe, steeg in het rijtuig van de assistent-resident. Zij herinnerde zich de speeltwist op Patjaram; zij had er plezier in, zo zichtbaar te zien gebeuren een langzame ondergang, een zichtbare sloping door hartstocht, die geen tact en correcte maat leidde. En voor zichzelve voelde zij zich sterker dan ooit, omdat zij genoot van haar passies en ze leidde en van ze maakte de slaven van haar genot... Zij minachtte die Regent en het was haar een romantische voldoening, litterair plezier, te bespieden de fazen van die ondergang. In het rijtuig zag zij naar haar man, die somber zat. En zijn somberheid verrukte haar, omdat zij hem sentimenteel vond, met zijn hooghouden van Javaanse adel. Een sentimentele instructie, en die nog sentimenteler Van Oudijck opvatte. En zij genoot in zijn verdriet. En van haar man zag zij naar Doddy en zij bespiedde in de dansmoede blik van haar stiefkind een jaloezie op die aller-, allerlaatste wals van haar, Léonie, met Addy. En zij was verrukt over die jaloezie. Zij voelde zich gelukkig, omdat op haar het verdriet geen vat had, evenmin als de hartstocht. Zij speelde met de dingen van het leven en ze gleden van haar af en ze lieten haar even onberoerd en kalm glimlachend en rimpelloos melkblank als altijd.

Van Oudijck ging niet naar bed. Zijn hoofd in vuur, éen woede van verdrietelijkheid in zijn hart, nam hij dadelijk een bad, kleedde zich in nachtbroek en kabaai en liet zich in de galerij voor zijn kamer koffie brengen. Het was zes uur, een heerlijke koelte van ochtendfrisheid baadde de lucht. Maar een ontstemming was zo hevig in hem, dat als in congestie zijn slapen klopten, zijn hart bonsde, dat zijn zenuwen trilden. De scène van die nachtmorgen schemerde steeds voor zijn oog, triltikkende als een biograaf, met de wemelveranderingen der houdingen. Wat er hem vooral in ontstemde, was de onmogelijkheid ervan, het onlogische, het nooit gedachte. Dat een Javaan van geboorte, trots al de edele traditie in zijn aderen, zich kón gedragen als de Regent van Ngadjiwa die nacht, was hem nooit mogelijk voorgekomen, zou hij nooit hebben geloofd, als hij het niet met eigen ogen gezien had. Voor deze man van vooruit vastgestelde logiek was deze waarheid eenvoudig wanstaltig als een nachtmerrie. Gevoelig in hoge mate voor verrassing, die hem niet logisch docht, was hij boos op de realiteit. Hij vroeg zich af of hijzelve niet gedroomd had, niet dronken was geweest. Dat het schandaal gebeurd was, maakte hem razend. Maar zo het dan zo was, welnu, dan zou hij de Regent voor ontslag voordragen... Het kon niet anders.

Hij kleedde zich, sprak met Vermalen en ging met deze naar de Kaboepatèn; beiden drongen zij door tot de Regent, niettegenstaande de aarzeling der volgelingen, niettegenstaande de inbreuk op de etiquette. Zijn vrouw, de Raden-Ajoe, zagen zij niet. Maar zij vonden de Regent in zijn slaapvertrek. Hij lag op zijn bed, de ogen open, somber bijkomende, nog niet genoeg tot het leven teruggekeerd, om geheel te bevroeden de vreemdheid van dat bezoek; de resident, de assistent-resident voor zijn bed. Toch herkende hij hen, maar hij sprak niet. Terwijl zij hem beiden poogden te doen inzien het hoogst onbehoorlijke van zijn gedragingen, staarde hij henbeiden onbeschaamd aan en volhardde in zijn zwijgen. Het was zo vreemd, dat de beide ambtenaren elkaar aanzagen en met de blik afvroegen of de Regent niet krankzinnig was, of hij wel toerekenbaar was. Hij had nog geen woord gesproken, hij zweeg steeds. Hoewel Van Oudijck hem dreigde met ontslag, bleef hij zwijgen, starende met onbeschaamde ogen in de ogen van de resident. Hij opende niet de lippen, hij volhardde in een volkomen geluideloosheid. Nauwlijks schetste een glimlach van ironie zich om zijn mond. De ambtenaren, werkelijk denkende, dat de Regent krankzinnig was, trokken de schouders op, verlieten het vertrek.

In de galerij ontmoetten zij de Raden-Ajoe, een klein onderdrukt vrouwtje, als een geslagen hond, een getrapte slavin. Zij naderde wenende; zij vroeg, zij smeekte vergeving. Van Oudijck zeide haar, dat de Regent steeds zweeg, wat hij hem gedreigd had, zweeg met een onverklaarbaar, maar klaarduidelijk voorgenomen zwijgen. Toen fluisterde de Raden-Ajoe, dat de Regent een doekoen geraadpleegd had, die hem een djimat gegeven had en verzekerd had, dat zo hij maar volhardde in een volkomen zwijgen, zijn vijanden geen vat op hem zouden hebben. Bang smeekte zij hulp, vergeving, haar kinderen verzamelend rondom zich heen. Na de patih ontboden te hebben en hem te hebben opgedragen de Regent zoveel mogelijk te bewaken, gingen de ambtenaren heen.

Hoe dikwijls Van Oudijck ook al te doen had gehad met het bijgeloof der Javanen, steeds maakte het hem razend, als tegenstrijdig aan wat wat hij noemde de wetten van natuur en leven. Ja, alleen zijn bijgeloof kon een Javaan afbrengen van het correcte spoor zijner ingeboren hoffelijkheid. Wat men hem nu ook onder het oog zou willen brengen, de Regent zou zwijgen, volharden in het volkomen zwijgen, hem opgelegd door de doekoen. Zo meende hij veilig te zijn, voor wie hij meende, dat waren zijn vijanden. En dit vooropgezette idee van vijandschap met wie hij zo gaarne had willen beschouwen als jongbroederlijke medebestuurder, ontstemde Van Oudijck het meest.

Hij ging, met Léonie en Doddy, terug naar Laboewangi. Thuis gevoelde hij een enkel ogenblik het prettige van weer in zijn eigen huis te zijn, een genot van eigen huiselijkheid, dat hem steeds zeer streelde: het materiële plezier van zijn eigen bed te zien, zijn eigen schrijftafel en stoelen, zijn eigen koffie te drinken, bereid als hij het gewoon was. Die kleine strelingen brachten hem even in goed humeur, maar aanstonds voelde hij weer al zijn bitterheid toen hij onder een stapel brieven op zijn bureau herkende de verdraaide handschriften van een paar duistere schrijvers. Werktuiglijk opende hij ze het eerst, en walgde toen hij las de naam van Léonie, samengekoppeld met die van Theo. Niets was voor die ellendelingen heilig: zij vonden-uit de monsterlijkste combinaties, de onnatuurlijkste lasteringen, en gruwlijkste betichtingen tot bloedschande toe. Bij al dit vuil, dat men naar zijn vrouw en zijn zoon smeet, stegen zij beiden hoger en zuiverder in zijn liefde, tot een top van onschendbaarheid, beminde hij beiden met nog groter en inniger tederheid. Maar al zijn omgewoelde bitterheid gaf hem geheel zijn ontstemming terug. Feitelijk was ze, omdat hij voor ontslag moest voordragen de Regent van Ngadjiwa, en dit niet gaarne deed. Maar deze enkele noodzakelijkheid verbitterde zijn gehele bestaan, maakte hem zenuwachtig en ziek. Als hij niet kon volgen de lijn, die hij had vastgesteld, als het leven afweek van de door hem – Van Oudijck – a priori vastgestelde gebeurlijkheden, maakte hem deze onwilligheid, deze opstand van het leven zenuwachtig en ziek. Hij had zich nu eenmaal voorgenomen na de dood van de oude Pangéran omhoog te heffen het zinkende geslacht der Adiningrats, zowel uit liefdevolle herinnering aan de uitstekende Javaanse prins, zowel om zijn residents-instructie, als om een gevoel van nobele menselijkheid en verborgen poëzie in zichzelve. En nooit had het gekund. Dadelijk had hem tegengewerkt – onbewust, door de kracht der dingen – de oude Raden-Ajoe Pangéran, die alles verspeelde, verdobbelde, die zich en de haren ruïneerde. Als een vriend had hij haar terecht gewezen. Zij was niet ontoegankelijk voor zijn raad geweest, maar haar passie was sterker gebleken. Haar zoon, Soenario, de Regent van Laboewangi, had Van Oudijck reeds dadelijk, nog voor de dood van zijn vader, geoordeeld als onbekwaam voor de werkelijke betrekking van Regent: klein hoogmoedig op zijn bloed, onbeduidend, nooit op de hoogte van het werkelijke leven, zonder talent van regeren of hart voor de mindere man, zeer fanatiek altijd bezig met doekoens, met heilige berekeningen – petangans –; altijd gesloten en levende in een droom van duistere mystiek, en blind voor wat welvaart en gerechtigheid zou zijn voor de Javaanse onderdanen. En de bevolking toch aanbad hem, zowel om zijn adel, als omdat hij een roep had van heiligheid en van een vérreikende macht te bezitten: een goddelijke toverkracht. Stil, in het geheim, verkochten de vrouwen van de Kaboepatèn in flessen het water, dat bij het bad gestroomd was over zijn lichaam, als een geneesmiddel, heilzaam voor verschillende ziekte. Zo was de oudste broeder, en de jongere had zich die vorige nacht geheel vergeten, bezeten van waanzin door spel en drank... Met deze zonen wankelde ten ondergang het eens zo schitterend geslacht: hun kinderen waren jong; enkele neven waren patih in Laboewangi, in naburige residenties, maar in hen vloeide ook geen drup meer van het edele bloed. Neen, hij, Van Oudijck, had nooit gekund, wat hij zo gaarne had willen doen. Zij, wier belang hij voorstond, werkten zelve hem tegen. Het was met hen gedaan.

Maar waarom het zo zijn moest, begreep hij niet en ontstemde hem, maakte hem bitter.

Hij had zich nu eenmaal voorgesteld een heel andere lijn, een mooie lijn van stijging – zoals hij zijn eigen leven ook voor zich zag – en de lijn van het leven krinkelde verward naar omlaag. En hij begreep niet wat sterker zou kunnen zijn dan hij, als hij wilde. Was het hem niet altijd zo gegaan in zijn leven en loopbaan, dat wat hij sterk wilde, gebeurd was met de logica, die hijzelve van dag tot dag gesteld had aan de dingen, die gebeuren gingen? Zijn eerzucht had nu gesteld die logica van de stijgende lijn, want zijn eerzucht had als doel zich gesteld die oprichting van dat Javaanse geslacht...

Zou hij falen? Te falen in de streving naar een doel, dat hij zich als ambtenaar gesteld had – hij zou het zich nooit vergeven. Tot nog toe had hij steeds kunnen bereiken wat hij wilde. Maar wat hij nu wilde bereiken, was – hemzelve onbewust – niet alléén een doel van ambtenaar, een deel van zijn werkkring. Wat hij nu wilde bereiken, was een doel, waarvan de idee sproot uit zijn menselijkheid, uit het edele van hemzelve. Wat hij nu wilde bereiken was een ideaal, een ideaal van Westerling in het Oosten, en van

Westerling, die het Oosten zag, zoals hij het zien wilde en alleen zien kon.

En dat er krachten waren, die zich verzamelden tot één kracht, die hem tegenwerkte, die spotte met zijn voorstelling, die lachte om zijn ideaal, en die des te sterker was naarmate zij dieper verborgen bleef – hij zou het nooit toegeven: zijn natuur was niet om ze te erkennen en zelfs haar klaarduidelijkste openbaring zou voor zijn ziel een raadsel zijn, en mythe blijven.

IV

Van Oudijck was die dag naar het bureau geweest, toen hij, thuiskomende, dadelijk tegemoet werd gekomen door Léonie.

– De Raden-Ajoe Pangéran is hier, zeide zij. Al sedert een uur, Otto. Zij zou je gaarne willen spreken. Zij heeft op je gewacht.

– Léonie, zeide hij. Zie eens deze brieven in. Ik ontving dikwijls van die pamfletten, en ik heb je er nooit over gesproken. Maar misschien is het beter, dat je er niet onbekend mee blijft. Misschien is het beter, dat je weet. Maar, ik bid je, trek je er niets van aan. Ik hoef je niet te verzekeren, dat ik geen ogenblik ook maar het minste geloof van al die smerigheid. Wees er dus niet ontstemd over en geef mij straks die brieven persoonlijk terug. Laat ze niet slingeren... En laat de Raden-Ajoe Pangéran in mijn kantoor komen...

Léonie, de brieven in de hand, voerde de prinses mee uit de achtergalerij. Zij was een waardige, grijze vrouw, met een trotse koninklijkheid in haar nog slank figuur, de ogen somber zwart; de mond, door het betelsap als breder getekend, en waarin de afgevijlde, zwart gelakte tanden grijnsden, was als een maskergrimas en bedierf het edel-hoge van haar uitdrukking. Zij droeg een zwart satijnen kabaia met juwelen gesloten. Het waren vooral haar grijze haren, haar sombere ogen, die haar een bijzondere mengeling gaven van eerbiedwaardigheid en smeulende hartstocht. Er lag over haar ouderdom een tragiek. Zelve voelde zij een noodlot tragisch drukken op haar en de haren en haar enige hoop stelde zij in de vér-reikende, gode-machtige kracht van haar oudste zoon, Soenario, de Regent van Laboewangi. Terwijl zij nu Van Oudijck voorging in het kantoor, zag Léonie, in de middengalerij, de brieven in. Het waren verzen in vuile taal, over haar en Addy en Theo. Altijd in de egoïstische droom van haar eigen leven, bemoeide zij zich nooit veel met wat de mensen dachten en spraken, vooral omdat zij wist, dat zij ze met haar verschijning, met haar glimlach, aanstonds weer allen tot zich terug won. Zij had die rustige innemendheid, die niet te weerstaan was. Zij sprak zelve nooit kwaad, uit onverschilligheid; zij was harmonisch vergoelijkend voor alles en iedereen; en zij was bemind – als men haar zag. Maar de vieze brieven, uitgespogen uit een duistere hoek, vond zij onaangenaam, lastig, ook al geloofde Van Oudijck niet. Wat, als hij eens geloven ging? Zij moest daarop zijn voorbereid. Zij moest vooral voor die mogelijke dag bewaren haar innemendste rustigheid, geheel haar onkwetsbaarheid en onschendbaarheid. Van wie zouden die brieven kunnen zijn? Wie haatte haar zo, wie had er belang bij om zó van haar te schrijven aan haar man? Hoe vreemd, dat het bekend was... Addy, Theo? Hoe wist men? Oerip? Neen, Oerip niet... Maar wie, wie dan? Was dan eigenlijk alles bekend? Zij had immers altijd gemeend, dat wat gebeurde in de geheime alkoven, nooit openbaar zou zijn voor de wereld. Zij had zelfs gemeend – een naïveteit – dat de mannen nooit spraken onder elkaar over haar; wel over andere vrouwen, maar niet over haar... In haar geest waren zulke naïeve illusies, trots al haar ondervinding: een naïveteit, die harmonieerde met het poëtische – half pervers, half kinderlijk – van haar rozekleurende verbeelding. Kon zij dan niet altijd geheim houden de verborgenheden van haar mysterie, de verborgenheden der werkelijkheid? Een ogenblik hinderde het haar, de werkelijkheid, die zich, trots haar correctheid, toch openbaarde... Gedachten en dromen bleven altijd geheim. Het werkelijke gebeuren gaf zo veel last. Een ogenblik dacht zij voortaan voorzichtiger nog te zijn, zich te onthouden... Maar voor haar blik zag zij Theo, zag zij Addy, haar blonde en haar bruine liefde, en zij voelde zich te zwak... Zij wist, dat zij hierin haar hartstochten niet kon overwinnen, hoewel zij ze leidde. Zouden ze toch, niettegenstaande al haar tact, eenmaal haar ondergang zijn? Maar zij lachte om dat idee; zij had een

vast vertrouwen op haar onkwetsbaarheid, haar onschendbaarheid. Het leven gleed steeds van haar af.
Maar toch wilde zij zich voorbereiden, op wat gebeuren
kon. Zij stelde geen hoger ideaal aan haar leven dan te zijn
zonder pijn, zonder smart, zonder armoe, en haar passies
te maken tot de slaven van haar genot, zodat zij zo lang
mogelijk genot zou hebben, zo lang mogelijk dit leven zou
leven kunnen. Zij bedacht wat zij zeggen en doen zou als Van
Oudijck haar eens ondervroeg, in twijfel om de anonieme
brieven. Zij bedacht of zij met Theo toch maar niet breken
zou. Addy was haar genoeg. En zij verloor zich in haar
voorbereidingen, als in vage combinaties van een toneelspel, dat gebeuren ging. Tot zij eensklaps luide de stem
van de Raden-Ajoe Pangéran hoorde klinken in het kantoor, tegen de kalme stem van haar man in. Ze luisterde,
nieuwsgierig voorgevoelende een drama en zo rustig blij,
dat ook dit drama van haar afgleed. Zij sloop in Van
Oudijcks slaapkamer; de tussendeuren stonden altijd voor
de luchtigheid open en een schutsel alleen scheidde slaapkamer en kantoor. Langs het schutsel gluurde zij uit. En
zij zag de oude prinses, opgewonden als zij nog nooit een
Javaanse vrouw gezien had. De Raden-Ajoe, in het Maleis,
bezwoer Van Oudijck; deze, in het Hollands, verzekerde
haar, dat het onmogelijk was. Léonie luisterde aandachtiger. En zij hoorde nu, hoe de oude vorstin smeekte, dat
de resident genade zou hebben met haar tweede zoon, de
Regent van Ngadjiwa. Zij bezwoer Van Oudijck toch te
denken aan haar gemaal, de Pangéran, die hij bemind had
als een vader, die hem bemind had als een zoon – met
genegenheid, inniger dan het gevoel van „oudere en jongere broeder"; zij bezwoer hem te denken aan hun roemrijk verleden, aan de glorie der Adiningrats, steeds de
trouwe vrienden der Compagnie, in oorlog haar bond-
genoten, in vrede haar trouwste vazallen: zij bezwoer hem
niet ten ondergang te doemen hun geslacht, waarop na de
dood van de Pangéran drukte een noodlot en het dreef een
afgrond van heilloos verderf is. Voor de resident stond zij
als een Niobe, als een tragische moeder, opgeheven de
armen in de zielswarmte van haar betuigingen, tranen
wenende uit haar sombere ogen, en alleen de brede mond,
geverfd met het bruine betelsap, was als een maskergrijns.
Maar in die grijns ontwelden haar de vloeiende zinnen van

betuiging, bezwering, en haar handen wrongen zich smekende samen, en haar vuist klopte in boete op de borst. Van Oudijck antwoordde haar met een vaste, maar zachte stem, haar zeggende hoe innig hij zeker had liefgehad de oude Pangéran, hoe hoog hij stelde het oude geslacht, hoe niemand liever dan hij hoog zou willen houden hun hoogheid. Maar toen werd hij strenger en hij vroeg haar aan wie de Adiningrats te wijten hadden het noodlot, dat hen nu achtervolgde? En de ogen in haar ogen, zeide hij haar, dat het was aan haar! Zij deinsde terug, opvlammend in woede, maar hij zeide het haar nog eens en nog eens. Haar zonen waren haar kinderen; bigot en trots en speelziek. En in het spel, in die lage hartstocht, verongelukte hun grootheid. In de onverzadelijkheid van hun winzucht wankelde hun geslacht ten ondergang. Hoe dikwijls ging niet een maand voorbij, dat te Ngadjiwa de Regent niet uitbetaalde de traktementen der hoofden? Zij betuigde, het was waar: op háar aandringen had haar zoon het geld der kas genomen, geleend, om speelschulden te voldoen. Maar zij bezwoer ook, het zou nooit meer gebeuren! En waar, vroeg Van Oudijck, had ooit een Regent, afstammeling van een aloud geslacht, zich zo gedragen als op het race-bal de Regent van Ngadjiwa? Zij klaagde, de moeder: het was waar, het was waar; het noodlot klemde zich vast aan hun schreden en had met waanzin haar zoon beneveld, maar nooit, nooit zou het meer gebeuren. Zij zwoer bij de ziel van de oude Pangéran, dat het nooit meer gebeuren zou, dat haar zoon zijn waardigheid zou herwinnen. Maar heftiger werd Van Oudijck en hij verweet haar, dat zij nooit goede invloed had uitgeoefend op haar zonen en haar neven. Dat zij de slechte geest was van haar geslacht, omdat een demon van speelzucht en winzucht haar vast had in zijn klauwen. Zij begon op te gillen van smart, de oude vorstin, die op de resident, de Hollander van geen bloed en geboorte, neerzag; smart, omdat hij zo dorst spreken en recht er toe had. Zij sloeg haar armen uit, zij smeekte hem om genade; zij smeekte, niet haar jongere zoon voor te dragen voor ontslag bij de Regering, die doen zou als de resident zeide, op zou volgen de raad van zo hoog geacht ambtenaar; zij smeekte ontferming te hebben en nog geduld te willen oefenen. Zij zou spreken met haar zoon, Soenario met zijn broeder: zij zouden tot rede brengen zijn door drank en spel en vrouwen verwilderde zinnen. O, zo de resident maar ontferming had, zo hij zich maar liet vermurwen! Maar Van Oudijck bleef onverbiddelijk. Geduld had hij zo lang al geoefend. Het was nu ten einde. Sedert haar zoon, onder invloed van de doekoen, vertrouwende op zijn djimat, hem weerstaan had met zijn insolente zwijgen, dat hem, naar zijn vertrouwen, onkwetsbaar voor vijanden maakte – zou hij tonen, dat hij, de resident, de machthebbende van de Regering, de vertegenwoordiger der Koningin, de sterkste was, trots doekoen en djimat. Het kon niet anders: zijn geduld was ten einde, zijn liefde voor de Pangéran liet niet toe meerdere toegeeflijkheid; zijn gevoel van eerbied voor hun geslacht kon hij niet overdragen op een onwaardige zoon. Het was beslist: de Regent zou ontslagen worden.

De vorstin had hem aangehoord, niet kunnende geloven aan zijn woorden, ziende gapen voor haar de afgrond. En met een kreet als van een gewonde leeuwin, met een gil van smart, trok zij uit haar wrong de juwelen pinnen, zodat haar lange grijze haren stromende vielen om haar heen; met één scheurende ruk trok zij open de satijnen kabaia; zich niet meer meester van smart, van wanhoop, die haar omwolkte uit de gapende afgrond, stortte zij neer voor de voeten van de Europeaan, greep krachtig met beide handen zijn voet, plantte die met één beweging, die Van Oudijck wankelen deed, op haar neergebogen nek en riep uit, gilde uit, dat zij, de dochter der sultans van Madoera voor eeuwig zou zijn zijn slavin, dat zij zwoer niets te zullen zijn dan zijn slavin, zo hij slechts deze keer nog genade had met haar zoon en haar geslacht niet stootte in de afgrond van schande, die zij gapen zag om zich heen. En zij klemde de voet van de Europeaan, als met een wanhopige kracht, en zij hield, als een juk van slavernij, die voet met de zool en de hak van de schoen gedrukt in haar stromende grauwe haren, op haar ter aarde gebogen nek. Van Oudijck trilde van ontroering. Hij begreep dat deze hooghartige vrouw nooit zo, zichtbaar spontaan, zich vernederen zou tot de diepste vernedering, die zij bedenken kon, zich niet zou laten gaan tot de heftigste werkelijkheidsuiting van smart, die een vrouw ooit kon openbaren – het haar los, en de voet van de heerser geplant op haar nek – als zij niet geschokt was in het diepst van haar ziel, als zij zich niet wanhopig gevoelde tot zelfvernietiging toe. En hij aarzelde een ogenblik. Maar ook maar een ogenblik. Hij was een man van overdachte beginselen, van a priori vastgestelde logiek: onveranderbaar in besluitneming, nooit toegankelijk voor een impulsie. Met heel veel eerbied bevrijdde hij eindelijk zijn voet uit de klemmende greep der vorstin, stak haar beide zijn handen toe, en hief haar vol ontzag en met zichtbaar medelijden, zichtbare ontroering, op van de vloer. Hij deed haar zitten, en, gebroken, opsnikkende viel zij neer. Zij dacht een ogenblik te hebben gewonnen, bespeurende zijn zachtheid. Maar toen hij kalm, maar beslist, het hoofd schudde als ontkenning, begreep zij, dat het gedaan was. Zij hijgde naar adem, half in zwijm, steeds de kabaia open, de haren los. Op dit ogenblik trad Léonie binnen. Zij had het drama voor haar ogen zien spelen en zij was litterair ontroerd. Zij gevoelde iets als medelijden. Zij naderde de vorstin, die zich stortte in haar armen, vrouw zoekende vrouw in radeloze wanhoop van die onvermijdelijke rampzaligheid. En Léonie, de mooie ogen naar Van Oudijck, murmelde één woord van voorspraak en fluisterde: geef toe! Het was in haar dorre ziel één levende opbloeing van medelijden. Geef toe, fluisterde zij nog eens. En voor de tweede maal weifelde Van Oudijck. Nooit had hij zijn vrouw iets geweigerd, hoe kostbaar het was, wat zij vroeg. Maar dit was de opoffering van zijn beginsel: het nooit terugkomen op een besluit, het vast doorzetten van eenmaal gewild gebeuren. Zo had hij altijd beheerst de toekomst. Zo gebeurde het altijd als hij wilde. Zo had hij nooit getoond enige zwakheid. En hij zeide, dat het niet kon.

Misschien, als hij had toegegeven, was zijn leven anders geworden. Want hij, onverzettelijk, raadde niet de heilige ogenblikken, dat de mens niet moet zijn zijn eigen wil, maar zich vroom moet laten gaan naar de drang der stille machten. Die ogenblikken eerbiedigde, erkende, kende hij niet en nooit. Hij was de man van het heldere, logisch doordenkende, mannelijk eenvoudige plichtsbesef, de man van het heldere eenvoudige leven. Dat schuilen onder het eenvoudige leven al de krachten, die tezamen zijn de almachtige stille kracht, zou hij nooit weten. Dat er volkeren zijn, die ze meer beheersen, die kracht, dan de Westerse, zou hij bespotten. Dat er enkelen zijn in die volkeren,

individuen, in wier hand ze haar almacht verliest en werktuig wordt, – om de vooronderstelling alleen zou hij ophalen zijn schouders, en doorgaan. Geen ondervinding zou hem leren. Hij zou misschien een ogenblik niet begrijpen...
Maar dan, dadelijk weer, vatte hij vast in zijn mannehand de ketting van zijn logiek en schakelde de ijzeren feitschalmen samen...
Misschien, als hij had toegegeven, ware zijn leven anders geweest.
Hij zag Léonie de oude vorstin, gebroken, in snikken, uitbrengen zijn kantoor.
Een diep gevoel, een algeheel hem ontroerend medelijden, deed vochtig worden zijn ogen. En voor die vochtige ogen verscheen hem het beeld van de Javaan, die hij lief had gehad als een vader. Maar toegeven deed hij niet.

V

Er waren berichten van Ternate en Halmaheira, dat een ontzettende zeebeving de groep der eilanden daar had geteisterd, dat ganse dorpen waren weggespoeld, dat duizenden waren zonder dak. In Holland hadden de telegrammen groter emotie gewekt dan in Indië, alsof men er meer gewend was aan het beven der zee, aan de opheffingen der aarde. Men had veel gesproken over Dreyfus, men begon te spreken over Transvaal, maar over Ternate sprak men ternauwernood. Toch was in Batavia gevormd een hoofdcomité en Van Oudijck belegde een vergadering. Vastgesteld werd zo spoedig mogelijk in de societeit en haar tuin een weldadigheidsfeest te geven. Mevrouw Van Oudijck, als naar gewoonte, droeg alles over aan Eva Eldersma en bemoeide zich met niets. Een ontroering van drukte voer veertien dagen door Laboewangi. In het doodstille plaatsje van Indisch-binnenlandse sluimering begon een woeling van kleine hartstochtjes, ijverzuchtjes en vijandschapjes te ontwaken. Eva had haar club van getrouwen; de Van Helderens, de Doorn de Bruijns, de Rantzows, waar tegenover ijverden allerlei heel kleine côterietjes. Die was gebrouilleerd met die; die wilde niet meedoen, omdat die meedeed; die drong zich op om mee te doen alleen omdat mevrouw Eldersma niet denken moest almachtig te zijn en dié en dié en díe vonden, dat Eva veel te veel pretentie had en zich niet moest verbeelden de eerste van de plaats te zijn, omdat mevrouw Van Oudijck haar alles overliet. Eva had echter gesproken met de resident en verklaarde wel te willen organiseren, maar met een onbeperkte volmacht. Zij had er niets op tegen, dat de Resident een ander zou nemen om het feest op touw te zetten, maar als hij *haar* nam – was de onbeperkte volmacht de voorwaarde: want rekening te houden met twintig verschillende opinies en smaken – zou maken dat men nooit tot een einde kwam. Van Oudijck, lachende, gaf toe, maar drukte haar op het hart, de mensen niet boos te maken, ieders gevoelen te eerbiedigen, zoveel mogelijk verzoenend te zijn, opdat het weldadigheidsfeest een aangename herinnering achter zou laten. Eva beloofde: zij was niet van een twistzieke natuur.

Iets te doen, iets op touw te zetten, iets tot stand te brengen, haar artistieke energie te uiten was haar lust en haar leven, was haar de troost in het duffe Indische leven. Want hoewel zij veel in Indië had liefgekregen en mooi vond, miste het sociale leven voor haar, haar kleine clubje uitgezonderd, alle bekoring. Maar nu, op grote schaal, te bereiden een feest, waarvan men tot in Soerabaia zou horen, streelde haar ijdelheid en haar werklust. Zij zeilde door alle moeilijkheden heen, en omdat men inzag, dat zij het het beste wist en het meest praktische deed, gaf men haar toe. Maar terwijl zij bezig was met het uitdenken van haar fancykiosken en tableaux-vivants, en terwijl de drukte van feestbereiding voer door de notabele families van Laboewangi, scheen ook in de ziel der inlandse bevolking iets te varen, maar niet zo lucht iets als van feestvierende liefdadigheid. De schout, die iedere morgen aan Van Oudijck zijn kort rapport inbracht, meestal in een paar woorden: – dat hij zijn ronde gedaan had, en dat alles in orde was gebleken – had de laatste dagen langere gesprekken met de resident, scheen hem gewichtiger dingen te hebben mede te delen; voor het kantoor fluisterden de oppassers geheimzinniger; de resident ontbood Eldersma en Van Helderen; de secretaris schreef naar Ngadjiwa aan Vermalen, de assistent-resident; aan de majoor-kommandant van het garnizoen; en de controleur-kotta ging vaker en vaker rond door de stad, op uren, dat hij het niet gewoon was. In haar drukte bespeurden de dames weinig van de geheimzinnigheid, die er omging, en alleen Léonie die zich met het feest niet bemoeide, merkte-op in haar man een ongewone stille bezorgdheid. Zij had een snel en scherp doorzicht, en omdat Van Oudijck – gewoon dikwijls te spreken over zaken in de huiselijke kring – de laatste dagen stilzwijgend was, vroeg zij eens, waar de Regent van Ngadjiwa was, nu hij op voordracht van Van Oudijck ontslagen was door de Regering, en wie hem zou vervangen. Hij antwoordde vaag-weg en zij werd op haar hoede en beangstigde zich. Op een morgen, gaande door de slaapkamer van haar man, trof haar het fluisterend gesprek van Van Oudijck met de schout, en zij luisterde even, haar oor aan het schutsel. Het gesprek was gedempt, omdat openstonden de tuindeuren; op de tuintrappen zaten de oppassers; een paar heren, die de resident moesten spreken, liepen in de zijgalerij op en neer, na hun namen op een lei geschreven te hebben, die de hoofdoppasser al had binnengebracht. Maar zij moesten wachten, omdat de resident met de schout sprak...

Léonie, aan het schutsel, luisterde. En zij werd bleek toen zij een paar woorden opvatte. Stil ging zij naar haar kamer, angstig. Aan de rijsttafel vroeg zij of het wel nodig zou zijn, dat zij het feest bijwoonde, want zij had de laatste tijd zo een kiespijn, en zij moest naar Soerabaia, voor de dentist. Het zou wel een tijd duren: zij was in lange tijd niet bij de dentist geweest. Maar Van Oudijck, streng in zijn sombere bui van geheime bezorgdheid en stilzwijgen, zei haar, dat het niet kon: dat zij op een avond, als die van het feest, aanwezig moest zijn, als vrouw van de resident. Zij pruilde, boudeerde en hield de zakdoek tegen de mond, zodat Van Oudijck zenuwachtig werd. Die middag sliep zij niet, las zij niet, droomde zij niet, van ongewone opwinding. Zij was bang, zij wilde weg. En bij de middagthee, in de tuin, begon zij te huilen, zeide, dat zij hoofdpijn had van kiespijn, dat zij ziek werd, dat zij het niet meer kon uithouden.

Van Oudijck, nerveus, bezorgd, werd aangedaan; hij kon nooit haar tranen zien. En hij gaf toe, als altijd aan haar, waar het haar persoonlijke zaken betrof. De volgende dag vertrok zij naar Soerabaia, logeerde er in het residentiehuis en deed waarlijk de dentist haar tanden soigneren.

Dat was altijd goed, eens in het jaar. Zij besteedde er deze keer ongeveer vijfhonderd gulden aan.

Nu, terloops, meenden ook de andere dames iets te raden van wat er omging in Laboewangi achter een waas van geheimzinnigheid. Want Ida van Helderen deelde het Eva Eldersma mee, haar tragische blanke-nonna-ogen van angst ontzet: dat haar man en ook Eldersma en de resident vreesden voor een opstand der bevolking, opgestookt door de Regentenfamilie, die het nooit vergeven zou, dat de Regent van Ngadjiwa ontslagen was. De mannen lieten zich echter niets ontvallen, en stelden hun vrouwen gerust. Maar een donkere woeling bleef borrelen onder de schijn- bare kalmte van hun binnensteedse leventje. En langzamer- hand lekten de praatjes uit en beangstigden de Europese bevolking. Vage berichtjes in de couranten – commen- taren op het ontslag van de Regent – hielpen mee. Onder- wijl ging voort de drukte van feestbereiding, maar men was er niet bij met hart en ziel. Men leefde in drukte en onrust en werd ziek van zenuwachtigheid. Des nachts sloot men beter de huizen, legde men wapens bij de hand, werd men plotseling angstig wakker, luisterend naar de geluiden van de nacht, die donsde in het wijde buiten. En men ver- oordeelde de haastigheid van Van Oudijck, die na de scène van het racebal, geen geduld meer had kunnen oefenen, die niet geaarzeld had de Regent, wiens huis verknocht was aan de grond van Laboewangi, één met Laboewangi, voor ontslag te durven voordragen.

De resident had uitgeschreven, als feest voor de bevolking, een passer-malam op de aloon-aloon die enkele dagen zou duren en samenviel met de Fancy-fair. Dat zouden zijn volksfeesten, vele stalletjes en kramen, de Komedie-Stam- boul waar Duizend-en-één-Nacht-toneelspelen werden ge- geven. Hij had dit gedaan om de Javaanse bevolking een zo door haar gewaardeerd genoegen te doen, tegelijk dat de Europeanen feest vierden. Het was nu enkele dagen vóór de Fancy-fair en de dag tevoren zou, toevallig, de koempoelan plaats hebben in de Kaboepatèn.

Een angst, een drukte, een zenuwachtigheid gaf in het anders steeds stille plaatsje een emotie, die de mensen bijna ziek maakte. Moeders brachten haar kinderen weg en waren zelve in tweestrijd. Maar de Fancy-fair deed de men- sen blijven. Zouden zij de Fancy-fair willen missen? Zo

114

zelden was er eens een pretje. Maar als waarlijk... een opstand uitbrak! En men wist niet wat te doen: men wist niet óf ernstig op te nemen de troebele dreiging, die men raadde; óf luchthartig met ze te spotten.

De dag vóor de koempoelan vroeg Van Oudijck belet bij de Raden-Ajoe Pangéran, die bij haar zoon inwoonde. Zijn rijtuig reed langs de opstallen en kramen der aloon-aloon, en door de sierpoorten der passer-malam: de naar elkaar buigende bamboestammen, waaraan de smalle strook dundoek, die kabbelt in de wind: de versiering, die in het Javaans dan ook „kabbeling" heet. Die avond zou de eerste feestavond zijn. Men was bezig aan de laatste toebereidselen en in de drukte van het hameren en schikken, hurkten de inboorlingen niet altijd neer voor het rijtuig van de resident, en lette men niet op de gouden pajong, die de oppasser vasthield op de bok, als een dichtgestraalde zon. Maar toen het rijtuig langs de vlaggestok inreed de oprijlaan van de Kaboepatèn en men zag, dat de resident zich naar de Regent begaf, schoolden groepen samen, en sprak men fluisterend en heftig. Aan de ingang van de oprijlaan verdrong men zich, spiedde uit. Maar de bevolking zag niets dan door de schaduw der waringins in de verte schemeren de lege pendoppo, met haar rissen van afwachtende stoelen. De schout, die op zijn fiets plotseling voorbijreed, deed de samenscholingen als instinctmatig stuiven uiteen.

In de voorgalerij wachtte de oude vorstin de resident. Een kalmte lag over haar waardig gelaat en liet niet lezen, wat in haar woelde en omging. Zij wees de resident te zitten en met enkele gewone frazen begon het gesprek. Toen verschenen vlug kruiphurkende over de grond vier bedienden: de een met een flessendrager vol flessen; de tweede met een blad waarop tal van glazen; een derde met een zilveren ijsvat vol brokken ijs; de vierde, zonder iets, maakte de semba. De vorstin vroeg de resident wat hij drinken wilde en hij zei, dat hij gaarne een whiskey-soda had. De laatste bediende, steeds kruiphurkende tussen de drie anderen door, bereidde de drank, schonk-in de scheut whiskey, deed als een kanon openspringen de ajer-blandafles, en liet in het glas een ijsbrok neer, als een kleine gletscher. Geen woord werd nog gesproken. De resident liet de drank eerst koelen, en de vier bedienden kruiphurkten weg. Toen, eindelijk, nam Van Oudijck het woord en hij vroeg de vorstin of hij zou kunnen spreken in geheel vertrouwen, of hij zou kunnen zeggen, wat hij had op het hart. Zij, beleefd, smeekte het hem te doen. En met zijn vaste, maar gedempte stem, zeide hij haar, in het Maleis, in heel hoffelijke zinnen, vol vriendschap en bloemrijke beleefdheid, hoe hoog en groot zijn liefde voor de Pangéran was geweest, en nog was voor diens roemrijk geslacht, ook al had hij, Van Oudijck, tot zijn innigste spijt, moeten handelen tegen die liefde in, omdat hem zijn plicht dat gebood. En hij vroeg haar, zo een moeder dat kon, hem geen kwaad hart toe te dragen om die beoefening van zijn plicht; hij vroeg haar, integendeel, moederlijk voor hem te voelen, de Europese ambtenaar, die als een vader bemind had de Pangéran, en met hem, de ambtenaar – zij, de moeder van de Regent –, samen te werken door haar zo grote invloed aan te wenden tot heil en welvaart van de bevolking. In zijn vroomheid en verre blik naar de dingen van het onzienlijke, vergat Soenario wel eens de feitelijke werkelijkheid, die lag voor de hand; welnu, hij, de resident, vroeg haar, de machtige invloedrijke moeder, samen te werken met hem in wat Soenario zag over het hoofd, samen te werken, in eensgezindheid en liefde. En, in de sierlijkheid van zijn Maleis, opende hij haar zijn hart geheel, zeide hij haar de woeling, die reeds dagen lang borrelde onder de bevolking, als een slecht gif, dat haar niet anders dan slecht, dronken kon maken en haar wellicht zou leiden tot dingen, tot daden, die in diep berouw zouden moeten eindigen. En met dit laatste woord van „diep berouw", deed hij haar voelen, onder zijn woorden, dat de Regering de sterkste zou zijn, dat een ontzettende straf neer zou vallen op al wie schuldig zou blijken te zijn, hoog en laag. Maar hoog hoffelijk bleef zijn taal en eerbiedig zijn woord, als van een zoon tegen een moeder. Zij, hoewel ze hem verstond, waardeerde de tactvolle gratie van zijn manieren, en de met bloemen bestrooide diepte en ernst van zijn taal deed hem stijgen in haar achting en verwonderde haar bijna – in een lage Hollander, van bloed noch afkomst. Maar hij ging voort, en niet zeide hij haar, wat hij wel wist, dat zij was de aandrijfster in deze duistere woeling – maar wel vergoelijkte hij die woeling, en zeide, dat hij ze begreep, dat de bevolking mee met haar leed, in

116

haar verdriet omtrent de onwaardige zoon, die toch ook afstammeling was van het edele geslacht; en dat het zo natuurlijk was, dat de bevolking diep voelde voor haar oude vorstin, ook al was dat gevoel nu onverstandig en onberedeneerd. Want de zoon wás onwaardig, de Regent van Ngadjiwa was onwaardig geweest, en wat gebeurd was, had niet anders kunnen gebeuren. Zijn stem werd even streng en zij boog het grijze hoofd, bleef zwijgen, scheen aan te nemen. Maar nu werden tederder weer zijn woorden en nogmaals vroeg hij haar haar medewerking, te willen aanwenden haar invloed ten beste. Hij vertrouwde op haar geheel. Hij wist, dat zij hoog hield de traditie van haar geslacht, de trouw aan de Compagnie, de onkreukbare trouw aan de Regering. Welnu, hij vroeg haar zo aan te wenden haar macht en invloed, zo te gebruiken de liefde en verering, die men haar toedroeg, dat zij, mede met hem, de resident, tot stilte zou brengen wat in het duistere woelde; dat zij tot bedachtzaamheid brengen zou wat niet nadacht; dat zij tot vrede zou stillen, wat in het geheim dreigde, onbezonnen en lichtzinnig, tegen het waardige en sterke gezag. En terwijl hij vleide en dreigde tegelijkertijd, gevoelde hij, dat zij, – hoewel zij nog nauwlijks sprak één woord, en alleen zijn woorden maar scandeerde met haar: saja, – kwam onder zijn sterkere invloed van man van tact en van gezag, en dat hij haar deed nadenken. Hij gevoelde, dat onder het nadenken de haat in haar neerviel, de wraakzucht in haar verlamde, en dat hij brak de energie en de trots van het oude bloed der Madoerese sultans. Hij liet schemeren voor haar ogen, onder al de bloemen van zijn taal, de gehele ondergang, de zware straf, de toch sterkere macht van het Gouvernement. En hij plooide haar tot de oude lenigheid van te bukken onder de heersersmacht. Hij leerde haar, in haar opwelling om op te staan en van zich te werpen het gehate juk, dat het beter was koel, verstandig te zijn en bezadigd zich opnieuw te schikken. Zij knikte zacht ja, met het hoofd, en hij voelde, dat hij haar had overmachtigd. Een trots er om werd in hem wakker. En nu ook sprak zij, en beloofde, met haar inwendig wenende, gebroken stem. Dat zij hem liefhad als een zoon, dat zij zou doen als hij verlangde, haar invloed buiten de Kaboepatèn in de stad zeker zou aanwenden tot stilling van deze dreigende troebelen. Zij sprak zich ervan vrij, en zeide, dat ze ontsproten uit onnadenkende liefde van de bevolking, die meeleed met haar, om haar zoon. Zij zeide hem nu ná zijn woorden: alleen sprak zij niet van onwaardig. Want zij was moeder. En nogmaals herhaalde zij het, dat hij haar vertrouwen kon, dat zij zou doen naar zijn verlangen. Toen deelde hij haar mee, dat hij morgen met zijn ambtenaren, met de inlandse hoofden ter koempoelan zou komen, en hij zeide, dat hij haar zo vertrouwde, dat zij allen, Europeanen, ongewapend zouden zijn. Hij zag haar in de ogen. Hij dreigde haar meer met dit te zeggen dan dat hij van wapens hadde gesproken. Want hij dreigde haar, zonder er een woord van te zeggen, alleen met de intonatie van het Maleis, met de straf, de wraakneming van de Regering, zo één haar gekrenkt zou worden van de minste harer ambtenaren. Hij was opgestaan. Zij ook stond op, wrong de handen, bezwoer hem zo niet te spreken, bezwoer hem ten volle te vertrouwen haar en haar zoon. En zij liet Soenario roepen. De Regent van Laboewangi kwam en nogmaals herhaalde Van Oudijck, dat hij hoopte op vrede en nadenken. En in de toon van de oude vorstin tegen haar zoon, voelde hij, dat zij wilde, dat het nadenken en de vrede er zijn zou. Hij voelde haar, de moeder, almachtig in de Kaboepatèn. De Regent boog het hoofd, stemde toe, beloofde, zeide zelfs dat hij reeds had laten sussen, dat hij altijd betreurd had die opwinding van het volk, dat het hem zeer leed deed, nu de resident het toch bespeurd had, niettegenstaande zijn – Soenario's – sussingen. De resident drong niet verder door in deze onoprechtheid. Hij wist, dat de woeling aangestookt werd vanuit de Kaboepatèn, maar hij wist ook, dat hij had overwonnen. Nog, eens, echter drukte hij de Regent zijn verantwoordelijkheid op het hart, in het geval, dat er iets gebeuren mocht in de pendoppo, morgen, gedurende de koempoelan. De Regent bezwoer hem aan zo iets niet te denken. En nu, om in vriendschap te scheiden, smeekte hij Van Oudijck nog eens te gaan zitten. Hij zette zich. Bij deze beweging stiet Van Oudijck als toevallig tegen het glas, dat geheel parelde van ijskoude, en dat hij nog niet aan de lippen had gezet. Het viel kletterend op de grond. Hij verontschuldigde zich over zijn lompheid. De Raden-Ajoe Pangéran had zijn beweging opgemerkt en haar oude gelaat werd bleek. Zij zeide niets, maar zij wenkte een volgeling. En opnieuw verschenen kruiphurkend de vier bedienden, bereidden een tweede glas whiskey-soda. Van Oudijck zette het glas dadelijk aan de mond.

Er was een pijnlijke stilte. In hoeverre de beweging van de resident, waarmee hij het glas had omgestoten, gerechtvaardigd was geweest, zou altijd blijven een raadsel, zou hij nooit en nimmer weten. Maar hij wilde de vorstin tonen, dat hij, hier komende, op alles was voorbereid, vóor hun gesprek; dat hij, ná dat gesprek, haar geheel en in alles vertrouwen wilde. Zowel in de drank, die zij hem bood, als morgen op de koempoelan, waar hij met zijn ambtenaren allen ongewapend verschijnen zouden; als in haar invloed ten beste, die rust en vrede onder de bevolking zou brengen. En als om te tonen, dat zij hem begreep, en dat geheel zijn vertrouwen gerechtvaardigd zou zijn, stond zij op en fluisterde een paar woorden tot een volgeling, die zij gewenkt had. De Javaan verdween en kwam weldra de gehele voorgalerij kruiphurkende door, dragende een lang voorwerp in gele hoes. De vorstin nam het uit zijn handen en overhandigde het Soenario. En deze trok uit de gele zijden hoes een wandelstok, die hij aanbood aan de resident als een bewijs van hun broederlijke vriendschap. Van Oudijck nam aan, wetende het symbool. Want de gele zijden hoes was van de kleur en de stof van het gezag: zijde en geel of goud; de stok zelve was van een hout, dat beveiligt tegen slangenbeten en onheil, en de zware knop was gewerkt in het metaal van gezag – goud – in de vorm van de oude sultanskroon. Deze stok, aangeboden op dit ogenblik, betekende, dat de Adiningrats zich opnieuw onderwierpen en dat Van Oudijck hen vertrouwen kon. En toen hij afscheid nam, was hij zeer trots en waardeerde hij hoog zichzelve. Want met tact, met diplomatie, met kennis van de Javaan had hij overwonnen: alleen met woorden zou hij de dreigende opstand hebben bezworen. Dat zou een feit zijn.

Dat was ook zo, dat zou zo zijn: een feit. Die eerste avond van de passer-malam, vrolijk lichtende van honderd petroleum-lampjes, lokkelijk dampende van laag drijvende bakluchten, vol van het bonte gewarrel der feestende bevolking – die eerste avond was niets dan feest en onder elkaar besprak de bevolking het lange vriendschapsbezoek van de resident aan de Regent en aan zijn moeder; want het rijtuig met de pajong had men lang zien wachten in de oprijlaan, en volgelingen van de Regent vertelden van het geschenk van de wandelstok.

Dat was ook zo: het feit was, en gebeurde, zoals Van Oudijck het had vooruit bedacht en gedwongen. En dat hij trots was, was menselijk. Maar wat hij niet had gedwongen en vooruit bedacht, dat waren de stille krachten, die hij nooit raadde, die hij ontkennen zou, altijd, in het natuurlijk eenvoudige leven. Wat hij *niet* zag en hoorde en voelde, dat was de heel stille kracht, die wel neersloeg, maar toch smeulde, als een vulkanisch vuur onder de schijnbaar rustige dreven van bloemen en vriendschap en vrede: de haat, die een macht zou hebben van ondoordringbaar mysterie, waartegen hij, Westerling, ongewapend was.

VI

Van Oudijck hield van zekere effecten. Hij sprak niet veel die dag over zijn bezoek aan de Kaboepatèn, en ook niet toen die avond Eldersma en Van Helderen hem kwamen spreken over de koempoelan, die de volgende morgen plaats zou grijpen. Zij hadden een zekere ongerustheid en vroegen of zij zich wapenen zouden. Maar Van Oudijck, zeer streng en beslist, verbood wapens mee te nemen, en zeide, dat het niemand geoorloofd was. De ambtenaren gaven toe, maar niemand was op zijn gemak. De koempoelan had echter plaats in volkomene ongestoordheid en harmonie; alleen was er een grotere bevolking op de been tussen de kramen van de passer-malam, was er meer politie bij de sierpoorten, met de kabbelende stroken dundoek. Maar er gebeurde niets. De vrouwen in huis waren angstig en herademden toen hun mannen veilig weer waren thuis. En Van Oudijck had zijn effect bereikt. Hij legde nu een paar bezoeken af, zeker van zijn zaak, vertrouwende op de Raden-Ajoe Pangéran. Hij stelde de dames gerust, en zeide haar nu alleen te denken aan de Fancy-fair. Maar zij vertrouwden het niet. Sommige families, des avonds, sloten alle hun deuren en bleven met de kennissen en kinderen en baboe's in de middengalerij, gewapend, luisterend, op hun hoede. Theo, met wie zijn vader, in een bui

van vertrouwelijkheid, had gesproken, maakte er toen met
Addy een pretje van. De beide jongelui, op een avond,
liepen de huizen af, van wie zij wisten, dat het angstigst
waren, en zij drongen door in de voorgalerij, en zij riepen
om open te doen. en in de middengalerijen hoorden zij de
snaphanen al overhalen. Zij hadden een dolle avond.
Toen eindelijk had de Fancy-fair plaats. Op het toneel van
de societeit had Eva georganiseerd een serie van drie
tableaux uit de Artur-Sage: Viviane, en Ginevra en Lan-
celot; in de tuin was in het midden een Madoerese prauw,
in de vorm van een Vikingschip, waar men punch à la
romaine dronk; een naburige suikerfabriek, nog altijd pret
makende, bekend om de jolige toon, die er heerste, had
gezorgd voor een komplete Hollandse poffertjes-kraam –
als een heimwee-wekkende herinnering aan Holland: de
dames als Friese boerinnen, de employé's van de fabriek
allen als koksjongens gekleed; en de emotie voor Transvaal was gevierd door een Majuba-heuvel met heren en
dames in fantastisch Boeren-kostuum. Van de immense
zeebeving in Ternate was geen sprake, hoewel de helft van
de opbrengst aan de geteisterde streken was toebedacht.
Onder de lichtende loleng-festoenen, die slingerden boven
de tuin was een grote pret en lust tot veel geld uitgeven,
vooral voor Transvaal. Maar onder die lustigheid huiverde
toch een angst. Groepjes verzamelden zich, blikken keken
spiedend uit naar buiten, waar op de weg zich verdrongen:
Indo's, Javanen, Chinezen, Arabieren, rondom de draagkeukentjes, die walmden. En angstig, onder een glas champagne, of een bord poffertjes, luisterde men in de richting
van de aloon-aloon, waar de passer-malam woelde in volle
kracht. Toen Van Oudijck verscheen met Doddy, ontvangen met het Wien Neerlands Bloed, goedmoedig rijksdaalders en bankjes strooiende, vroeg men hem telkens
iets, geheimzinnig aan het oor. En, missende mevrouw
Van Oudijck, vorste men onder elkaar uit, waar zij was.
Zij had zo een kiespijn, zeide men: zij was daarom naar
Soerabaia. Men vond het niet aardig van haar; men hield
niet van haar als men haar niet zag. Zij werd die avond
zeer besproken: men vertelde de afschuwelijkste schan-
dalen van haar. Doddy nam op de Madoerese prauw haar
plaats in als verkoopster, en Van Oudijck, met Eldersma,
Van Helderen, een paar controleurs van buiten, ging rond,

en trakteerde zijn Binnenlands Bestuur. Als men hem de geheimzinnige inlichtingen vroeg, met de angstige blikken naar buiten, met het luisterend oor naar de aloon-aloon, stelde hij majesteitelijk glimlachend gerust: er zou niets gebeuren, hij verpandde er om zijn erewoord. Men vond hem wel erg vertrouwend, erg zeker van zijn zaak, maar de joviale glimlach om de brede snor van de resident stelde gerust. Hij dreef een ieder aan van zijn goede stad Laboewangi alleen te denken aan de pret en de liefdadigheid. En toen, eensklaps, verscheen de Regent, Raden Adipati Soenario en zijn vrouw, de jonge Raden-Ajoe, en aan de ingang boeketjes, programma's en waaiertjes betaalde met een bankje van honderd gulden, ging een ontspanning door het gehele publiek van de tuin. Het bankje van honderd van de Regent was spoedig overal bekend. En nu herademde men; nu begreep men, dat alle angst overbodig zou zijn.

Dat geen opstand die avond uit zou breken. Men vierde de Regent en zijn glimlachende jonge vrouw, die schitterde van haar mooie juwelen.

Van louter ontspanning, herademing, dolheid, gaf men steeds meer en meer geld uit, wilde men evenaren de enkele schatrijke Chinezen — die van vóor de opiumregie, eigenaars van de witte marmer- en stucpaleizen — als zij met hun vrouwen, in geborduurde grijze en groene Chinese gewaden, het glimmende haar vol bloemen en stenen, sterk riekende naar sandelgeuren, strooiden met rijksdaalders. Het geld vloeide, tikkelde als met zilveren droppelingen in de bussen der blijde verkoopsters. En de Fancy-fair was een succes. En toen Van Oudijck eindelijk, langzaam aan hier en daar, aan Doorn de Bruijn, aan Rantzow, aan de ambtenaren van buiten iets losliet van zijn bezoek aan de Kaboepatèn, van zijn gesprek met de Raden-Ajoe Pangéran — nederig en eenvoudig doende, maar toch ondanks zichzelve stralende van blijde hoogmoed, van vreugde over zijn zege — toen bereikte hij zijn grootste effect.

Het verhaal ging rond door de tuin, van de tact, van de knapheid van de resident, die met zijn woord alleen de revolutie bezworen had. Hij werd als op de handen gedragen. En hij schonk overal rond champagne, hij kocht alle waaiertjes op, hij kocht al de loten van de tombola, die nog niet waren verkocht. Men aanbad hem, het was zijn ogenblik van succes en populariteit. En hij schertste met de dames, hij maakte ze het hof. Het feest duurde lang, tot zes uur in de lichte morgen. De vrolijke poffertjeskoks waren dronken en dansten om de poffertjeskachel heen.

En toen Van Oudijck eindelijk naar huis ging, gevoelde hij zich in een stemming van zelftevredenheid, van kracht, van blijdschap; vervoering over zichzelve. In zijn kleine wereld voelde hij zich koning en tevens diplomaat en tevens bemind door allen, wie hij rust en vrede verzekerd had. Deze avond deed hem stijgen in zijn zelfachting en hij waardeerde zich hoger dan ooit. Hij voelde zich zo gelukkig als hij zich nooit had gevoeld.

Hij had het rijtuig naar huis gezonden, en wandelde met Doddy naar huis. Enkele vroege verkopers gingen ter passer. Doddy, half slapende, doodmoe, sleepte zich mee aan de arm van haar vader... Toen, dichtbij, ging haar iemand voorbij, en hoewel zij meer voelde dan zag, huiverde zij plotseling. Zij zag op. De figuur was voorbij. Zij zag om en zij herkende de rug van de hadji, die zich haastte... Zij voelde zich koud tot flauw vallens toe. Maar toen, moe, slapende lopende, bedacht zij, dat zij half droomde, droomde van Addy, van Patjaram, van de maannacht onder de tjemara's, waar aan het einde van de laan de witte hadji haar verschrikt had...

VIJFDE HOOFDSTUK

I

Eva Eldersma was in een stemming van lusteloosheid en spleen als zij nog nooit in Indië had ondervonden. Na al haar arbeid, drukte, succes van de Fancy-fair – na de huiverende angsten voor opstand – sluimerde het plaatsje gemoedelijk weer in, als was het weltevreden weer te kunnen dommelen als altijd. Het was december geworden en de zware regens waren begonnen, als altijd, de vijfde december: de regenmoesson, onveranderlijk, trad in op St. Nicolaas. De wolken, die, een maand lang, zich al zwellende en zwellende hadden opgetast aan de laagte der kimmen, gordijnden haar watervolle zeilen hoger tegen de uitspansels aan, en scheurden open als met één razernij van vér uitlichtende electriciteiten, plasten kletsstralende neer als daar niet meer omhoog op te houden rijkdommen van regen, nu de te volle zeilen scheurden en al de waterweelde giet-stroomde als uit één scheur neer. Des avonds was Eva's voorgalerij overvlogen door een dolle zwerm van insecten, die zich, vuurdronken, ten ondergang stortten in de lampen, als in een apotheose van vlammendood, en met haar wiekbewegende, stervende lichamen de lampenglazen vulden en bestrooiden de marmeren tafels. Een koelere lucht ademde Eva in, maar een waasmist van vocht, uit aarde en bladeren, sloeg aan op de muren, scheen te zweten uit meubels, te tanen op spiegels, te vochtvlakken op zijde, te schimmelen op schoenen, of de neerrazende stromenkracht der natuur al het kleine en fijn-glinsterende en bevallige van mensenwerk zou bederven. Maar bomen en lover en gras leefden op, leefden uit, woekerden welig omhoog, in duizenden tintelingen van nieuw groen en in de oplevende zege van de groene natuur was de neerduikende mensenstad van open villahuizen nat en paddestoelvochtig, verweerde tot schimmelgroen al de blankheid der gekalkte pilaren en bloemepotten. Eva zag-aan de langzame, geleidelijk ruïne van haar huis, haar meubels, haar kleren. Dag aan dag, onverbiddelijk, bedierf er iets, rotte wat weg, beschimmelde, verroestte er iets. En geheel de esthetische filosofie, waarmede zij eerst zich geleerd had van Indië te houden, te waarderen het goede in Indië, te zoeken ook in Indië naar de mooie lijn, uiterlijk, en naar het inwendige mooi, van ziel, was niet meer bestand tegen het stromen van het water, tegen het uit-een kraken van haar meubels, tegen het vlakkig worden van haar japonnen en handschoenen, tegen al de vocht, schimmel en roest, die haar bedierf haar exquise omgeving, die zij om zich heen als troost had ontworpen, geschapen, als troost voor Indië. Al het beredeneerde, verstandelijke van zich te schikken, van tóch iets liefs en moois te vinden in het land van al te overmachtige natuur en geld- en positie-zoekende mensen, verongelukte, stortte in, nu zij elk ogenblik gedwongen werd kribbig te zijn, als huisvrouw, als elegante vrouw, als artistieke vrouw. Neen, onmogelijk was het in Indië zich te omringen met smaak en exquisiteit. Zij was hier nog slechts een paar jaar, en zij voelde nog wel wat kracht te strijden voor haar Westerse beschaving, maar toch begreep zij al beter dan de eerste dagen van haar aankomst het zich-maar-laten-gaan, van de mannen na hun drukke werk, van de vrouwen in haar huishouding. Zeker, de geluideloos lopende bedienden, werkende met zachte hand, gewillig, nooit brutaal, zij trok ze voor boven de luidruchtig stampende meiden in Holland, maar toch voelde zij in geheel haar huis een Oosterse tegenstand tegen haar Westerse ideeën. Het was altijd een strijd, om niet onder te gaan in het-maar-laten-gaan, in het maar laten verwilderen van het te grote erf, achter onvermijdelijk behangen met groezelig wasgoed der bedienden, en bestrooid met afgeknabbelde manga's; in het maar laten vervuilen en ontverven van haar huis, te groot, te open, te bloot aan weer en wind om met Hollandse zindelijkheid te worden verzorgd; in het maar blijven schommelen ongekleed, in sarong en kabaai, de blote voeten in muiltjes, omdat het heus te warm, te zwoel was zich te kleden in een japon of peignoir, die men doortranspireerde. Voor haar was het, dat aan tafel 's avonds haar man steeds gekleed was, zwart jasje en hoge boord, maar als zij zag zijn vermoeide trekken, waaruit al meer en meer de strakke oververmoeide bureautrek staarde, boven die hoge boord, maande zij hem zelve een volgende keer aan, zich maar niet te kleden na zijn tweede bad, en duldde zij hem aan tafel in een wit jasje, of zelfs in nachtbroek en kabaai. Zij vond dat iets vreeslijks, iets onzegbaars verschrikkelijks, het schokte geheel haar beschaving, maar heus, hij was te moe, en het was te drukkend zwoel om anders van hem te vergen. En zij – pas twee jaren in Indië – begreep meer en meer het zich laten gaan – in kleding, in lichaam, in ziel – nu zij iedere dag iets meer verloor van haar Hollandse frisse bloed en haar Westerse energie, nu zij wel toegaf, dat men in Indië werkte als misschien in geen ander land, maar alleen werkte, met dat doel voor ogen: positie – geld – ontslag – pensioen – en terug, terug naar Europa. Wel waren er anderen, geboren in Indië, nauwlijks één enkel jaar eens uit Indië weg geweest, die niets van Holland wilden horen, die aanbaden hun land van zon. Zo wist zij, waren de De Luce's, en zo – wist zij – waren er anderen. Maar in haar kring van ambtenaren en planters was het bij iedereen het zelfde levensdoel – positie – geld – en dan weg, weg naar Europa. Iedereen rekende-uit de jaren, die hij nog zou werken moeten. Iedereen zag in de toekomst de illusie van de Europese rust. Een enkele als Van Oudijck – een énkele ambtenaar, die misschien zijn werk liefhad óm zijn werk, en omdat het harmonieerde met zijn karakter – vreesde de toekomstige pensioen-tijd, die dom vegeteren zou zijn. Maar Van Oudijck was een uitzondering. De meesten dienden en planttten, voor een latere rust. Haar man immers ook, beulde zich af, om als hij assistent-resident was geworden, over enkele jaren zijn pensioen te nemen; beulde zich af voor zijn illusie van rust. Nu, zij voelde háar energie haar ontzinken, met iedere druppel bloed, die zij voelde trager door haar matte aderen vloeien. En in deze eerste dagen van de natte moesson, nu de goten van het huis onophoudelijk waterden de dik klaterende stralen, die haar irriteerden met hun gekletter, nu zij zag bederven in vocht en schimmel, al dat materiële, dat zij met smaak om zich heen koos, als haar artistieke troost in Indië, nu kwam zij in een ontstemming van lusteloosheid en spleen als zij nog nimmer had doorgemaakt. Zij had niet genoeg aan haar kindje, te klein nog om iets van ziel voor haar te zijn. Haar man werkte, werkte altijd. Hij was voor haar een goede, lieve man, een brave man, een man

126

van grote eenvoud, die zij misschien alleen om die eenvoud
genomen had, om die kalme rust van zijn glimlachend
Friese blonde gezicht en de stoerheid van zijn brede schouders, na een paar opgewonden jonge romans van dwepen
en misverstand en woordenwisselingen van hoog-ziele-
voelen, romans uit haar jonge-meisjes-tijd. In een eenvoudige roman had zij, die *niet* rustig en eenvoudig was,
de eenvoud en rust van haar leven gezocht. Maar zijn
kwaliteiten voldeden haar niet. Vooral, nu, langer in Indië,
en verslagen wordende in de strijd met het land, dat haar
natuur niet sympathisch was, voldeed zijn rustige liefde
van echtgenoot haar niet.
Zij begon zich ongelukkig te voelen. Zij was te veelzijdig
vrouw om geheel haar geluk te kunnen vinden in haar
kleine jongetje. Het vulde wel, met zijn kleine zorgjes voor
nu, en met de gedachten aan zijn toekomst, een deel van
haar leven. Zij had zelfs uitbedacht een gehele theorie van
opvoeding. Maar het vulde niet haar leven geheel. En een
heimwee naar Holland omving haar, een heimwee naar
haar ouders, een heimwee naar het mooie kunsthuis, waar
men altijd ontmoette schilders, schrijvers, toon-kunste-
naars – uitzondering van artistieke salon in Holland, waar
een ogenblik tezamen kwamen de anders altijd in Holland
geïsoleerde kunstelementen.
Als een vage verre droom trok het visioen haar voorbij,
terwijl zij hoorde naar de aankondigende donderingen
der barstenszwoele lucht, terwijl zij uitkeek naar de water-
vloed, die daarna neergoot. Hier had zij niets. Hier voelde
zij zich misplaatst. Hier had zij in haar clubje van getrouwen, die zich om haar verzamelden, omdat zij vrolijk was,
niets van diepere sympathie, van inniger conversatie –
dan alleen met Van Helderen. En met hem wilde zij voorzichtig zijn, om hem geen illusies te geven.
Alleen Van Helderen. En zij dacht aan alle de andere mensen om haar heen in Laboewangi. Zij dacht aan mensen,
mensen van overal. En, pessimistisch, in deze dagen, vond
zij in allen het egoïste, het eigen-ikkerige, en het minder
beminnelijke, het opgesloten in zichzelve; zij kon het zich
nauwlijks uitdrukken, afgeleid door de forse watermacht
van de regen. Maar zij vond in ieder bewuste en onbewuste
dingen van onbeminnelijkheid. Ook haar getrouwen. Ook
in haar man. In mannen, jonge vrouwen, jonge meisjes,

jongelui om haar heen. Ieder was zijn eigen ik. In niemand was het harmonisch voor zich en voor een ander. In die vond zij dit niet goed, in die dat hatelijk; die en die veroordeelde zij geheel. Het was een kritiek die haar troosteloos en weemoedig maakte, want ze was tegen haar natuur in: zij had gaarne lief. Ze leefde gaarne samen, spontaan, harmonisch met vele anderen: oorspronkelijk was er in haar een liefde voor de mensen, een liefde voor de mensheid. Grote kwesties wekten emotie in haar. Maar al wat zij gevoelde vond geen weerklank. Leeg en alleen bevond zij zich, in een land, een stad, een omgeving, waar alles en alles – grote dingen, kleine dingen – hinderde haar ziel, haar lichaam, haar karakter, haar natuur. Haar man werkte. Haar kind ver-indischte al. Haar piano was ontstemd.

Zij stond op, probeerde de piano, met lange gamma's, die uitliepen in de Feuerzauber van de Walküre. Maar de regen raasde sterker dan haar muziek opzong. Toen zij weer opstond, wanhopig van lusteloosheid, zag zij Van Helderen staan.

– Je laat me schrikken, zei zij.

– Mag ik blijven rijsttafelen? vroeg hij. Ik ben thuis alleen. Ida is voor haar malaria naar Tosari en de kinderen zijn mee. Ze is gisteren gegaan. Het is een dure historie. Hoe ik dit een maand vol moet houden, weet ik niet.

– Laat de kinderen hier komen, als zij een paar dagen zijn boven geweest...

– Is je dit geen last?

– Natuurlijk niet... Ik zal het Ida schrijven...

– Het is heus allerliefst van je... Je zou er mij zeker mee helpen.

Zij lacht mat.

– Ben je niet wel?

– Ik voel mij doodgaan, zeide zij.

– Hoe meen je?

– Ik voel mij iedere dag wat sterven.

– Waarom?

– Het is hier verschrikkelijk. Wij hebben naar de regens verlangd, en nu ze er zijn, maken ze me dol. En – ik weet het niet –: ik hou het hier niet meer uit.

– Waar?

– In Indië. Ik heb mij geleerd om in dit land het goede, het mooie te zien. Het was alles tevergeefs. Ik kan nu niet meer.

128

– Ga naar Holland, sprak hij zacht.

– Mijn ouders zouden me zeker gaarne terugzien. Voor mijn jongen zou het goed zijn, want iedere dag verleert hij meer en meer zijn Hollands, dat ik zo energiek begonnen was hem te leren, en praat hij Maleis – of erger nog: sinjoos. Maar mijn man kan ik hier niet alleen laten. Hij zou niets hebben zonder mij. Tenminste – dat geloof ik – dat is nog zo iets als een illusie. Misschien is het niet zo.

– Maar als je ziek wordt...

– Ach... ik weet het niet...

Er was een ongewone doodmoeheid in geheel haar wezen.

– Misschien overdrijf je! begon hij opgewekt. Kom, misschien overdrijf je. Wat is er, wat hindert je, wat maakt je zo ongelukkig. Laten wij eens een inventaris opmaken.

– Een inventaris van mijn ongelukken. Mijn tuin is een moeras. Drie stoelen van mijn voorgalerij kraken uit-een. Witte mieren hebben mijn mooie Japanse matten opgegeten. Een nieuwe zijden japon is, onverklaarbaar, met vochtvlekken uitgeslagen. Een andere is, louter van de warmte, geloof ik, vergaan tot losse draadjes. Daarbij verschillende kleinere misères van die aard. Om mij te troosten heb ik mij gestort in de Feuerzauber. Mijn piano was vals; ik geloof, dat er kakkerlakken tussen de snaren rondwandelen.

Hij lachte een beetje.

– Wij zijn idioot, hier, wij Westerlingen in dit land. Waarom brengen we hier geheel de nasleep van onze dure beschaving, die het hier toch niet uithoudt! Waarom wonen wij hier niet in een fris bamboe-huisje, slapen op een tiker, kleden ons in een kaïn pandjang en sitsen kabaai, met een slendang over de schouder, en een bloem in het haar. Al jullie cultuur, waarmee je rijk wilt worden, – dat is een Westers idee, dat mislukt op den duur. Al onze administratie – dat is vermoeiend in de warmte. Waarom – als wij hier willen zijn – leven wij maar niet eenvoudig en planten wij padi en leven wij van niets...

– Je praat als een vrouw, lachte hij een beetje.

– Het is mogelijk, zeide zij. Ik spreek zo half uit aardigheid. Maar dat ik hier voel, tegen mij in, tegen al mijn Westersheid in, een kracht, die mij tegenwerkt... dat is zeker. Ik ben hier soms bang. Ik voel mij hier altijd... op het punt overweldigd te worden, ik weet niet waardoor:

door iets uit de grond, door een macht in de natuur, door een geheim in de ziel van die zwarte mensen, die ik niet ken... In de nachten vooral ben ik bang.

– Je bent nerveus, zeide hij teder.

– Misschien, sprak zij mat terug, ziende, dat hij haar niet begreep, en te moe het verder te verklaren. Laat ons over iets anders spreken. Die tafeldans is toch vreemd.

– Ja, zeide hij.

– Verleden toen wij het deden met ons drieën – Ida, jij, en ik...

– Het was zeker heel vreemd.

– Herinner je je die eerste keer? Addy de Luce... dat schijnt nu toch waar te zijn met mevrouw Van Oudijck... En de opstand... De tafel voorspelde het toen.

– Zou het niet, onbewust, onze suggestie zijn?

– Ik weet het niet. Maar te denken, dat wij allen eerlijk zijn, en dat die tafel gaat tikken en met ons praat, volgens een alfabet.

– Ik zou het toch niet dikwijls doen, Eva.

– Neen. Ik vind het onverklaarbaar. En toch verveelt het me al. Zo went een mens aan het onbegrijpelijke.

– Alles is onbegrijpelijk...

– Ja... en alles is banaal.

– Eva, zeide hij, zacht lachend verwijtend.

– Ik geef de strijd helemaal op. Ik zal maar kijken naar de regen... en schommelen.

– Vroeger zag je het mooie in mijn land.

– In jouw land? Dat je gaarne morgen zou verlaten, om naar de Parijse Tentoonstelling te gaan.

– Ik heb nooit iets gezien.

– Je bent zo nederig vandaag.

– Ik ben treurig, om jou.

– O toe, wees het niet.

– Speel nog wat...

– Hier, drink dan je bittertje. Schenk je in. Ik zal spelen op mijn valse piano, die even harmonisch zal klinken met mijn ziel, ook in de war...

Zij ging terug naar de middengalerij en speelde uit Parzifal. Hij, voor, bleef zitten en luisterde. De regen raasde neer. De tuin stond blank. Een heftige donderslag scheen de wereld uiteen te doen kraken. De natuur was oppermachtig en in haar reuze-openbaring waren de twee men-

sen in dit vochtige huis klein, was zijn liefde niets, haar
weemoed niets, en de mystieke muziek van de Graal was
als een kinderwijsje in de daverende mystiek van die donderslag, waarmee het noodlot zelve met goddelijke cym-
balen scheen te varen over de in de zondvloed verdronkene
mensen.

II

De twee kinderen van Van Helderen, een jongen en een
meisje, zes en zeven, waren in huis bij Eva en Van Helderen zelve kwam geregeld een keer per dag eten. Hij
sprak nooit meer over zijn innig gevoel als wilde hij niet
verstoren de strelende lieflijkheid van hun iedere dag samen
zijn. En zij nam het aan, dat hij iedere dag met haar samen
was, onmachtig hem af te weren. Hij was de enige man in
haar omgeving, met wie zij spreken en luid denken kon,
en hij was haar een troost in deze dagen van spleen. Zij
begreep niet hoe zij zo geworden was, maar zij kwam langzamerhand in een totale apathie, in een soort nihiliserend
niets-nodig-vinden. Zij was nooit zo geweest. Haar natuur
was van levendigheid en opgewektheid, van zoeken het
mooie en bewonderen, van poëzie en muziek en kunst:
dingen, die zij, van klein kindje af, van haar kinderboeken
af, om zich heen had gezien en gevoeld en besproken. In
Indië was zij langzamerhand alles gaan missen, waaraan zij
behoefte had. Een nihilisme, om te zeggen: waarvoor
alles: waarvoor de wereld en de mensen en de bergen;
waarvoor al dat kleine dwarrelen van leven?... maakte
zich wanhopig van haar meester. En als zij dan las van
het sociale drijven, in Europa de grote sociale kwesties,
in Indië de opkomende kwestie der Indo's, dacht zij: waarom de wereld, als de mens zo eeuwig dezelfde blijft: klein
en lijdend en neergedrukt in al de ellende van zijn menselijkheid. Zij zag niet het doel. De helft der mensheid
leed armoede en streed zich uit dat duister omhoog: naar
wat...? De andere helft vegeteerde dom suffende weg in
het geld. Tussen beiden was een trap van tinten, van de
duistere armoede tot de suffende rijkdom. Over ze heen,
regenboogden de eeuwige illusies: liefde, kunst, grote
vraagtekens van recht en vrede en ideale toekomst... Zij

vond het alles om niets, zij miste het doel en zij dacht: waarom dat alles zo, en waarom de wereld, en de arme mensen...

Zij had zich nog nooit zo gevoeld, maar er was niet tegen te strijden. Langzaam, iedere dag, maakte Indië haar zo, ziek van ziel. Frans van Helderen was haar enige troost. Deze jonge controleur, die nooit geweest was in Europa, die geheel zijn opvoeding had gehad te Batavia, zijn examens had gedaan te Batavia, blond, gedistingeerd, met zijn lenige hoffelijkheid, – met zijn type van onzegbare vreemde nationaliteit, was om zijn bijna exotische ontwikkeling dierbaar geworden aan haar vriendschap. Zij zeide hem hoe zij die vriendschap heerlijk vond en hij antwoordde niet meer met zijn liefde. Er was te veel liefs, zo, in hun verhouding. Er was in iets idealistisch, waaraan zij beiden behoefte hadden. In hun omgeving van gewoonheid glansde die vriendschap voor hen uit als een heel exquise glorie, waarop zij beiden trots waren. Hij kwam veel – vooral nu zijn vrouw op Tosari was – en in de avondschemeringen wandelden zij naar de vuurtoren, die aan zee stond als een kleine Eiffel-Kandelaber. Over die wandelingen werd veel gesproken, maar zij stoorden er zich niet aan. Op het fondament van de vuurtoren zetten zij zich, zagen uit naar de zee, en luisterden naar de verte. Prauwen, spookachtig, met zeilen als nachtvogels, gleden in het kanaal, met het zeurige zingen der vissers. Een weemoed van levensgelatenheid, van kleine wereld en kleine mensen, waarde om onder de sterretintẹluchten, waar, mystiek, het Zuiderkruis opdiamantte, of, Turks half, de maan soms hoornde. En boven die weemoed van zeurzingende vissers, wrakwankele prauwen, van kleine mensen onder aan de kleine glimptoren, dreef een grondeloze immensiteit: luchten en eeuwige lichten. En uit de immensiteit dreef het onzegbare aan, als het bovenmenselijk goddelijke, waarin al het klein menselijke verzonk, versmolt.

– Waarom enige waarde te hechten aan het leven, als ik morgen misschien dood ben, dacht Eva; waarom al dat gewirwar en die drukte van mensen, als morgen misschien alles dood is...

En zij zeide het hem. Hij antwoordde, dat een ieder leefde niet voor zich en zijn tijdstip van heden, maar voor allen, en voor de toekomst... Maar zij lachte bitter, haalde de schouders op, vond hem banaal. En zij vond zichzelve ook banaal, te denken zulke dingen, die al zo dikwijls waren gedacht. Maar toch, niettegenstaande haar zelfkritiek, bleef haar drukken die obsessie van het nutteloze van leven, als morgen alles kon dood zijn. En een atoomkleinte vernederde hen, hen beiden, daar zittende, kijkende in de wijdte van luchten en eeuwige lichten.

Toch hadden zij lief die ogenblikken, waren ze in hun leven alles, want als zij niet te veel voelden hun kleinte, spraken zij over boeken, muziek, kunst en over de grote hoge dingen van het leven. En zij voelden, dat zij, niettegenstaande de leestrommel en de Italiaanse opera, van Soerabaia, niet meer waren op de hoogte. Zij voelden de grote hoge dingen heel ver van hen. En een heimwee, voor beiden nu, zich niet meer zo klein te voelen, beving hen, naar Europa. Beiden hadden zij gaarne weg gewild, weg naar Europa toe. Maar zij konden geen van beiden. Het kleine dagelijkse leven hield hen gevangen. Toen, als vanzelve, harmonisch samen, spraken zij over wat ziel en wezen was en al het geheimzinnige ervan.

Al het geheimzinnige. Zij voelden het aan de zee, in de lucht, maar, stil, zochten zij het ook in de trippelende poot van een tafel. Zij begrepen niet, dat geest of ziel zich kon openbaren door een tafel, waar zij ernstig de handen oplegden, en die door hun fluïde van dood tot leven werd. Maar áls zij oplegden de handen, leefde de tafel, en zij moesten wel geloven. Volgens vreemd alfabet kwamen verward dikwijls de letters, die zij aftelden, en de tafel, als bestuurd door een spotgeest, had telkens neiging te plagen, te verwarren, plotseling op te houden en grof te zijn en vuil. Samen lazen zij boeken over spiritisme, en zij wisten niet of zij geloven zouden of niet.

Het waren stille dagen van stille eentonigheid in het regenruisende stadje. Hun leven met elkaar was als iets oneigenlijks, als een droom, die waasde door de regen heen. En het was Eva als een plotseling ontwaken toen, op een middag, zij buiten lopend in de vochtige laan, en wachtende op Van Helderen, Van Oudijck haar naderen zag.

– Ik was juist op weg naar u toe, mevrouwtje! sprak hij opgewonden. Ik wou u juist wat komen vragen. Wil u mij weer eens helpen?

– Waarmee, resident?

– Maar zeg mij eerst, is u niet wel? U ziet er tegenwoordig niet goed uit.

– Het is niets ernstigs, zeide zij, mat lachend. Het zal wel weer overgaan. Waarmee kan ik u helpen, resident?

– Er moest iets gedaan worden, mevrouwtje-lief, en wij kunnen niet zonder u. Mijn vrouw zei vanmorgen ook: vraag het maar aan mevrouw Eldersma...

– En wat dan?

– U weet, mevrouw Staats, van de overleden stationschef. De arme vrouw blijft achter met niets, alleen met haar vijf kinderen en enige beren.

– Hij heeft zich van kant gemaakt?

– Ja. Het is heel treurig. En wij moeten haar helpen. Er is veel geld daarvoor nodig. Lijsten laten rondgaan, dat zal niet veel geven. De mensen zijn vrijgevig genoeg, maar zij hebben de laatste tijd al zo veel geofferd. Met de Fancy-fair waren ze dol. Op het ogenblik zal er niet veel te geven zijn, met het einde van de maand. Maar in het begin van de volgende maand, begin januari, mevrouwtje, een komedie-voorstelling van Thalia. Heel vlug, een paar aardige salonstukjes, en zonder onkosten. Een entrée van *f* 1,50, *f* 2,50 misschien, en als *u* het op touw zet, is de zaal vol, komen ze van Soerabaia. Daar moet u me mee helpen, nietwaar mevrouwtje.

– Maar resident, zei Eva moe. Pas die tableaux-vivants. Niet boos zijn, maar ik heb er geen lust in, altijd comedie te spelen.

– Jawel, jawel, het moet... drong Van Oudijck opgewonden voor zijn plan, een beetje hoog, aan.

Zij werd kribbig. Zij hield van haar onafhankelijkheid en vooral in deze dagen van spleen was zij te mistroostig, in deze dagen van droom voelde zij zich te wazig om dadelijk lief gevolg te geven aan dat verzoek van zijn gezag.

– Heus, resident, ik weet deze keer niets, antwoordde zij kort. Waarom doet mevrouw Van Oudijck het niet zelf...

Zij schrikte, toen zij, kribbig, dat zeide. Naast haar lopende, ontstelde hij, en zijn gezicht betrok. De opgewonden vrolijke trek, de joviale lach om zijn dikke snor was plotseling weg. Zij zag, dat zij wreed was geweest en had wroeging. En voor het eerst, plotseling, zag zij in, dat hij, hoe verliefd ook op zijn vrouw, niet goed keurde, haar zich onttrekken aan alles. Zag zij in, dat hij er onder leed. Het

134

was of dat licht voor haar werd, in zijn karakter: zij zag het voor het eerst en duidelijk.

Hij wist niet te antwoorden: zoekende naar zijn woorden, zweeg hij. Toen zeide ze, aanhalig:

– Niet boos zijn, resident. Het was niet aardig van me. Ik weet wel, dat mevrouw Van Oudijck die beslommeringen vervelend vindt. Ik neem ze haar gaarne uit de handen. Ik zal alles doen wat u verlangt.

Zenuwachtig, had zij de tranen in de ogen.

Hij zag haar, glimlachend nu, wat schuin onderzoekend aan.

– Wat is u toch nerveus. Maar ik wist wel, dat u een goed hart had. En mij niet zou laten zitten met mijn plan. En die goede moeder Staats zou willen helpen. Maar niet duur zijn, mevrouwtje, en geen onkosten, geen nieuwe décors. Alleen uw geest, uw talent, uw mooie dictie van Frans of Hollands – wat u wilt. Daar zijn we nu eenmaal trots op in Laboewangi en al dat moois – wat u ons kosteloos geeft – is geheel voldoende om de voorstelling te doen slagen. Maar wat is u nerveus, mevrouwtje? Waarom huilt u? Is u niet wel? Zeg mij, kan ik wat voor u doen?

– Mijn man niet zo veel werk geven, resident. Ik heb nooit iets aan hem.

Hij maakte een gebaar van niet helpen kunnen.

– Het is zo, het is vreeslijk druk, gaf hij toe. Is dat de zaak?

– En mij het goede van Indië leren inzien.

– Is het dan dát?

– En nog een heleboel meer...

– Heeft u heimwee? Bevalt Indië u niet langer, bevalt Laboewangi u niet meer, waar wij u allen op de handen dragen...? U oordeelt over Indië verkeerd. Probeer eens het goede in te zien.

– Ik heb het geprobeerd.

– Gaat het niet langer?

– Neen...

– U is te verstandig om niet het goede van dit land te zien.

– U heeft dat land te lief om onpartijdig te zijn. En ik kan ook niet onpartijdig zijn. Maar zeg mij de goede dingen.

– Waarmee zal ik beginnen. Het goede, wat men kan doen als ambtenaar voor land en volk, en dat in voldaanheid terugslaat op onszelve. Het heerlijke, mooie werken voor dat land en dat volk: het vele en harde werken, dat hier

135

vol een leven vult... Ik spreek niet van al het bureau-
werk van uw man, die secretaris is. Maar ik spreek hem
later, als hij assistent-resident is!
– Hoe lang moet dat nog duren...!
– Het ruime materiële leven dan?
– Waaraan de witte mieren knagen.
– Dat is vals vernuft, mevrouw...
– Wel mogelijk, resident. Alles is ontstemd in en om mij,
mijn vernuft, mijn piano, en mijn arme ziel.
– De natuur dan?
– Ik voel mij er zo niets in. De natuur overweldigt me en
eet me op.
– Uw eigen werkkring?
– Mijn werkking... een van de goede dingen van Indië...
– Ja. Ons, materiële mensen van praktijk, nu en dan eens
te bezielen met uw geest.
– Resident, wat een komplimentjes! Is dat alles om de
toneeluitvoering!
– En met die geest goed te doen aan moeder Staats?
– Zou ik geen goed kunnen doen in Europa?
– Zeer zeker, zeide hij kort. Ga maar naar Europa, me-
vrouw. Word in Den Haag maar lid van Armenzorg; met
een blikje op uw deur en een rijksdaalder... in de hoeveel tijd?
Zij lachte.
– Nu wordt u onrechtvaardig. Ook in Holland wordt veel
goed gedaan.
– Maar voor één ongelukkige doen wat wij, wat *u* nu doen
zal... wordt dat ooit in Holland gedaan? En zeg mij niet,
dat hier minder wordt armoe geleden.
– Dus...?
– Dus is er hier veel goeds voor u. Uw werkkring. Het
werken voor anderen, materieel en moreel. Laat Van Helderen niet te veel met u dwepen, mevrouw. Hij is een
charmante jongen, maar te litterair in zijn maandelijkse
contrôle-rapporten. Ik zie hem daar aankomen en ik moet
weg. Dus ik reken op u?
– Geheel en al.
– Wanneer de eerste vergadering, met het Toneelbestuur,
en de dames?
– Morgenavond, bij u, resident?
– Top. Ik zal de lijst rond laten zenden. Wij moeten veel
geld maken, mevrouw.

– Wij zullen ze helpen, moeder Staats, zeide zij zacht.
Hij drukte haar de hand, ging weg. Zij voelde zich week, zij wist niet waarom.
– De resident heeft me voor je gewaarschuwd, omdat je te litterair was! plaagde zij Van Helderen. Zij zette zich in de voorgalerij. De lucht brak open: een blank gordijn van regen daalde in rechte plooien van water. Een plaag van sprinkhanen sprong door de galerij. Een wolk van zeer kleine vliegjes ruiste in de wandhoeken als een eolische harp. Eva en Van Helderen legden de handen op het tafeltje en het hief met een ruk zijn poot op, terwijl de torren om hen heen zwermden.

III

Lijsten gingen rond. De toneelvoorstelling werd ingestudeerd, na drie weken gespeeld en het Toneelbestuur reikte de resident een som van bijna vijftienhonderd gulden over voor moeder Staats. Haar schulden werden betaald; voor haar een huisje gehuurd, en haar gezet in een kleine modezaak, waarvoor Eva schreef naar Parijs. Alle dames van Laboewangi deden moeder Staats een bestelling, en in nog geen maand tijds was de vrouw niet alleen voor een volslagen ondergang behoed, maar was haar leven geregeld, gingen haar kinderen weer naar school, en had zij een aardige broodwinning. Dat alles was zo vlug en zonder ostentatie in zijn werk gegaan, men gaf zo ruime giften op de lijsten, de dames bestelden zo gemakkelijk een japon of een hoed, die zij niet nodig hadden, dat Eva verbaasd was. En zij moest zich bekennen, dat het egoïste, het eigenikkige, het minder-beminnelijke, dat zij zo dikwijls zag in hun sociale leven: omgang, conversatie, intrigue, kwaadsprekerij, ineens op de achtergrond was verdrongen door een solidair talent tot goeddoen, eenvoudig-weg, omdat het moest, omdat het niet anders kon, omdat de vrouw geholpen moest worden. Door de beslommeringen voor de voorstelling gerukt uit haar spleen, opgewekt tot vlug doen, waardeerde zij dit goedmooie in haar omgeving en zij schreef er zo enthousiast over naar Holland, dat haar ouders, voor wie Indië een gesloten boek was, glimlachten. Maar hoewel deze episode iets zachts en weeks en waarderends in haar had opgewekt, was het maar een episode, en was zij dezelfde, toen de emotie erom voorbij was. En niettegenstaande zij voelde om zich heen de afkeuring van Laboewangi, bleef zij doorgaan geheel haar leven te vinden in de vriendschap van Van Helderen.

Want er was verder zo weinig. Het clubje van getrouwen, dat zij met zoveel illusie om zich heen had verzameld, dat zij te dineren vroeg, waarvoor haar huis altijd open was – wat was het eigenlijk? Zij vond de Doorn de Bruijns en de Rantzows nu goed als onverschillige kennissen, maar niet meer als vrienden. Zij vermoedde, dat mevrouw Doorn de Bruijn vals was, dokter Rantzow was haar te burgerlijk, te plat, zijn vrouw een onbeduidende Duitse huisvrouw. Tafel lieten zij wel dansen, maar zij hadden schik in de inepte stommigheden, de vuiligheden van de spotgeest. Zij met Van Helderen, vatte het hoog ernstig op, al vond zij die tafel eigenlijk toch komiek. En zo bleef er niemand over dan Van Helderen voor haar sympathie. Maar in haar bewondering was Van Oudijck gekomen. Zij had hem plotseling in zijn karakter gezien en hoewel geheel verschillend van de artistieke bekoring, die haar tot nog toe uitsluitend in karakters had aangetrokken, zag zij de mooie lijn ook in deze man, die totaal niet artistiek was, die van kunst niet het minste idee had, maar die zo veel moois had in zijn eenvoudig mannelijke opvattingen van plichtbesef en in de kalmte, waarmee hij droeg de teleurstelling van zijn huiselijk leven. Want zij zag het, Eva, dat al aanbad hij zijn vrouw, hij Léonie niet goedkeurde in haar onverschilligheid omtrent al de belangen, die *zijn* leven uitmaakten. Zag hij verder niets, was hij verder blind voor alles van de huiselijke kring, deze teleurstelling was zijn geheim en zijn leed, waarvoor hij niet blind was, in het diepst van zichzelve.

En zij bewonderde hem, en haar bewondering was als een openbaring, dat kunst niet altijd het hoogste was in de dingen van het leven. Zij begreep plotseling, dat de overdreven aanstellerij met kunst in onze tijd, een ziekte was, waaraan zijzelve geleden had, en nog leed. Want wat was zij, wat deed zij? Niets. Haar ouders, beiden, waren grote kunstenaars, zuivere artisten en hun huis was een tempel en hun eenzijdigheid was te begrijpen en te vergeven. Maar zij? Zij speelde vrij goed piano, dat was alles. Zij had wat idee en smaak, dat was alles. Maar indertijd had zij met andere jonge meisjes gedweept en zij herinnerde zich nu dat malle dwepen, dat elkaar filosoferende brieven schrijven in een nageaapte moderne stijl, met reminiscenties aan Kloos en Gorter. Zo, in haar spleen, bracht toch haar peinzen haar verder, en ging evolutie door haar heen. Want het was in haar, het kind harer ouders, bijna ongelooflijk, dat zij niet altijd kunst het hoogste zou vinden.

En er was in haar dat spel en weerspel van zoeken en denken om te vinden haar weg, nu zij zich geheel verloren had in een land, vreemd aan haar natuur, tussen mensen, op wie zij, zonder het hen te laten merken, neerzag. In het land poogde zij te vinden het goede, om het aan haar natuur eigen te maken en het te waarderen; tussen de mensen was zij blijde die enkelen te vinden voor haar sympathie en haar bewondering; maar het goede bleef voor haar episode; de enkele mensen uitzondering, en trots al haar zoeken en denken, vond zij haar weg niet en zij bleef in haar ontstemming van vrouw, die te Europees, te artistiek was, – niettegenstaande haar zelfkennis en kunstverloochening – om met welbehagen rustig te leven in een Indische binnenstad, aan de zijde van haar in bureauwerk verloren man; in een klimaat, dat haar ziek maakte; een natuur, die haar overweldigde; een omgeving, antipathiek.

En in de helderste ogenblikken van dit spel en weerspel was het de duidelijke vrees, de vrees, die zij van alles het helderst gevoelde, de vrees, die zij aan voelde donzen, zij wist niet vanwaar, zij wist niet waarheen, maar wemelend over haar hoofd, als met de suizende sluiers van een noodlot, dat door de zwoele regenluchten streek...

In deze ontstemmingen had zij haar clubje van getrouwen niet om zich verzameld, want zijzelve deed geen moeite en haar kennissen begrepen haar te weinig om haar op te zoeken. Zij misten in haar de vrolijkheid, die hen eerst had aangetrokken. Nu kwam de ijverzucht en vijandelijkheid meer los en men sprak veel over haar: zij was aanstellerig, pedant, ijdel, trots, zij had pretenties van altijd de eerste te willen zijn in de stad; zij deed maar of zij residentsvrouw was en gaf printah aan iedereen. Eigenlijk toch was zij niet mooi, kleedde zij zich onmogelijk, was haar huis onbegrijpelijk ingericht. En dan haar verhouding met Van Helderen, hun avondwandelingen bij de vuurtoren.

Op Tosari, in de kletstroep van het kleine, nauwe hotel, waar de gasten zich vervelen als zij geen uitstapjes doen en dus in hun nauwe voorgalerijtjes bijna zitten in elkanders intimiteit, loeren in elkanders kamertjes, luisteren aan de dunne beschotjes – op Tosari hoorde Ida ervan, en het was genoeg om in het Indische vrouwtje op te wekken haar blanke nonna-instincten en plotseling, zonder verklaring, haar kinderen aan Eva te ontnemen.

Van Helderen, voor een paar dagen boven komende, vroeg zijn vrouw hiervan uitlegging, vroeg haar waarom zij Eva beledigde, door, zonder reden,haar de kinderen te ontnemen en bij zich boven te nemen, waar zij de hotelrekening aanzienlijk vermeerderde, en Ida maakte een scène, met luide woorden, met zenuwtoevallen, waarvan het geheel hotelletje daverde, die iedereen de oren deed spitsen, en als een waaiende wind het bobbelende geklets opzweepte tot een zee. En zonder verdere verklaring brak Ida met Eva. Eva trok zich terug. Tot in Soerabaia, waar zij eens ging boodschappen doen, hoorde zij het lasteren en leuteren, en zij werd zo wee van haar wereld en haar mensen, dat zij zich stil terug trok in zichzelve. Zij schreef Van Helderen, niet meer te komen. Zij bezwoer hem zich met zijn vrouw te verzoenen. Zij ontving hem niet meer. En zij was nu geheel alleen. Zij voelde, dat zij in geen stemming was om iets van troost te vinden bij wie ook van haar omgeving. Voor stemmingen als de hare was er in Indië geen sympathie en geen medebegrip. En daarom sloot zij zich op. Haar man werkte. Maar zij wijdde zich meer aan haar jongen: zij dompelde zich geheel in de liefde voor haar kind. Zij trok zich terug in de liefde voor haar huis. Dat was nu het leven van nooit uitgaan, van nooit iemand zien, van nooit iemand spreken, van nooit andere muziek horen, dan haar eigene. Dat was nu de troost zoeken in haar huis, haar kind, en haar lectuur. Dat was de vereenzelviging, waartoe zij na haar eerste illusies en energieën gekomen was. Nu voelde zij altijd het heimwee naar Europa, naar Holland, naar haar ouders, naar mensen van een artistieke ontwikkeling. En nu werd het de haat voor het land, dat zij toch eerst had gezien overweldigend groot mooi, met zijn koninklijke bergen, en met het donzende mysterie in natuur en in mens. Zij haatte nu die natuur en die mens en het mysterie maakte haar bang.

Nu vulde zij haar leven met te denken aan haar kind. Haar jongen, de kleine Onno, was drie jaar. Zij zou hem leiden, een man van hem maken. Zodra hij geboren was, had zij die vage illusies gehad van haar zoon later een groot kunstenaar te zien, het liefst een groot schrijver, wereldberoemd. Maar zij had geleerd sedert die tijd. Zij voelde, dat kunst niet het hoogste, altijd is. Zij voelde, dat er hoger dingen zijn, die zij in haar spleen, weliswaar, soms verloochende, maar die er toch waren, glanzend groot. Die dingen waren om het worden van Toekomst; die dingen waren vooral om Vrede, Recht en Verbroedering. O, de grote verbroedering van wat arm was en rijk – nu, in haar eenzaamheid dacht zij er over als het hoogste ideaal, waaraan gewerkt kon worden, zoals beeldhouwers werken aan een monument. Recht, vrede, zouden dan volgen. Maar het eerst moest de verbroedering benaderd worden en zij wilde, dat haar zoon er aan arbeiden zou. Waar? In Europa? In Indië? Zij wist het niet; zij zag dat niet voor zich. Zij zag het eerder in Europa dan in Indië. In Indië bleef voor al haar gedachten het onverklaarbare, het raadselachtige, het bange. Wat was dat toch vreemd...
Zij was een vrouw voor idealen. Misschien was dit alleen, simpel, de verklaring voor wat zij voelde en vreesde, in Indië.

– Je hebt geheel verkeerde indrukken omtrent Indië, zeide haar man soms. Je ziet Indië helemaal verkeerd. Stil? Je denkt, dat het hier stil is? Waarom zou *ik* zoveel te werken hebben in Indië als het stil was in Laboewangi. Honderden belangen van Europeanen en Javanen behartigen wij... De kultuur is hier zo krachtig beoefend als maar kan... De bevolking neemt toe, neemt altijd toe... Vervallen, een kolonie, waar zoveel omgaat...? Dat zijn van die idiote ideeën van Van Helderen. Ideeën van bespiegeling, uit de lucht gegrepen, en die jij nabespiegelt... Ik begrijp niet zoals je Indië ziet, tegenwoordig... Er is een tijd geweest, dat je oog had voor het mooie en interessante hier... Dat schijnt nu helemaal voorbij... Je moest eigenlijk maar naar Holland...
Maar zij wist, dat hij het heel eenzaam zou hebben: daarom wilde zij niet gaan. Later, als haar jongen ouder was, dan móést zij gaan. Maar dan zou Eldersma zeker wel

assistent-resident zijn geworden. Nu had hij nog zeventien controleurs, secretarissen boven zich. Dat was zo al sedert jaren, dat uitzien naar een ver verwijderde toekomst van promotie als het smachten naar een fata-morgana. Resident worden, daar dacht hij zelfs niet aan. Assistent-resident een paar jaar, en dan naar Holland, met pensioen... Zij vond het een troosteloos bestaan, zich zo afbeulen, voor Laboewangi...

Zij leed aan malaria, en haar meid, Saïna, pidjiette haar, masserende met de lenige vingers haar pijnlijke leden.
– Saïna, het is, als ik ziek ben, te lastig, dat je in de kampong woont. Verhuis vanavond nog hierheen, met je vier kinderen.
Saïna vond dat lastig, veel soesah.
– Waarom?
En zij verklaarde het. Haar huisje was haar nagelaten door haar man. Zij was er aan gehecht, hoewel het heel bouwvallig was. Nu, in de regenmoesson, regende het dikwijls in, en dan kon zij niet koken en kregen de kinderen geen eten. Het laten repareren, ging moeilijk. Zij kreeg een ringgit in de week van de njonja; zestig cent ging al op aan rijst. Dan iedere dag een paar centen vis, klapperolie, sirih, een paar centen brandstof... Neen, het huisje repareren ging niet. Bij de Kandjeng njonja zou zij het veel beter hebben, op het erf veel beter. Maar het zou soesah zijn, een bewoner voor het huisje te vinden omdat het zo bouwvallig was en de njonja wist, dat geen huis in de kampong mocht leeg staan: daar stond grote boete op... Zij bleef dus maar liever wonen, in haar natte huisje... 's Nachts kon zij wel blijven waken bij de njonja; haar oudste dochtertje paste dan op de kleintjes.
En, onderworpen aan haar klein bestaan van kleine ellende, liet Saïna haar lenige vingers, sterk-zacht drukkend, glijden over de zieke leden van haar meesteres.
En Eva vond het troosteloos, dit leven van één rijksdaalder in de week, met vier kinderen, in een huisje, waar het inregende, zodat men er niet koken kon.

– Laat mij zorgen voor je tweede dochtertje, Saïna, zei Eva op een andere dag.

Saïna aarzelde, glimlachte: zij had dat liever niet, maar durfde het niet te zeggen.
– Jawel, drong Eva aan. Laat ze hier komen: je ziet haar de hele dag; ze slaapt onder de hoede van kokkie: ik kleed haar aan, en ze heeft niets te doen dan te zorgen, dat mijn slaapkamer netjes is. Jij kunt haar dat dan leren.
– Zo jong nog, 'nja; pas tien jaar.
– Jawel, drong Eva aan: laat zij je nu zo helpen. Hoe heet ze?
– Mina, 'nja.
– Mina? Neen! zei Eva. Zo heet al de djaït. We zullen een andere naam voor haar vinden...
Saïna bracht het kindje, heel verlegen, een streepje bedak op het voorhoofd, en Eva kleedde haar netjes aan. Het was een heel mooi kindje, zacht donzig bruin, en liefjes in haar frisse kleertjes. Zij stapelde al zorgzaam de sarongs in de klerenkast, en legde er geurige witte bloemen tussen: de bloemen moesten iedere dag verwisseld worden met frisse. Uit een aardigheid, omdat zij zo aardig met die bloemetjes deed, noemde Eva haar Melati.
Een paar dagen daarna hurkte Saïna neer bij haar njonja.
– Wat is er, Saïna?
Of het kindje maar weer terug mocht naar het natte huisje, in de kampong.
– Waarom?! vroeg Eva, verbaasd. Heeft je kindje het hier dan niet goed?
Ja, dat wel, maar het kindje hield maar meer van het huisje, zei Saïna verlegen; de njonja was heel lief, maar de kleine Mina hield maar meer van het huisje. Eva was boos, en liet het kindje gaan, met de nieuwe kleertjes, die Saïna heel eenvoudig-weg meenam.
– Waarom mocht het kind niet blijven? vroeg Eva aan de latta kokkie.
De kokkie dorst eerst niet zeggen.
– Kom, waarom niet, kokkie? drong Eva aan.
Omdat de Kandjeng het meisje Melati had genoemd... Met namen van bloemen en vruchten werden... alleen genoemd... de dansmeisjes... legde de kokkie als geheimzinnig uit.
– Maar waarom heeft Saïna mij dat niet gezegd? vroeg Eva, verbolgen. Dat wist ik immers volstrekt niet!
– Verlegen... zei de kokkie, verontschuldigend. Minta ampon, 'nja.

Het waren kleine voorvallen, zo in haar dagelijks leven van huisvrouw, anecdoten in haar huishouding, maar zij werd er bitter om, omdat zij er in voelde een scheiding, die altijd bestond tussen haar en de mensen en dingen van Indië. Zij kende het land niet, zij zou de mensen nooit kennen.

En de kleine teleurstelling in die episoden vulde haar met evenveel bitterheid als de grote der illusies had gedaan, omdat haar leven, in de, iedere dag terugkerende, kleinigheden van haar huishouding, zelve kleiner werd en kleiner.

ZESDE HOOFDSTUK

I

Dikwijls waren de morgens fris, rein gewassen door de overvloedige regens, en in de jonge zonneschijn der eerste ochtenduren doomde uit de aarde op een teder waas, een blauwige uitwissing van iedere te scherpe lijn en kleur, zodat de Lange Laan met haar villa-huizen en dichte tuinen zich huifde in het bekoorlijke en vage van een droomlaan: de droompilaren ijl oprijzende als een visioen van zuilenkalmte, de daklijnen zich veredelende in haar onduidelijkheid, de tinten der bomen en silhouetten der loverkruinen zich louterende in zachte pastel-doezelingen van wazig roze, en waziger blauw, met een enkele hellere schijn van ochtend-geel, en purperen verte-streep van dageraad, en over heel dit krieken dauwde een frisheid, als een sprenkelbad, dat in sprenkeldruppels ijl opfonteinde uit die gedrenkte grond en terugparelde in de kinderlijke zachtheid van de allereerste zonnestralen. Dan was het of iedere morgen de aarde en haar wereld begon voor de eerste maal en of de mensen niet anders zouden zijn dan pas geschapen in een jeugd van naïveteit en paradijs-onwetendheid. Maar de illusie van dit ochtendkrieken duurde maar een enkel ogenblik, nauwlijks enkele minuten: de zon, hoger stijgende, ontgloeide uit haar waas van maagdelijkheid, de zon bralde op en stak-uit haar trotse aureool van priemende stralen, goot neer haar brandende goudschijn, godetrots te heersen haar ogenblik van die dag, want de wolken tastten zich al te samen, kwamen grauw aangevaren als strijdhorden van donkere geesten, aanspokende en blauwig diepzwart en dikzwaar loodgrijs, en overwonnen de zon en verpletterden dan de aarde onder blanke stortvallen van regen. En de avondschemering, gauw en haastig, zakkende het ene floers over het andere, was als een overstelpende droefenis van aarde, natuur en leven, waarin zij vergaten die seconde van paradijs in de morgen; de witte regen ruiste neer als een alles verdrinkende weemoedsmart; de weg, de tuinen dropen, en dronken de waterval tot zij als moerasplassen en overstroming schemerden in de duisterende avond: een spookkille mist wademde op als met het beweeg van lome geestwaden, die zweefden over de plassen, en de kille huizen, klein verlicht met hun walmende lampen, waarom wolken van insecten zwermden, overal neerstervend met verzengde vleugels, vulden zich met een killere melancholie, een schaduwende angstigheid voor het aandreigende buiten, voor de almachtige wolkenhorden, voor het grenzenloze grote, dat met windvlagen aanruiste uit het verre, verre onbekende: hemelgroot, uitspanselwijd, waartegen de opene huizen als niet beveiligd schenen, waarin de mensen klein waren en nietig met al hun beschaving en wetenschap en ziele-emotie, klein als wriemelende insecten, onbeduidend, overgegeven aan het spel der van verre aanwaaiende reuzenmysteries.

Léonie van Oudijck, in de half verlichte achtergalerij van het residentie-huis, praatte met Theo, met zachte stem, en Oerip hurkte bij haar neer.

– Het is onzin, Oerip! zeide zij wrevelig.

– Heus niet, Kandjeng, het is geen onzin, zeide de meid. Ik hoor ze iedere avond.

– Waar? vroeg Theo.

– In de waringin van het achtererf, hoog, in de hoogste takken.

– Het zijn loeaks! zeide Theo.

– Het zijn geen loeaks, toean! hield de meid vol. Massa, Oerip zou niet weten hoe loeaks miauwen! Kriauw, kriauw, doen ze! Dit, wat wij iedere nacht nu horen, dat zijn de pontianaks! Het zijn de kleine kindertjes, die huilen in de bomen. De zielen van de kleine kindertjes, die huilen in de bomen!

– Het is de wind, Oerip...

– Massa, Kandjeng, Oerip zou de wind niet kunnen horen! Boe...hh! waait de wind en dan bewegen de takken. Maar dit zijn de kleine kindertjes, die kreunen in de hoogste twijgjes en de takken bewegen dan niet. Alles is dan doodstil... Dit is tjelaka, Kandjeng.

– En waarom zou het tjelaka zijn...

– Oerip weet wel, maar durft niet zeggen. Tentoe, zal de Kandjeng boos zijn.

– Kom, Oerip, zeg het nu??
– Het is om de Kandjeng Toean, de Toean Residèn.
– Waarom.
– Verleden met de passer malam op de aloon-aloon en de passer malam voor de orang-blanda, in de kebon-kotta...
– Nu, wat toen?
– Toen was de dag niet goed uitgerekend, volgens de petangans. Het was een ongelukkige dag... En met de nieuwe put....
– Nu wat, met de nieuwe put?
– Toen er is geen sedekah gegeven. Niemand gebruikt ook de nieuwe put. Iedereen haalt water uit de oude put... Ook al is het water niet goed. Want uit de nieuwe put rijst de vrouw met het bloedende gat in de borst... En nonna Doddy...
– Wat?
– Nonna Doddy heeft hem zien lopen, de witte hadji!! Dat is niet een goede hadji, de witte hadji... Dat is een spook. Tweemaal heeft de nonna hem gezien, op Patjaram en hier... Hoor, Kandjeng!
– Wat?
– Hoort u niet? In de hoogste twijgen kermen de kinder-zieltjes. Het waait nu niet op het ogenblik. Hoor, hoor, dat zijn geen loeaks! Kriauw, kriauw doen de loeaks, als ze krols zijn! Dat, dat zijn de zieltjes...!
Zij luisterden alle drie. Werktuiglijk drukte Léonie zich dichter aan tegen Theo. Zij zag doodsbleek. De ruime achtergalerij, met de altijd gedekte tafel, strekte zich lang uit in het sombere licht van een enkele petroleum-hang-lamp. De plassige achtertuin schemerde nattig op uit de nacht der waringins, tikkelende van druppels, maar onbe-wogen in ondoordringbare fluwelige loveren-massa's. En een onverklaarbaar, nauwlijks waarneembaar gekreun, als een zacht geheim van gekwelde kleine zielen zeurde hoog boven, als in de lucht, als in de heel hoge takken der bo-men. Nu was het een korte kreet, dan was het een steunen als van ziek kindje, dan was het zacht snikken als van ge-martelde meisjes...
– Wat voor beesten zouden dat zijn? zei Theo. Zijn het vogels of insecten?...
Het gekerm en gesnik was heel duidelijk. Léonie zag spier-wit en zij trilde over haar lichaam.

– Wees toch niet bang, zei Theo. Het zijn natuurlijk beesten...

Maar hijzelve was krijtwit van angst, en toen zij elkander in de ogen zagen, begreep zij, dat ook hij bang was. Zij klemde zijn arm, perste zich tegen hem aan. De meid hurkte diep, nederig, ineen, als duldende alle noodlot van onverklaarbare geheimzinnigheid. Zij zou niet ontvluchten. Maar in de ogen der blanken was als één denkbeeld, één denkbeeld om te vluchten. Plotseling, zij beiden, de stiefmoeder, de stiefzoon, die brachten schande over het huis, waren zij bang, als met één bangheid, bang als voor een straf. Zij spraken niet, zij zeiden elkander niets; zij bleven tegen elkaar aan, begrijpende elkanders beven, zij beiden blanke kinderen van de Indische grond van geheim, – die van hun kinderjaren af hadden geademd de geheimzinnige lucht van Java, onbewust hadden gehoord het vaag aandonzende mysterie, als een muziek van gewoonheid, een muziek, die zij niet hadden geteld, alsof het mysterie gewoonheid was. Toen zij zo stonden en beefden en zagen elkander aan, stak de wind op, en voerde mee het geheim der zieltjes, en voerde de zieltjes mee: de takken bewogen woest door elkaar, en nieuwe regen viel neer. Een huiverende kilheid woei aan, vulde het huis; een tochtslag woei de lamp uit. En in den donker bleven zij nog een ogenblik, zij, trots de openheid der galerij, bijna in de arm van haar zoon en haar minnaar; de meid, duikende aan hun voeten. Maar toen maakte zij zich los uit zijn arm, maakte zij zich los uit die zwarte beklemming van duisternis en angst, waardoor ruizelde de regen; huiverkil woei de wind en zij wankelde naar binnen, op het punt in zwijm te vallen. Theo, Oerip volgden haar. Die middengalerij was verlicht. Het kantoor van Van Oudijck stond open. Hij werkte. Besluiteloos bleef Léonie staan, met Theo, niet wetende wat te doen. De meid, prevelend, verdween. Toen was het, dat zij hoorde suizen, en een kleine ronde steen vloog door de galerij, viel ergens neer. Zij gaf een gil, en achter het schutsel, dat het kantoor, waar Van Oudijck aan zijn schrijftafel zat, scheidde van de galerij, stortte zij zich, alle voorzichtigheid kwijt, opnieuw in Theo's armen. Zij sidderden tegen elkaars borst aan. Van Oudijck had haar gehoord, hij stond op, kwam van achter het schut. Zijn ogen knipten, als moe van werken.

Léonie, Theo, hadden zich hersteld.
– Wat is er, Léonie...
– Niets, zeide zij, niet durvende zeggen, niet van de ziel-
tjes, niet van de steen, bang voor de straf, die dreigde. Zij,
Theo, stonden als schuldigen, beiden spierwit en bevend.
Van Oudijck, nog bij zijn werk, zag niets.
– Niets, herhaalde zij. De mat is stuk, en... en ik struikel-
de bijna. Maar ik wou je wat zeggen, Otto... Haar stem
trilde, maar hij hoorde het niet, blind voor haar, doof voor
haar, nu hij nog als verdiept in zijn stukken was.
– Wat dan?
– Oerip heeft mij doen raden, dat de bedienden gaarne een
sedekah hadden, omdat er een nieuwe put op het erf ge-
bouwd is...
– Die put, die al twee maanden oud is?
– Zij gebruiken er het water niet van.
– Waarom niet?
– Ze zijn bijgelovig, weet je; ze willen het water niet gebruiken voor de sedekah gegeven is.
– Dat had dan dadelijk moeten gebeuren. Waarom hebben
zij het mij niet dadelijk door Kario laten vragen? Ik denk
niet aan die onzin uit mezelf. Maar ik had ze toen de sedekah wel gegeven. Nu is het mosterd na de maaltijd. De put
is al twee maanden oud.
– Het zou toch wel goed zijn, zei Theo. Papa, u weet zelf
hoe Javanen zijn: ze zullen de put niet gebruiken, als ze
geen sedekah gekregen hebben.
– Neen, zeide Van Oudijck onwillig, schuddende het
hoofd. Nu een sedekah te geven, heeft niet de minste betekenis. Ik had het gaarne gedaan, maar nu, na twee maanden, is het onzin. Zij hadden het dan maar dadelijk moeten
vragen.
– Toe, Otto, smeekte Léonie. Ik zou de sedekah maar
geven. Je doet er mij plezier mee.
– Mama heeft het Oerip al zo half beloofd... drong Theo
zacht aan.
Zij stonden bevende voor hem, spierwit, als smekelingen.
Maar in hem, afgetobd, denkende aan zijn stukken, was
een starre onwil, al kon hij zelden zijn vrouw iets weigeren.
– Neen, Léonie, zeide hij beslist. En je moet nooit iets
beloven, waar je niet zeker van bent...
Hij wendde zich af, ging het schutsel om, zette zich aan zijn

werk. Zij zagen elkander aan, de moeder, de stiefzoon. Langzaam, doelloos, gingen zij van daar, naar de voorgalerij, waar een vochtige duisternis dreef tussen de aanzienlijk opgaande pilaren. Door de plassende tuin zagen zij een witte gedaante komen. Zij schrikten, bang nu voor alles, met iedere silhouet denkende aan de straf, die hun in vreemdheid zou gebeuren, zolang zij bleven in het ouderlijk huis, waar zij schande over hadden gebracht. Maar toen zij beter uitspiedden, herkenden zij Doddy. Zij kwam thuis; ze zeide sidderend, dat zij bij Eva Eldersma was geweest. In waarheid had zij gewandeld met Addy de Luce, en zij hadden voor de regen geschuild in de kampong. Zij was heel bleek, zij sidderde, maar Léonie en Theo zagen het niet in de duistere voorgalerij, evenals zijzelve niet zag, dat haar stiefmoeder bleek was, dat Theo bleek was. Zij sidderde zo, omdat zij, in de tuin – Addy had haar tot het hek gebracht – met stenen was geworpen. Zij dacht aan een brutale Javaan, die haar vader haatte en zijn huis en zijn huisgezin, maar in de duistere voorgalerij, waar zij zwijgend dicht naast elkaar, als in radeloosheid, zag zitten haar stiefmoeder en haar broer, voelde zij ineens – zij wist niet waarom – dat het geen brutale Javaan was geweest...

Zij zette zich bij hen, zwijgend. Zij zagen uit naar de donkere vochtige tuin, waarover de wijde nacht aanzweefde als met reuze-vleermuizenwieken. En in de woordeloze melancholie, die grauwe schemering zeefde tussen de blankende pilaren, van statigheid, voelden zij zich alle drie, Doddy alleen, maar stiefmoeder en stiefzoon samen, stervensbang en verpletterd om het vreemde, dat gebeuren ging....

II

En trots hun angst, zochten zij elkaar des te vaker, zich voelende samen verbonden door een nu onbreekbare samenvoeging. Des middags sloop hij in haar kamer, en trots hun angst, omhelsden zij elkander woest en bleven dan dicht bij elkaar.

– Het moet onzin zijn, Léonie... fluisterde hij.
– Ja, maar wat is het dan, fluisterde zij terug. Ik heb toch

het gekerm gehoord, en de steen horen suizen door de lucht...
– En dan...
– Wat?
– Als het iets is... stel, dat het iets is, dat wij niet verklaren kunnen.
– Maar ik geloof er niet aan!
– Maar ik nog minder... Maar alleen...
– Wat?
– Als het iets is... áls het iets is, dat wij niet kunnen verklaren, dan...
– Dan wat?
– Dan is... het... *niet* om ons! fluisterde hij bijna onhoorbaar. Oerip zei het immers zelf. Dan is het om papa!
– Ach, maar het is te dwaas...
– Ik geloof ook niet aan die onzin.
– Het kermen... dat is van beesten.
– En die steen... moet gegooid zijn door een ellendeling... een van de bedienden, een vent, die zich aanstelt... of is omgekocht...
– Omgekocht? Door wie?
– Door... de... Regent...
– Ach Theo!
– Oerip zei, het gekerm kwam aan van de Kaboepatèn...
– Wat meen je?!
– En dat zij van daar uit papa plagen wilden...
– Plagen?
– Omdat de Regent van Ngadjiwa was ontslagen.
– Zei Oerip dat...?
– Neen, neen, dat zei ze niet. Dat zeg ik. Oerip zei, dat de Regent toverkracht had. Dat is natuurlijk onzin. Die kerel is een lammeling... Hij heeft lui omgekocht... om papa te treiteren.
– Maar papa merkt er niets van...
– Neen... We moeten het hem ook niet zeggen... Dat is het beste... We moeten het niëren.
– En de witte hadji, Theo, die Doddy tweemaal gezien heeft... En als ze bij Van Helderen tafel laten dansen, ziet Ida hem ook...
– Ach, natuurlijk ook een handlanger van de Regent...
– Ja, dat zal het wel zijn... Maar het is toch ellendig, Theo... Mijn Theo, ik ben bang!

– Voor die onzin! Kom!
– Als het iets is, Theo... dan is het niet om *ons?*
Hij lachte.
– Ach wat! Om ons! Het is voor-de-gek-houderij... van
de Regent...
– Wij moesten niet meer samen komen...
– Jawel, ik hou van je, ik ben dol op je.
Hij zoende haar razend en zij waren beiden bang.
Maar hij blageerde.
– Kom, Léonie, wees niet zo bijgelovig...
– Als kind vertelde mijn baboe mij...
Zij fluisterde aan zijn oor een verhaal. Hij werd bleek.
– Ach, wat een onzin, Léonie!
– Er zijn vreemde dingen, hier, in Indië... Als ze wat be-
graven van je, een zakdoek of een stukje haar... dan
kunnen ze... met alleen bezweringen... maken, dat je
ziek wordt en wegkwijnt, en sterft... zonder dat één dok-
ter vermoedt wat de ziekte is...
– Dat is ónzin!
– Dat is heus waar!
– Ik wist niet, dat je zo bijgelovig was!
– Ik heb er vroeger nooit aan gedacht. Ik denk er nu eerst
aan, de laatste tijd... Theo, zou er *iets* zijn?
– Er is niets... dan elkaar te zoenen.
– Neen Theo... wees stil, doe niet. Ik ben bang... Het
is al laat. Het wordt zo gauw donker. Papa is al op, Theo.
Ga nu weg, Theo... door het boudoir. Ik wil gauw mijn
bad nemen. Ik ben tegenwoordig bang als het donker
wordt... Met die regens is er geen schemering... Het
overvalt je ineens, de avond... Verleden had ik geen licht
in de badkamer laten brengen... en toen was het er al zo
donker... om half zes... en twee kamprets vlogen er
rond; ik was zo bang, dat ze in mijn haar zouden vast gaan
zitten... Stil... is dat papa...?
– Neen... Dat is Doddy... die speelt met haar kakatoe.
– Ga nu weg, Theo.
Hij ging, door het boudoir, wandelde de tuin in. Zij stond
op, sloeg een kimono om over de sarong, die zij maar los
geknoopt onder de armen droeg en riep Oerip.
– Bawa barang mandi!
– Kandjeng...!
– Waar ben je, Oerip?

– Hier, Kandjeng...
– Waar was je...?
– Hier voor uw tuindeur, Kandjeng... Ik wachtte! zei de meid, met betekenis, menende, dat zij wachtte tot Theo weg was.
– Is de Kandjeng Toean al op?
– Soedah... heeft al gebaad, Kandjeng.
– Breng dan mijn badgoed... Steek het lampje aan, in de badkamer... Verleden was het lampeglas er gebroken, en het lampje niet gevuld...
- De Kandjeng baadde vroeger ook nooit met licht...
– Oerip... is er vanmiddag... iets... gebeurd?
– Neen... alles was kalm... Maar ach als de avond valt... Alle bedienden zijn bang, Kandjeng... De kokkie wil niet meer blijven.
– Ach, wat een soesha... Oerip, beloof haar vijf gulden... present... als zij blijft...
– Ook de spen is bang, Kandjeng...
– Ach, wat een soesha... Ik heb nooit zoveel soesah gekend, Oerip...
– Neen, Kandjeng.
– Ik heb altijd mijn leven zo goed kunnen regelen... Maar dit zijn dingen...!
– Apa boléh boeat, Kandjeng!... De dingen, machtiger dan de mens...
– Zouden het heus geen loeaks zijn... en een kerel, die gooit met stenen?
– Massa, Kandjeng.
– Nu... breng maar mijn badgoed... Vergeet niet het lichtje op te steken...
De meid ging. Het begon al duister te zeven uit de met regen befloerste lucht. Doodstil lag het grote residentiehuis in de nacht van zijn reuzewaringins. En de lampen waren nog niet ontstoken. In de voorgalerij, alleen, dronk Van Oudijck thee, liggende op een rieten stoel, in nachtbroek en kabaai... In de tuin hoopten zich de dikke schaduwen op, als waden van onstoffelijk fluweel, die zwart neervielen uit de bomen.
– Toekan lampoe! riep Léonie.
– Kandjeng!
– Steek toch de lampen op! Waarom begin je zo laat? Steek het eerst óp de lamp in mijn slaapkamer...

153

Zij ging, naar de badkamer... Langs de lange rij der goe-
dangs en bediendenkamers, die de achtertuin afsloot, ging
zij. Zij zag op naar de waringins van wier hoogste takken
zij verleden gehoord had het gekerm der zieltjes. De takken bewogen niet, geen adem van wind suizelde, de lucht
was beklemmend zwoel van dreigende onweerregen,
regen, te zwaar om te vallen. In de badkamer, ontstak
Oerip het licht.
– Heb je alles gebracht, Oerip?
– Saja, Kandjeng...
– Heb je niet vergeten de grote flacon met de witte ajer-
wangi?
– Ini apa, Kandjeng?
– Nu, dan is het goed... Geef mij voortaan toch een
fijnere handdoek voor mijn gezicht. Ik zeg je altijd een
fijne handdoek te geven. Ik hou niet van die grove...
– Ik zal er even een halen.
– Neen, neen! Blijf hier, blijf zitten voor de deur...
– Saja, Kandjeng...
– Zeg, je moet door een toekan-besi de sleutels hiet laten
nazien... We kunnen de badkamer niet sluiten... Dat is
toch te gek, als er logé's zijn...
– Ik zal er morgen aan denken.
– Vergeet het niet...
Zij sloot de deur. De meid hurkte neer voor de gesloten
deur, geduldig, lijdzaam, onder de kleine en de grote dingen van het leven, alleen kennende trouw aan haar meesteres, die haar mooie sarongs gaf en zoveel voorschot als zij
wilde.
In de badkamer schemerde het kleine nikkelen lampje aan
de wand over het groenige marmer van de nattige vloer,
over het water, dat boordevol stond in het gemetselde
vierkante bassin.
– Ik zal 's middags maar vroeger baden! dacht Léonie.
Zij ontdeed zich van kimono en sarong; en, naakt, zag zij
even in de spiegel haar silhouet van melkige molligheid,
de rondingen van een vrouw van veel liefde. Het blonde
haar gouldde zich, en een parelglans droop van haar schouders over haar hals en verschaduwde weg tussen haar
kleine ronde borsten. Zij hief haar haren op, zich bewon-
derend, bestuderend, of een rimpel zich plooide, aanvoelende of hard haar vlees was. Haar ene heup welfde zich,

154

daar zij steunde op het ene been en een lange lijn van blank aangelichte golving bootste strelend langs dij en knie, vloeiende weg bij de wreef van haar voet... Maar zij schrikte op in die studie van bewondering: zij wilde zich haasten. Snel wrong zij haar haren samen en wreef zij zich in met een schuim van zeep, en nemende de gajong, stortte zij het water over zich uit. In lange vlakke stralen viel het zwaar van haar neer, en als marmer glansde zij, gepolijst op schouders, borst en heupen, in het licht van het kleine lampje. Nog meer wilde zij zich haasten, opziende naar het venster of de kamprets weer binnen zouden vliegen... Ja, zij zou voortaan zich toch vroeger baden. Buiten was het al nacht. Zij droogde zich schielijk, in een ruwe handdoek. Zij wreef zich even, vlug, met de witte zalf, die Oerip altijd bereidde, haar tovermiddel van jeugd, lenigheid, harde blankheid. Op dit ogenblik zag zij op haar dij een klein rood spatje. Zij lette er niet op, denkend aan iets in het water, een blaadje, een dood insect. Zij wreef het af. Maar zich wrijvend, zag zij op haar borst twee drie grotere spatjes, donker vermiljoen. Zij werd plotseling koud, niet wetend, niet begrijpend. Weer wreef zij zich af; en zij nam de handdoek, waar de spatjes al achterlieten iets viezigs als van dik bloed. Een rilling huiverde over haar van hoofd tot voeten. En plotseling zag zij. Uit de hoeken van de badkamer, hoe, en vanwaar zag zij niet, kwamen de spatjes aan, eerst klein, nu groter, als uitgespogen door een kwijlende sirih-mond. Stervenskoud gaf zij een gil. De spatten, dikker, werden vol, als purperen kwalsters uitgespogen, tegen haar aan. Haar lichaam was vuil bezoedeld met een groezelig, rinnende rood. Eén spat sloeg neer op haar rug... Op het groenige wit van de vloer vlakkelden de smerige spuugselen, dreven zij uit in het nog niet weggelopen water. In het bassin bezoedelden zij het water ook en smolten viezig uiteen. Zij zag geheel rood, vuil bezoedeld, als onteerd door een schande van vies vermiljoen, dat onzichtbare sirih-kelen vanuit de hoeken der kamer samenschraapten en spogen naar haar toe, mikkend in haar haren, op haar ogen, op haar borsten, op haar onderbuik. Zij gaf gil op gil, geheel krankzinnig van het vreemde gebeuren. Zij stortte op de deur, wilde ze openen, maar er haperde iets aan de kruk. Want het slot was niet gesloten, de grendel was er niet voor. In haar rug voelde zij herhaaldelijk spugen, en van haar billen droop het rood. Zij gilde om Oerip en zij hoorde de meid aan de andere zijde der deur, buiten, trekken, en duwen. Eindelijk gaf de deur toe. En radeloos, gek, dol, krankzinnig, naakt, bezoedeld, stortte zij in de armen van haar meid. De bedienden liepen toe. Uit de achtergalerij zag zij aanlopen, Van Oudijck, Theo, Doddy. In haar uiterste krankzinnigheid, wijd de ogen gesperd, schaamde zij zich, niet om haar naaktheid, maar om haar bezoedeling... De meid had de kimono, ook bezoedeld, gegrepen van de kruk der deur, en sloeg ze haar meesteres om.

– Blijf weg! gilde zij radeloos. Kom niet dichter! krijste zij gek. Oerip, Oerip, breng mij naar het zwembad! Een lamp, een lamp... in het zwembad!

– Wat is er, Léonie?

Zij wilde niets zeggen.

– Ik... heb... getrapt... op een pad! schreeuwde zij uit. Ik ben bang... voor schurft...! Kom niet dichter... Ik ben naakt! Blijf weg, blijf weg! Een lamp, een lamp... een lámp dan toch... in het zwembad!! Neen... Otto! Blijf weg! Blijven jullie allemaal weg! Ik ben naakt! Blijf weg! Bawa... la... a.... a... mpoe!

Door elkaar liepen de bedienden. Eén bracht een lamp, in het zwembad...

– Oerip! Oerip...

Zij klampte zich aan de meid.

– Zij hebben mij bespogen... met sirih...! Zij hebben mij... bespogen... met sirih...!! Zij... hebben... mij bespogen... met sirih...!!!

– Stil Kandjeng... kom mee, in het zwembad...!

– Was mij, Oerip! Oerip... in mijn haren, in mijn ogen... o God, ik próef het in mijn mond...!!

Zij snikte radeloos los, de meid sleepte haar mee...

– Oerip... zie... eerst... priksa... of ze ook spugen... in het zwembad!!!

De meid trad binnen, rillende.

– Er is niets, Kandjeng.

– Gauw dan, baad mij, was mij, Oerip...

Zij wierp de kimono af; haar mooi lichaam in het licht van de lamp werd zichtbaar als met vies bloed bezoedeld.

– Oerip, was mij... Neen, haal geen zeep... Met water alleen... Laat mij niet alleen! Oerip, was mij dan toch

hier... Verbrand de kimono! Oerip... Zij dook in het
zwembad, zij zwom radeloos rond; de meid, half naakt,
dook mede, wies haar...
– Gauw Oerip... gauw, alleen maar het allervuilste... Ik
ben bang! Straks... straks spugen zij hier... In de kamer,
Oerip... nu... nu overwassen, in de kamer, Oerip!!
Roep, dat er niemand mag zijn, in de tuin! Ik wil de kimono niet meer om. Gauw, Oerip, roep, ik wil weg van
hier!
De meid riep door de tuin, in het Javaans.
Léonie, druipend, steeg uit het water, en naakt, nat, ijlde
zij langs de bediendenkamers, de meid achter haar aan. In
huis kwam Van Oudijck, krankzinnig van ongerustheid,
lopen naar haar toe.
– Weg, Otto. Laat me alleen! Ik ben... naakt!! gilde zij.
En zij stortte zich in haar kamer, en, Oerip binnen, sloot
zij alle deuren.

In de tuin kropen de bedienden bij elkaar, onder het afdak
der galerij, vlak bij het huis. Zacht rommelde de donder,
en stil begon het te regenen.

III

Léonie, ziek een paar dagen van zenuwkoorts, bleef in bed.
In Laboewangi sprak men er over, dat het spookte, in het
residentiehuis. Op de wekelijkse bijeenkomsten in de
Stadstuin, als de muziek speelde, als de kinderen en jongelui op de open stenen dansvloer dansten, waren de fluisterende gesprekken aan de tafeltjes over het vreemde gebeuren in het residentie-huis. Dokter Rantzow werd er
naar gevraagd, maar hij wist alleen te vertellen wat de
resident hem verteld had, wat mevrouw Van Oudijck hem
zelve had verteld: haar schrik in de badkamer voor een
kolossale pad, waarop zij getrapt had, gestruikeld was.
Door de bedienden echter wist men meer, maar als de een
vertelde over het gooien met stenen, het spuwen met sirih,
lachte de ander, en noemde het praatjes van baboe's. Zo
bleef een onzekerheid hangen. In de couranten, van Soerabaia tot Batavia toe, verschenen echter korte vreemde berichten, die niet duidelijk waren, maar veel te raden gaven.

Van Oudijck zelve sprak er over met niemand, niet met zijn vrouw, niet met zijn kinderen, met de ambtenaren niet, en niet met de bedienden. Maar eens kwam hij doodsbleek uit de badkamer, met dolle, grote ogen. Hij ging echter rustig naar binnen, beheerste zich en niemand merkte iets. Toen sprak hij met de chef der politie. Aan het residentie-erf grensde een oud kerkhof. Nacht en dag werd dit nu bewaakt en bewaakt de achtermuur van de badkamer. De badkamer zelve werd echter niet meer gebruikt en men baadde zich in de logeer-badkamers.

Zodra mevrouw Van Oudijck hersteld was, ging zij naar Soerabaia, logeren bij kennissen. Zij keerde niet meer terug. Zij had door Oerip langzamerhand, zonder ostentatie, zonder Van Oudijck er over te spreken, al haar kleren in laten pakken, en allerlei kleinigheden, waaraan zij gehecht was. De ene koffer na de andere werd haar gezonden. Toen Van Oudijck eens, bij toeval, in haar slaapkamer kwam, vond hij die, op de meubels na, leeg. In haar boudoir was ook allerlei verdwenen. Hij had niet gemerkt het zenden der koffers, maar nu begreep hij, dat zij niet weer zou komen. Hij schreef zijn eerstvolgende receptie af. Het was december, en voor de Kerstvacantie, zouden uit Batavia René en Ricus komen voor een week of tien dagen, maar hij schreef de jongens af. Toen werd Doddy te logeren gevraagd op Patjaram, bij de familie De Luce. Hoewel hij, uit zijn instinct van volbloed Hollander, niet hield van de De Luce's, gaf hij toe. Ze hielden daar van Doddy: zij zou het er vrolijker hebben dan op Laboewangi. Dat zijn dochter niet ver-indischen zou, was een ideaal, dat hij opgaf. Plotseling ook ging Theo weg, door Léonie's invloed in Soerabaia, op grote mannen van de handel, ineens zeer voordelig geplaatst bij een kantoor van export en import. Nu, in zijn grote huis, was Van Oudijck alleen. Daar de kokkie en de spen waren weggelopen, vroegen Eldersma en Eva hem steeds ten eten bij hen, zowel rijsttafel als diner. Bij hen aan tafel sprak hij nooit over zijn huis, en er werd nooit over gesproken. Over wat hij in het geheim met Eldersma sprak, als secretaris, met Van Helderen sprak, als controleur-kotta, spraken deze beiden ook nooit, als zwijgende onder een ambtsgeheim. De chef der politie, die anders, iedere dag, kort zijn rapport deed: dat niets bijzonders was voorgevallen, of dat er een brand was geweest, of een man was verwond, deed nu echter lange, geheime rapporten: de deuren van het kantoor werden dan gesloten, opdat de oppassers buiten niet luisteren zouden. Langzamerhand liepen alle bedienden weg, trokken zij 's nachts stilletjes weg, met hun families en huisraad, en in een vuile leegte bleven hun woningen achter. Zij bleven zelfs niet in de residentie. Van Oudijck liet hen gaan. Hij behield alleen Kario, en de oppassers: en de gestraften, iedere dag, verzorgden de tuin. Zo, van buiten, bleef het huis schijnbaar onveranderd. Maar van binnen, waar niets werd verzorgd, lag het stof dik op de meubels, aten witte mieren de matten op, sloegen schimmel en vochtvlekken uit. De resident ging er nooit door, bewoonde alleen zijn slaapkamer en kantoor. Op zijn gezicht was een somberheid gekomen, als een bittere stilzwijgende vertwijfeling. Nauwgezetter dan ooit was hij op zijn werk, straffer spoorde hij zijn ambtenaren, als dacht hij aan niets dan aan de belangen van Laboewangi. In zijn positie van isolement had hij geen vriend en hij zocht er geen. Hij droeg alles alleen. Alleen, op zijn schouders, op zijn rug, die kromde onder een naderende oudheid, droeg hij het zware gewicht van zijn huis, dat verging; zijn huiselijkheid, die verongelukte in het vreemde gebeuren, dat hij niet uit kon vinden, trots zijn politiek, zijn wachters, zijn persoonlijke wakingen: trots zijn stille spionnen. Hij vond niets uit. Men zeide hem niets. Niemand bracht iets aan het licht. En het vreemde gebeuren ging voort. Een grote steen vernielde een spiegel. Hij liet, kalm, opruimen de scherven. Zijn natuur was niet om te geloven aan de bovennatuurlijkheid der gebeurlijkheden en hij geloofde ook niet. Dat hij niet vond de schuldigen en de verklaring der feiten maakte hem stil razend. Maar hij geloofde niet. Hij geloofde niet als hij zijn bed bezoedeld vond en Kario aan zijn voeten hem bezwoer, dat hij niet wist hoe. Hij geloofde niet, als het glas, dat hij opnam, brak in hele kleine scherfjes. Hij geloofde niet als hij boven zich hoorde aanhoudend stampen met een plagerig gehamer. Maar zijn bed was bezoedeld, zijn glas brak, het gehamer was een feit. Hij onderzocht die feiten, nauwgezet als hij een strafzaak had onderzocht, en niets kwam aan het licht. Kalm bleef hij in zijn verhouding met Europese en Javaanse ambtenaren en met de Regent. Niemand merkte iets aan hem, en, trots, 's avonds,

werkte hij door, aan zijn schrijftafel terwijl het stampte en
het hamerde, en in de tuin de nacht, als betoverd, donsde.
Buiten, op de trap, kropen de oppassers bij elkaar, luisterden zij, fluisterden zij; schuw omkijkend naar hun heer,
die schreef, een frons van werkaandacht tussen zijn brauwen.

– Zou hij het niet horen?
– Jawel, jawel: hij is toch niet doof...
– Hij moet het horen...
– Hij denkt het te kunnen uitvinden met djàgà's...
– Er komen soldaten van Ngadjiwa.
– Van Ngadjiwa!
– Ja. Hij vertrouwt niet de djàgà's. Hij heeft geschreven
aan de toean majoor.
– Om soldaten?
– Ja, er komen soldaten...
– Zie hem fronsen zijn wenkbrauwen...
– Hij werkt maar door.
– Ik ben bang: ik zou nooit durven blijven, als het niet
moest.
– Zolang hij er is, durf ik blijven...
– Ja... hij is dapper.
– Hij is flink.
– Hij is een dappere man.
– Maar hij begrijpt het niet.
– Neen, hij weet niet wat het is...
– Hij denkt, dat het ratten zijn...
– Ja, hij heeft, boven, onder het dak, laten zoeken naar
ratten.
– Die Hollanders weten niet.
– Neen, ze begrijpen niet.
– Hij rookt veel...
– Ja, wel twaalf sigaren per dag.
– Hij drinkt niet veel.
– Neen... alleen 's avonds zijn whiskey-soda.
– Zo straks zal hij er om vragen...
– Niemand is bij hem gebleven.
– Neen. De anderen hebben begrepen. Ze zijn allen weg.
– Laat gaat hij naar bed.
– Ja. Hij werkt veel.
– Hij slaapt toch nooit 's nachts. Alleen 's middags.
– Zie hem fronsen...

– Hij werkt maar door...
– ...Oppas!
– Daar roept hij...
– Kandjeng!
– Bawa whiskey-soda!
– Kandjeng...

De ene oppasser stond op, om de drank te halen. Hij had alles vlakbij, in het logeergebouw, om niet in huis behoeven te komen. Dichter schoven de anderen bijeen, en fluisterden door. De maan drong door de wolken en verlichtte de tuin en de waterplas als met een vochtige mist van betovering, doodstil. De ene oppasser had de drank bereid, bood hurkend aan.

– Zet hier neer, zeide Van Oudijck.

De oppasser zette het glas op de schrijftafel, en kroop weg. De andere oppassers fluisterden.

– Oppas! riep Van Oudijck na een ogenblik.

– Kandjeng!

– Wat heb je geschonken in dit glas?

De man beefde, kroop weg aan Van Oudijcks voeten.

– Kandjeng: het is geen vergif, bij mijn leven, bij mijn dood: ik kan het niet helpen, Kandjeng. Trap mij, dood mij: ik kan het niet helpen, Kandjeng.

Het glas zag okergeel.

– Haal mij een ander glas en schenk hier in...

De oppasser ging, rillende.

De anderen zaten dicht bij elkaar, voelende elkanders lichaam, door het bezwete laken der uniformen en keken bang uit. De maan rees lacherig, spottend als een slechte fee uit haar wolken; haar vochtige, doodstille betovering, zilverde over de wijde tuin. In de verte, uit de achtertuin, kermde op een kreet, als van een kind, dat werd geworgd.

IV

– En mevrouwtje, hoe gaat het? Hoe gaat het met het spleen? Bevalt Indië u wat beter vandaag?

Zijn woorden klonken Eva joviaal toe, terwijl zij hem komen zag door de tuin, bij achten, om te komen dineren. Er was in zijn toon niets anders dan de joviale begroeting van een man, die hard gewerkt heeft aan zijn schrijftafel, en nu blij is een lieve mooie vrouw te zien, aan wier tafel hij zo straks zal zitten. Zij verwonderde zich, zij bewonderde hem. Er was in hem niets van iemand, die de gehele dag in een verlaten huis getreiterd werd door onbegrijpelijk en vreemd gebeuren. Nauwlijks was er een wolk van droefgeestigheid over zijn brede voorhoofd; nauwlijks een zorg in zijn even kromme, brede rug, en de joviale trek om zijn dikke snor lachte er als altijd. Eldersma trad nader en in zijn groet, in zijn handdruk was als een stille vrijmetselarij van samenweten, een vertrouwelijkheid, die Eva ried. En Van Oudijck dronk zijn bittertje, gewoonweg, sprak over een brief van zijn vrouw, die vermoedelijk naar Batavia zou gaan; zeide, dat René en Ricus in de Preanger logeerden bij een vriend, op een koffieland. Waarom zij allen niet waren om hen heen, waarom hij geheel verlaten was van huisgezin en bedienden, hij sprak er niet over. In de intimiteit van hun kring, waar hij nu iedere dag tweemaal kwam eten, had hij er nooit over gesproken. En hoewel Eva er niet naar vroeg, maakte het haar in hoge mate zenuwachtig. Zo vlak bij, bij het spookhuis, welks pilaren zij overdag kon schemeren zien in de verte door het lover der bomen, voelde zij iedere dag zich zenuwachtiger. De gehele dag, om haar heen, fluisterden de bedienden, spiedden zij schuw in de richting van de bespookte residinân. Des nachts, niet kunnende slapen, hoorde zij zelve of zij iets vreemds vernam: het kermen van de kindertjes. Te overvol van geluid was de Indische nacht, om haar niet rillen te doen op haar bed. Door het imperatieve brullen der vorsen om regen, om regen, om altijd meer regen nog, het aanhoudend gekwaak met ééntonige brulkeel, hoorde zij rondtoveren duizende geluiden, die haar hielden uit de slaap. Er door heen sloegen de tokkè's, de gekko's als uurwerken hun slagen, als vreemde uren van geheimzinnigheid. De gehele dag dacht zij er aan. Ook Eldersma sprak er niet van. Maar als zij Van Oudijck zag komen aan haar rijsttafel, aan haar diner, moest zij klemmen de lippen, om hem niets te vragen. En het gesprek liep over allerlei, maar nooit over het vreemde gebeuren. Na de rijsttafel liep Van Oudijck weer even over; na het diner, om tien uur, zag zij de resident weer verdwijnen in tuinschaduwen, die spookten. Met een rustige tred, iedere avond, ging hij terug door de betoverde nacht, naar zijn verlaten en ellendig huis, waar vóor zijn kantoor de oppasser en Kario dicht gehurkt zaten tegen elkaar, en werkte hij voor zijn schrijftafel nog laat. En hij klaagde nooit. Hij onderzocht nauwkeurig, door geheel de kotta, maar niets kwam aan het licht. Alles bleef gebeuren in ondoorgrondelijk mysterie.

– En mevrouwtje, hoe bevalt Indië u vanavond? Het was, een beetje, altijd dezelfde aardigheid, maar zij bewonderde, iedere dag, zijn toon. Een moed, een sterkte van zelfvertrouwen, een zekerheid van zijn eigen weten, een geloof aan wat hij zéker wist, klonk metaalhel uit zijn stem. Er was, hoe rampzalig hij zich voelen moest – hij, de man van het huiselijk innige en de man der koele praktijk – in een huis, door de zijnen verlaten en vol onverklaarbaar gebeuren, geen zweem van vertwijfling en neerslachtigheid in zijn volhardende mannelijke eenvoud. Hij ging zijn gang, hij deed zijn werk, nauwgezetter dan ooit – hij onderzocht. En aan Eva's tafel had hij altijd een opgewekt gesprek, met Eldersma zo over zaken er even door: over promotie, over de politiek in Indië, en de nieuwe manie om vanuit Holland Indië te laten regeren door leken, die van toeten noch blazen wisten. En levendig praatte hij en zonder zich op te schroeven, rustig-weg, gezellig, tot Eva hem bewonderde, iedere dag meer en meer. Maar haar, sensitieve vrouw, werd het een nerveuze obsessie. En eens, 's avonds, even een paar passen meegaande met hem, vroeg zij hem. Of het niet verschrikkelijk was, of hij het huis niet kon verlaten, of hij niet op tournée kon gaan, voor lange, lange tijd. Zij zag zijn gezicht bewolken, omdat zij er over sprak. Maar toch vriendelijk, antwoordde hij, dat het zo erg niet was, al was het onverklaarbaar, en dat hij zich sterk maakte dat gegoochel wel uit te vinden. En hij voegde erbij, dat hij eigenlijk moest op tournée, maar dat hij niet ging, om niet de schijn te hebben te vluchten. Toen drukte hij haar vluchtig de hand, zeide haar zich niet nerveus te maken en daar maar niet meer over te denken, te praten. Dit laatste klonk als een minzaam gebod. Zij drukte zijn hand weer, tranen in haar ogen. En zij zag hem gaan, met zijn kalme flinke pas en verdwijnen in de nacht van zijn tuin, waar door het brullend geroep der vorsen om regen de betovering wel om moest donzen. Toen rilde zij daar zo te staan en spoedde zich naar huis. En zij vond haar huis, haar ruime huis, klein en zo open en beschermingloos voor de immense Indische nacht, die van overal binnen kon komen.

Maar zij was niet de enige, die onder de indruk was van het geheimzinnige gebeuren. Over geheel Laboewangi drukte het neer met zijn onverklaarbaarheid, die zo streed tegen het feitelijke van iedere dag. In ieder huis werd er over gesproken, al was het ook fluisterend, om de kinderen niet bang te maken, en de bedienden niet te laten merken, dat men onder de indruk was van het Javaanse gegoochel, zoals de resident het zelve genoemd had. En een angst, een somberheid, deed de mensen ziek worden van zenuwachtig spieden en luisteren in de van geluid overvolle nachten en wademde dik donzig grauw neer over de stad, die zich dieper scheen te verschuilen in het lover van haar tuinen, en gedurende de vochtige avondschemeringen geheel wegdook in een dof zwijgende gelatenheid en bukken onder het mysterie. Toen dacht Van Oudijck sterke maatregelen te nemen. Hij schreef de majoor – kommandant van het garnizoen te Ngadjiwa – te komen met een kapitein, een paar luitenants, een compagnie soldaten. Die avond dineerden de officieren, met de resident en Van Helderen bij Eldersma. Zij haastten het maal af, en Eva, aan het hek van de tuin zag hen allen gaan: de resident, de secretaris, de controleur, tezamen met de vier officieren, de donkere tuin van het spookhuis in. Het residentie-erf werd afgezet, het huis omsingeld, het kerkhofterrein bewaakt. En de mannen, alleen, gingen de badkamer in.

Zij bleven er de gehele nacht. En de gehele nacht bleven afgezet en omsingeld erf en huis. Tegen vijf uur kwamen zij er uit, en namen dadelijk, gezamenlijk, een zwembad. Over wat hun gebeurd was, spraken zij niet, maar hun nacht was verschrikkelijk geweest. Nog de volgende morgen werd de badkamer omvèrgehaald.

Allen hadden zij Van Oudijck beloofd niet over die nacht te spreken en Eldersma wilde aan Eva niets zeggen, Van Helderen niets aan Ida. Ook de officieren, in Ngadjiwa, zwegen. Zij zeiden alleen, dat de nacht in de badkamer te onwaarschijnlijk was geweest, dan dat men hun woorden zou geloven. Eindelijk liet een der jonge luitenants zich iets van zijn avontuur ontvallen. En een verhaal van sirih spugen, stenen werpen, van een vloer, die aardbeefde, terwijl zij er met stokken en sabels op hadden geslagen, en dan nog van iets onzegbaars afgrijselijks, dat in het badwater was gebeurd, deed de ronde. Iedereen maakte er iets bij. Toen het verhaal Van Oudijck bereikte, herkende hij er nauwelijks in de verschrikkelijke nacht, die, ook zonder fantasie, verschrikkelijk genoeg was geweest.

Eldersma had intussen opgemaakt het rapport van hun gezamenlijk waken en zij ondertekenden allen het onwaarschijnlijk verhaal. Het rapport bracht Van Oudijck persoonlijk naar Batavia, en reikte het over aan de Gouverneur-Generaal. Sedert berustte het in de geheime archieven der regering.

De Gouverneur-Generaal ried Van Oudijck aan voor korte tijd met verlof naar Holland te gaan, hem verzekerende, dat dit verlof geen invloed zou uitoefenen op zijn reeds spoedig te verwachten promotie tot resident-eersteklasse. Hij weigerde echter deze gunst, en ging terug naar Laboewangi. De enige concessie, die hij zich deed, was, dat hij zijn intrek bij Eldersma nam tot het residentiehuis gereinigd zou zijn. Maar van de vlaggestok op het residentie-erf bleef waaien de vlag...

Terug van Batavia, ontmoette Van Oudijck, om dienstzaken, dikwijls de Regent, Soenario. En in zijn omgang met de Regent bleef de resident correct en streng. Toen had hij een kort gesprek eerst met de Regent, en daarna met zijn moeder, de Raden-Ajoe Pangéran. Deze beide gesprekken duurden niet langer dan twintig minuten. Maar het scheen, dat die weinige woorden van groot en dreigend gewicht waren geweest.

Want het vreemde gebeuren hield op. Toen alles onder het toezicht van Eva in huis gereinigd en hersteld was, dwong Van Oudijck Léonie terug te keren, omdat hij met de eerste januari een groot bal wilde geven. Des morgens recipieerde de resident al zijn Europese en Javaanse ambtenaren. Des avonds, in de van licht gloeiende galerijen, stroomden de gasten binnen, uit de gehele residentie, nog licht huiverig en nieuwsgierig, en instinctmatig rondkijkende, om zich heen en naar boven. En terwijl de champagne rondging, nam Van Oudijck zelve een kelk en bood ze de Regent met een opzettelijke inbreuk op etikette, en hij zeide met een mengeling van dreigende ernst en goedmoedige scherts deze woorden, die men overal opving en herhaalde, die men gedurende maanden door de gehele residentie herhalen zou:

– Drink gerust, Regent: ik verzeker u op *mijn woord van eer*, dat er geen glazen meer in mijn huis zullen breken, dan alleen door toeval en onvoorzichtigheid...

Hij kon zo spreken, want hij wist, dat hij – deze keer – de stille kracht was te krachtig geweest, alleen door zijn eenvoudige moed van ambtenaar, Hollander en man.

Maar in de blik van de Regent, toen hij dronk, schemerde het toch, heel licht ironisch op, dat al had de stille kracht niet gezegevierd – deze keer – ze toch raadsel zou blijven en onverklaarbaar altijd voor het kortziende oog van die Westerlingen...

V

Laboewangi herleefde. Als eenstemmig kwam men overeen niet meer te praten over het vreemde, met mensen van buitenaf, omdat het ongeloof in deze zaak zo vergeeflijk was, en men, in Laboewangi, geloofde. En de binnenlandse stad, na de mystieke druk, waaronder ze gedurende die onvergetelijke weken had neergedoken, herleefde, als om alle obsessie van zich te schudden. Feest volgde na feest, bal na bal, comedie na concert: iedereen zette open zijn huis om feest te vieren en vrolijk te zijn en gewone natuurlijkheid te vinden na de ongelooflijke nachtmerrie. Mensen, zo gewoon aan het natuurlijke en begrijpelijke leven, aan het breed-ruime materiële van Indië – aan goede tafel, koele dranken, brede bedden, ruime huizen, aan geld verdienen en geld verteren – aan alles wat de lijfs-wellust is van de Westerling in het Oosten – zulke mensen herademden, en schudden-af van zich de nachtmerrie, en schuddenaf van zich het geloof aan vreemde gebeurlijkheden. Werd daar nu nog over gesproken, dan noemde men het onbegrijpelijk gegoochel, noemde men het de resident algemeen zo na. Gegoochel van de Regent. Want dat hij er de hand in gehad had, was zeker. Dat de resident hem gedreigd had met een verschrikkelijke dreiging, hem en zijn moeder, als niet zou ophouden het vreemde gebeuren – was zeker. Dat daarna de orde in het gewone leven weer was hersteld – was zeker. Gegoochel dus. Men schaamde zich nu om zijn geloof, en om zijn angst, en dat men gehuiverd had voor wat mystiek had geschenen en alleen knap gegoochel was. En men herademde en *wilde* vrolijk zijn, en feest volgde na feest.

Léonie, in die roes, vergat haar ergernis, dat Van Oudijck haar had teruggeroepen. En ook zij *wilde* vergeten de vermiljoene bezoedeling van haar lichaam. Maar iets van de angst bleef in haar over. Zij baadde des middags nu vroeg, al om half vijf, in de nieuw gebouwde badkamer. Haar tweede bad was haar altijd iets huiverigs. En nu Theo geplaatst was in Soerabaia, maakte zij zich los van hem, uit angst ook. Zij kon zich niet los maken van de gedachte, dat de betovering met een straf had gedreigd hen beiden, moeder en zoon, die schande brachten over het ouderlijk huis. In wat romantisch was in haar perverse verbeelding, in haar roze fantasie vol cherubijntjes, cupidootjes, gaf deze gedachte – haar ingegeven door haar schrik – een te geliefkoosde tragische tint, om niet te blijven koesteren, trots alles wat Theo zeide. Zij wilde niet meer. En het maakte hem razend, omdat hij dol op haar was, omdat hij niet kon vergeten de infame wellust in haar armen. Maar standvastig bleef zij weigeren, en zeide hem haar angst, en zeide, dat zij zeker was, dat het weer zou gaan spoken, als zij elkander lief hadden: hij, de vrouw van zijn vader. Hij werd rood razend door haar woorden – de enkele zondag, die hij doorbracht te Laboewangi: razend om haar niet-willen, haar nu aangenomen moederlijkheid, en razend, omdat hij wist, dat zij Addy de Luce veel zag, dat zij veel op Patjaram logeerde. Op de feesten danste Addy met haar, op de concerten hing hij over haar stoel, in de geïmproviseerde residents-loge. Wel was hij haar niet trouw, want het was niet in zijn natuur een enkele vrouw te beminnen – hij beminde wijd en zijd – maar toch: hij was haar zo trouw als hem mogelijk was. Zij voelde voor hem een langduriger passie, dan zij ooit nog gevoeld had; en deze passie wekte haar op uit haar gewone passieve onverschilligheid; dikwijls, in gezelschap, vervelend, saai, tronende in de glans van haar blanke schoonheid, als een glimlachend idool, de loomheid der Indische jaren, langzaam-aan, vloeiend in haar bloed, tot haar bewegingen hadden gekregen die onverschillige luiheid voor alles wat niet was liefkozing en liefde; haar stem, het trage accent in ieder

167

woord, dat geen passie-woord was – metamorfoseerde zij zich onder die vlam, die van Addy over haar uitging, tot een jongere vrouw, levendiger in gezelschap, vrolijker, gevleid door de voortdurende hulde van die jonge man, waarop alle meisjes dol waren. En het was haar een genot zich zoveel mogelijk meester te maken van hem, tot spijt van al die meisjes, tot spijt van Doddy vooral. In haar passie had zij tevens het slechte plezier te plagen, enkel voor het plezier ervan: het gaf haar een exquis genot, het maakte – voor het eerst misschien, want zij was altijd zeer voorzichtig geweest – haar man jaloers, Theo jaloers, Doddy jaloers: zij maakte alle jonge vrouwen en meisjes jaloers, en daar zij stond boven hen allen, als vrouw van de resident, had zij een overwicht boven hen allen. Was zij dan op een avond te ver gegaan, dan had zij er genoegen in, met een glimlach, met een woord terug te winnen in hun aller genegenheid wat zij er door haar behaagzucht in verloren had. En het was vreemd, maar dit lukte haar. Zodra men haar zag, zodra zij sprak, glimlachte en beminnelijk *wilde* zijn, won zij alles terug, vergaf men haar alles. Zelfs Eva liet zich winnen door de vreemde bekoring van deze vrouw, die niet geestig was, niet intelligent, nauwlijks wat vrolijker werd en gewekt uit haar vervelende saaiheid, en die alleen won door de lijnen van haar lichaam, de vorm van haar gelaat, de blik van haar vreemde ogen – rustig en toch vol verborgen passie – en die zich bewust was al haar bekoring, omdat zij van kind af aan er de invloed van had opgemerkt. Met haar onverschilligheid was die bekoring haar kracht. Al wat noodlot was, scheen op haar af te stuiten. Want het had met een vreemde magie haar wel aangezweemd, tot zij dacht, dat een straf op haar neer zou dalen, maar het was afgedreven, verder. Alleen, de waarschuwing nam zij aan. Theo wilde zij niet meer, en moederlijk deed zij voortaan met hem. Het maakte hem razend, vooral op deze feesten, nu zij er jonger was, vrolijker, en verleidelijker.

Zijn passie voor haar begon om te slaan, in een haat. Hij haatte haar nu, met al zijn instinct van blonde kleurling, die hij eigenlijk was, trots zijn blanke tint. Want hij was het kind van zijn moeder meer dan de zoon van zijn vader. O, hij haatte haar nu, want zijn vrees voor de straf had hij maar gevoeld één ogenblik, en hij, hij was nu alles vergeten. En zijn gedachte was haar kwaad te doen. Hoe, hij wist het nog niet, maar haar kwaad te doen, opdat zij pijn zou hebben en leed. Dat te overdenken gaf een satanische somberheid in zijn kleine, troebele ziel. Hoewel hij er niet over dacht, voelde hij, onbewust, dat zij als onkwetsbaar was, voelde hij zelfs, dat zij in zich pochte op die onkwetsbaarheid, en dat ze haar iedere dag brutaler maakte, onverschilliger. Ieder ogenblik logeerde zij op Patjaram, onder het eerste het beste voorwendsel. De anonieme brieven, die Van Oudijck nog dikwijls haar voorlegde, ontroerden haar niet meer; zij raakte aan ze gewoon. Zonder een enkel woord gaf zij ze hem weer terug: een enkele keer zelfs vergat zij ze; liet zij ze slingeren in de achtergalerij. Eens las Theo ze door. Hij wist niet in welke plotselinge helderheid, maar plótseling, meende hij te herkennen enkele letters, enkele strepen. Hij herinnerde zich in de kampong bij Patjaram het huisje – half bamboe, half petroleumplank – waar hij si-Oudijck had opgezocht met Addy de Luce, en de met een Arabier haastig bijeen geschoven papieren. Hij herinnerde zich vaag, op een snipper op de grond die zelfde letters, die strepen. Het ging vaag en bliksemsnel door zijn hoofd. Maar het was niets dan een bliksemstraal. In zijn sombere, kleine ziel was niets dan doffe haat en troebele berekening. Maar hij was niet verstandig genoeg die berekening uit te spinnen. Hij haatte zijn vader, uit instinct, en antipathie; zijn moeder, omdat zij een nonna was; zijn stiefmoeder, omdat zij hem niet meer wilde; hij haatte Addy, hij haatte Doddy erbij op de koop toe: hij haatte de wereld, omdat hij er in werken moest. Hij haatte iedere betrekking: hij haatte nu zijn kantoor op Soerabaia. Maar hij was te lui en te weinig helder, om kwaad te kunnen doen. Hij vond niet uit, hoe hij ook bedacht, zijn vader kwaad te doen, Addy en Léonie. Het was alles in hem vaag, troebel, ontevreden, onduidelijk. Zijn begeerte was geld en een mooie vrouw. Verder was er niets in hem dan zijn stompe somberheid, en ontevredenheid van dikke, blonde sinjo. En onmachtig donkerde zijn gedachte voort.

Tot nog toe had Doddy altijd veel van Léonie gehouden, instinctmatig. Maar nu kon zij het zich niet meer ontkennen: wat zij eerst gedacht had, dat toeval was – mama en Addy altijd zoekende elkaar in de zelfde glimlach van aantrekking, de een trekkende de ander aan van het ene einde der zaal naar het andere, als onweerstaanbaar – dat was geen toeval! En ook zij, ze haatte mama nu, mama met haar mooie kalmte, haar souvereine onverschilligheid. Haar eigen natuur van drift, van passie, kwam in botsing met die andere natuur van melkblanke kreole-loomheid, die zich eerst nu, laat, om de loutere goedgunstigheid van het noodlot, geheel dorst laten slepen, zonder voorbehoud. Zij haatte mama en het gevolg van die haat waren scènes, scènes van nerveuze drift, opgillende drift van Doddy tegen de tergende kalmte van mama's onverschilligheid, over allerlei klein verschil van mening: over een visite, een ritje te paard, een japon, over een sambal, die de een lekker vond, de ander niet. Léonie had er plezier in, Doddy te plagen, alleen om het plezier van plagen. Dan wilde Doddy uithuilen aan papa's borst, maar Van Oudijck gaf haar geen gelijk, en zei, dat zij voor mama meer eerbied moest hebben. Maar eens, toen hij Doddy, terwijl zij troost bij hem zoeken kwam, berispend sprak over haar wandelingen met Addy, gilde zij op, dat mama zelve op Addy verliefd was. Van Oudijck, boos, joeg haar de kamer uit. Maar het kwam alles te veel met elkaar overeen – de anonieme brieven, de nieuwe behaagzucht van zijn vrouw, Doddy's beschuldiging en wat hij zelve had opgemerkt op de laatste partijen – om hem niet te laten nadenken en tobben zelfs. En *nu* hij hier eenmaal .over tobde en nadacht, flitsten plotselinge herinneringen als korte weerlichten door hem heen: van een onverwacht bezoek; van een deur, die gesloten was; van een portière, die bewoog; van een gefluisterd woord en een schuw afgebroken blik. Hij combineerde dat alles, en hij herinnerde zich die zelfde subtiele herinneringen, in verband met anderen, van vroeger, heel plotseling. Het wekte eensklaps zijn jaloezie, de jaloezie van de man op de vrouw, die hij liefheeft als zijn allereigenst bezit. Als een windvlaag, stak die jaloezie bij hem op, en woei door zijn werk-aandacht heen, verwarde zijn gedachten, terwijl hij aan zijn werk zat, deed hem plotseling zijn kantoor uit-lopen, terwijl hij de politie-rol deed, zoeken in de kamer van Léonie, oplichten een gordijn, kijken zelfs onder het bed. En nu wilde hij niet meer, dat zij op Patjaram logeer-de, naar hij voorgaf, om de De Luce's geen hoop te geven, dat Addy ooit Doddy zou krijgen. Want hij dorst Léonie niet over zijn ijverzucht spreken... Dat Addy ooit Doddy zou krijgen. In zijn dochter was ook wel Indisch bloed, maar hij wilde een volbloed Europeaan voor schoonzoon. Hij haatte al wat halfras was. Hij haatte de De Luce's, en al de verbinnenlandste, Indische, quasi-Solose traditie van hun Patjaram. Hij haatte hun gedobbel, hun koek-en-ei-zijn met allerlei Javaanse hoofden: lieden, die hij ambtelijk gaf wat hun toekwam, maar verder beschouwde als nood-zakelijke werktuigen van de politiek der Regering. Hij haatte al hun manieren van oude Indische familie, en hij haatte Addy: een jongen, zogenaamde employé, maar die niets uitvoerde, dan nalopen al wat vrouw, meisje, meid was. Hem, als werkzame en oudere man, was dit leven on-uitstaanbaar. Léonie moest zich dus wel Patjaram ontzeg-gen, maar des morgens ging zij rustig naar mevrouw Van Does, en in haar kleine huisje ontmoette zij Addy, terwijl mevrouw Van Does zelve uit verkopen ging, in een tjikar met de twee stopflessen inten-inten, en een pak gebatikte spreien. Des avonds dan wandelde Addy met Doddy en hoorde haar hartstochtelijke verwijtingen. Hij lachte om haar drift, hij nam haar in zijn armen tot zij hijgde tegen hem aan: hij zoende haar de verwijtingen van de lippen, tot zij dol van liefde wegsmolt aan zijn mond. Verder gin-gen zij niet, bang, vooral Doddy. Zij liepen achter de kam-pongs, op de galangans der sawahs, terwijl zwermen van vuurvliegjes in den donker om hen heen starrelden als hele kleine lampjes; zij liepen in elkanders arm, aan elkaars hand liepen zij voort, in een liefde van ontzenuwende handtastelijkheid, die nooit durfde tot het einde. Met hun handen voelden zij elkaar helemaal aan, zij beminden el-kaar met hun handen. Kwam zij dan thuis, dan was zij dol, razend op mama, in wie zij beneed de kalme, glimlachende verzadiging, als zij, in haar witte peignoir, zacht gepoeierd, lag te mijmeren op een rieten stoel. En het was in huis, nieuw opgefrist, wit gekalkt, na het vreemde gebeuren, – dat voorbij was – een haat, die als uitschoot overal, als de duivelse bloem zelve van dat vreemde geheim, een haat rondom die glimlachende vrouw, die te loom was om te haten, en alleen plezier had in het stille plagen; een jaloerse haat van vader nu tegen zoon, als hij hem te veel zag bij zijn stiefmoeder zitten, smekende, trots zijn eigen haat, om iets, wat wist de vader niet: een haat van zoon tegen vader, een haat van dochter tegen moeder, een haat, waarin alle familieleven verongelukte. Hoe het zo langzamerhand was gekomen, wist Van Oudijck niet. Weemoedig betreurde hij de tijd, toen hij blind was geweest, toen hij vrouw en kinderen alleen gezien had, in het licht, dat hij wilde. Dat was nu voorbij. Zoals vroeger het vreemde gebeuren, sloeg nu een haat uit het leven op, als een pestwalm uit de grond. En Van Oudijck, die nooit was bijgelovig geweest, die koel, kalm gewerkt had in zijn vereenzaamde huis, waar het onbegrijpelijk spookte rondom hem heen, die rapporten had doorlezen terwijl het hamerde boven zijn hoofd en zijn whiskey-soda okerde in zijn glas – Van Oudijck, voor het eerst van zijn leven, nu hij de sombere blikken van Theo, van Doddy zag, nu hij zijn vrouw, brutaler iedere dag, met de jonge De Luce eensklaps vond hand in hand, haar knieën bijna in de zijne, nu hij zichzelve zag, veranderd, verouderd, somber spiedende, – werd bijgelovig, onoverkomelijk bijgelovig, gelovende aan een stille kracht, die school waar wist hij niet, in Indië, in de grond van Indië, in een diep mysterie, ergens, ergens – een kracht, die hem kwaad wilde, omdat hij was Europeaan, overheerser, vreemdeling op de geheimzinnige heilige grond. En toen hij zag deze bijgelovigheid in zich, zo nieuw in hem, man van praktijk, zo vreemd ongelooflijk in hem, man van simpel mannelijke eenvoud, schrikte hij voor zichzelve, als voor een opkomende krankzinnigheid, die hij diep in zich begon waar te nemen. En hoe krachtig hij geweest was tijdens het vreemde gebeuren zelve, dat hij nog met een enkel woord van dreigende kracht had kunnen bezweren, deze bijgelovigheid, als de naziekte van dat gebeuren, vond in hem zwakte, als een kwetsbare plek. Hij was zo verbaasd over zichzelve, dat hij zich niet begreep, vreesde gek te zullen worden, en toch, toch tobde hij. Zijn gezondheid was ondermijnd door een opkomende leverziekte en hij bestudeerde zijn gelende tint. Plotseling dacht hij aan vergiftiging. De keuken werd onderzocht, de kokkie aan een verhoor onderworpen, maar niets bleek. Hij begreep angstig te zijn voor niets. Maar de dokter verklaarde, dat zijn lever was opgezwollen en schreef hem het gewone regime voor. Wat hij anders heel gewoon zou gevonden hebben – een ziekte, die zo veelvuldig voorkwam – vond hij nu eensklaps vreemd: een vreemd gebeuren, waarover hij tobde. En het tastte zijn zenuwen aan. Hij leed nu aan plotselinge vermoeidheden als hij werkte, aan kloppende hoofdpijn. Zijn jaloezie gaf hem een gejaagdheid; een trillende onrust kwam over hem. Hij bedacht eensklaps, dat, als het nu hamerde boven zijn hoofd, als het nu sirih spoog rondom hem heen, hij niet in zijn huis had kunnen blijven. En hij geloofde aan een haat, die rondom hem walmde uit de haatdragende grond, als een pest. Hij geloofde aan een kracht, diep verborgen in de dingen van Indië, in de natuur van Java, het klimaat van Laboewangi, in het gegoochel – zo noemde hij het nog – dat de Javaan soms knap maakt boven de Westerling, en dat hem macht geeft, geheimzinnige macht, niet om zich te bevrijden van het juk, maar wel om ziek te maken, te doen kwijnen, te plagen, te treiteren, te spoken onbegrijpelijk en afgrijselijk –: een stille kracht, een stille macht, vijandig aan ons temperament, aan ons bloed, aan ons lichaam, aan onze ziel, aan onze beschaving, aan al wat óns goeddunkt te doen en te zijn en te denken. Het was bij hem opengestraald als met één plotseling licht: het was niet het gevolg van denken. Het was bij hem opengestraald met één schrik van openbaring, geheel in strijd met al de logiek van zijn geleidelijk leven, zijn geleidelijke gedachtengang. In één visioen van verschrikking zag hij plotseling voor zich, als het licht van zijn naderende ouderdom, zoals grijsaards soms eensklaps de waarheid zien. En toch, hij was jong nog, hij was krachtig... En hij voelde, dat als hij niet zwenken zou zijn krankzinnige gedachte, ze hem ziek, zwak en ellendig kon maken, voor altijd, voor altijd...

Vooral voor hem, simpele man van praktijk, was deze ommezwaai bijna ondraaglijk. Wat een morbide geest rustig peinzend zou hebben bespiegeld, gaf hem een wit bliksemende ontzetting. Nooit had hij gedacht, dat er diep, ergens, geheimzinnig, dingen kunnen zijn in het leven, sterker dan wilskracht, geestkracht. Nu – na de nachtmerrie, die hij moedig had overwonnen – scheen het of tóch de nachtmerrie hem uitgeput had en hem had ingegeven allerlei zwakte. Het was ongelooflijk, maar nu, 's avonds als hij werkte, luisterde hij naar het avonddonzen in de tuin, of naar de rat, die stommelde boven zijn hoofd. En dan stond hij eensklaps op, liep in de kamer van Léonie en keek onder haar bed. Toen hij eindelijk uitvond, dat vele van de anonieme brieven, waarmede hij achtervolgd werd, kwamen uit de koker van een halfbloed, die zich noemde zijn zoon en zelfs met zijn eigen familienaam in de kampong werd aangeduid, voelde hij zich te weifelend deze zaak te onderzoeken, om wat er mocht aan het licht komen en dat hijzelve vergeten was, uit zijn controleurstijd, vroeger, te Ngjadiwa. Nu weifelde hij, in wat hem vroeger zeker en stellig was. Nu wist hij zijn herinneringen uit die tijd niet meer zo stellig te schikken, dat hij had kunnen zweren geen zoon te hebben, bijna zonder het te weten gewonnen in die tijd. Hij herinnerde zich niet duidelijk de huishoudster, die hij gehad had vóór zijn eerste huwelijk. En liet hij de gehele zaak der anonieme brieven liever maar voortsmeulen in hun duistere schaduw, dan dat hij ze onderzocht, er in roerde. Zelfs liet hij aan de kleurling, die zich noemde zijn zoon, geld geven, opdat deze niet, misbruik makende van de naam, die hij zich toekende, overal in de kampong eiste presenten: kippen, en rijst, en klederen; dingen, die si-Oudijck vroeg aan onwetende dessa-lui, die hij dreigde met de vage toorn van zijn vader; de Kandjeng daarginds in Laboewangi. Opdat met die toorn dus niet meer gedreigd zou worden, deed Van Oudijck hem geld toekomen. Dat was een zwakte: vroeger had hij het nooit gedaan. Maar nu kwam in hem een neiging, te sussen, vergoelijkend te zijn, niet meer zo straf en streng te zijn, en liever alles wat scherp was, weg te doezelen in halfheid. Eldersma was soms verbaasd, als hij de resident, vroeger beslist, nu zag weifelen, toe zag geven in zaken, in geschillen met erfpachters, als hij vroeger nooit hadde gedaan. En een slapheid van werken aan het bureau ware ingekankerd, vanzelve, langzaamaan, als Eldersma niet Van Oudijck het werk uit de hand had genomen, en het zich nog drukker gemaakt had, dan hij het al zelve had. Men zeide algemeen, dat de resident lijdende was. En zijn kleur was ook geel, zijn lever pijnlijk; het minste deed zijn zenuwen trillen. Het gaf een neurose in huis, tegelijk met de driften en uitbarstingen van Doddy, met de jaloezie en de haat van Theo, die al weer thuis was, in Soerabaia het had laten liggen. Alleen Léonie bleef zegevieren, altijd mooi, blank, kalm, glimlachend, tevreden, gelukkig in de durende hartstocht van Addy, die zij wist te boeien als een toveres van liefde, een savante in passie. Het noodlot had haar gewaarschuwd, en Theo hield zij ver van zich, maar verder was zij gelukkig, tevreden.

Toen was het plotseling, dat Batavia openkwam. Twee, drie residenten werden genoemd, maar Van Oudijck had het meeste kans. En hij tobde er over, hij vreesde er voor: hij hield niet van Batavia, als residentie. Hij zou er niet in kunnen werken, als hij hier gewerkt had, met ijver en toewijding behartigende zo vele verscheidene belangen van cultuur en voor bevolking. Liever had hij zich benoemd gezien voor Soerabaia, waar veel omging, of in een der Vorstenlanden, waar zijn tact om met Javaanse vorsten om te gaan te pas zou zijn gekomen. Maar Batavia! Voor een resident, als ambtenaar, het minst interessante gewest: voor de residentsbetrekking het minst vleiend de hoogmoed ervan, vlak bij de Gouverneur-Generaal, geheel te midden der hoogste ambtenaren, zodat de resident, elders bijna oppermachtig, er niet meer was dan ook een hoge ambtenaar, tussen Raden van Indië, Directeuren, in, en te dicht bij Buitenzorg, met zijn eigendunkele Secretarie: wier bureaucratie en theorie van paperassen altijd in strijd waren met de bestuurspraktijk en het feitelijke doen der residenten zelve. De mogelijkheid van benoeming maakte hem geheel van streek, gejaagder dan ooit, nu hij in een maand tijds Laboewangi zou moeten verlaten, vendutie houden. Het zou hem scheuren zijn hart, Laboewangi te verlaten. Trots wat hij er had geleden, hield hij van de stad, van zijn gewest vooral. Door geheel zijn gewest, al die jaren, had hij nagelaten de sporen van zijn werkzaamheid, van zijn aandacht, van zijn ambitie, van zijn liefde. Nu, binnen een maand, zou hij dat alles wellicht moeten overdragen aan een opvolger, zich moeten losscheuren van alles wat hij met liefde had bezorgd, behartigd. Hij voelde er een sombere weemoed om. Dat hij met een promotie ook dichter naderde zijn pensioen, gaf hem niets. Die toekomst van niets doen en verveling van nadere ouderdom was hem een nachtmerrie. En de opvolger zou misschien alles veranderen, het in niets eens met hem zijn.

Toen werd zijn mogelijke promotie hem eensklaps tot zulk een ziekelijke obsessie, dat het onwaarschijnlijke gebeurde en hij schreef aan de Directeur van B.B., aan de Gouverneur-Generaal, hem te laten op Laboewangi. Van deze brieven lekte weinig uit; hijzelve verzweeg ze geheel zowel in de kring zijner familie als in die zijner ambtenaren, zodat, toen een jongere resident, tweede-klasse, benoemd werd tot resident van Batavia, men wel er over praatte, dat Van Oudijck gepasseerd was, maar men niet wist, dat dit door zijn eigen toedoen was geweest. En zoekende naar een reden rakelde men in de praatjes weer op, het ontslag van de Regent van Ngadjiwa, het vreemde gebeuren daarna, maar men vond noch in het een, noch in het ander, toch eigenlijk een bijzondere aanleiding voor de Regering om Van Oudijck te passeren.

Hijzelve herwon erom een vreemde rust, een rust van matheid, van zich laten gaan, van vastgroeien in zijn bekend Laboewangi, van, ver-indischt in zijn binnenland, niet behoeven te gaan naar Batavia, waar het zo heel anders was. Toen de Gouverneur-Generaal hem op de laatste audiëntie had gesproken over een verlof naar Europa, had hij een angst voor Europa gevoeld – een angst er zich niet meer thuis te voelen: – nu voelde hij zelfs die angst voor Batavia. En toch wist hij heel goed al de quasi-westerse humbug van Batavia; toch wist hij heel goed, dat de hoofdplaats van Java zich maar als erg Europees aanstelde, en in werkelijkheid toch maar half Europees was. In zichzelve – verborgen voor zijn vrouw, die spijt had om die vervlogen illusie: Batavia – lachte hij er stilletjes om, dat hij had weten gedaan te krijgen op Laboewangi te blijven. Maar om die lach voelde hij wel zich veranderd, verouderd, verminderd, niet meer blikkende langs die opwaartse lijn van telkens onder de mensen in te nemen een hogere plaats – die altijd de lijn van zijn leven geweest was. Waar was zijn eerzucht gebleven? Hoe was zo zijn heerszucht verslapt? Hij dacht, het was alles invloed van het klimaat. Goed zou het zeker zijn als hij zijn bloed, zijn geest verfriste in Europa, en er een paar winters doormaakte. Maar ogenblikkelijk knakte die gedachte willoos ineen. Neen, hij wilde niet naar Europa. Indië was hem lief. En hij gaf zich over aan lange peinzingen, liggende in een lange stoel, genietende van zijn koffie, van zijn luchtige kleding, van de zachte verslapping zijner spieren, van de doelloze doezeling zijner gedachten. In die doezeling was scherp alleen zijn meer en meer toenemende achterdocht, en dan wekte hij plotseling op uit zijn loomheid en luisterde naar het vage geluid, het zacht onderdrukte lachen, dat hij meende te horen in de kamer van Léonie, zoals hij des nachts, achterdochtig ook om gespook, luisterde naar het gedons in de tuin, en de rat boven zijn hoofd.

ZEVENDE HOOFDSTUK

I

Addy zat bij mevrouw Van Does, in het kleine achtergalerijtje, toen zij een rijtuig vóor hoorden opratelen. Zij zagen elkaar glimlachend aan, stonden op.

– Ik laat jullie alleen, zei mevrouw Van Does, en zij verdween om in een dos-à-dos de stad rond te rijden en bij kennissen zaken te doen.

Léonie was binnengekomen.

– Waar is mevrouw Van Does? vroeg zij, want zij deed iedere keer, of het de eerste maal was: dat was haar grote bekoring.

Hij wist dit en hij antwoordde: Ze is zo-even uitgegaan. Het zal haar spijten u niet te treffen...

Hij sprak zo omdat hij wist, dat zij daarvan hield: iedere keer het ceremoniële begin, om vooral de frisheid van hun laison te onderhouden.

Nu zetten zij zich in het kleine gesloten middengalerijtje op een divan, hij naast haar.

De divan was overtrokken met een cretonne van bonte bloemen; aan de witte muren hingen wat goedkope waaiers en kakemono's, en aan weerszijde van een spiegeltje stonden op consoles twee imitatie bronzen beeldjes: onduidelijke ridders, het ene been vooruit, in de hand een speer. Door de glazen deur schemerde het vunze achtergalerijtje, de pilaren groengeel vochtig, de bloempotten groengeel ook, met wat vergane rozestruiken; daarachter verwilderde het vochtige tuintje, met een paar magere klapperbomen, de bladeren hangende als geknakte veren. Hij trok haar nu in zijn armen, maar zij duwde hem zachtjes terug.

– Doddy is onuitstaanbaar, zeide zij: daar moet een eind aan komen.

– Hoe dat?

– Zij moet uit huis. Zij is zo prikkelbaar, dat ik geen leven met haar heb.

– Je plaagt haar ook.

Zij haalde de schouders op, ontstemd door een scène met haar stiefdochter.

– Vroeger plaagde ik haar niet, vroeger hield ze van mij, vroeger konden wij best met elkaar overweg. Nu vliegt ze om het minste op. Het is jouw schuld. Die eeuwige avondwandelingen, die tot niets leiden, enerveren haar.

– Het is maar beter, dat ze tot niets leiden, murmelde hij, met zijn verleiderlachje. Maar ik kan toch niet met haar breken, dat zou haar verdriet doen. En ik kan nooit een vrouw verdriet doen.

Zij lachte minachtend.

– Ja, je bent zo goedig. Uit louter goedigheid zou je je faveurs overal verspreiden. Maar hoe dan ook, zij gaat het huis uit.

– Waar naar toe?

– Vraag niet zulke domme vragen! riep zij uit, boos, gerukt uit haar gewone onverschilligheid. Weg, weg, ze gaat weg: het kan me niet schelen waar naar toe. Je weet als ik eenmaal iets zeg, gebeurt het. En dit, dit gebeurt.

Hij vatte haar nu in zijn armen.

– Je bent zo boos. Je bent niets mooi zo...

Ontstemd, wilde zij zich eerst niet laten zoenen, maar daar hij niet hield van zulke ontstemmingen en wel wist zijn macht van onwederstaanbare mooi Moorse mannelijkheid, overmeesterde hij haar als met glimlachend ruw geweld en pakte haar zo dicht aan zich, dat zij zich niet verroeren kon.

– Je mag niet boos meer zijn...

– Jawel... Ik haat Doddy.

– Het arme kind heeft je niets misdaan.

– Wel mogelijk...

– Integendeel plaag jij haar.

– Ja, omdat ik haar haat...

– Waarom? Je bent toch niet jaloers...

Zij lachte luid.

– Neen! Dat is niet in mijn aard.

– Waarom dan?

– Wat kan het je schelen! Ik weet het zelf niet. Ik haat haar. Ik heb plezier haar te plagen.

– Ben je even slecht als je mooi bent?

– Wat is slecht? Weet ik het! Ik zou jou ook willen plagen, als ik maar wist hoe.

– En ik zou jou een pak slaag willen geven...
Zij lachte weer hard op.
– Misschien, dat het me nu wel goed zou doen, gaf zij toe.
Ik ben zelden uit mijn humeur, maar Doddy...!
Zij krampte haar vingers, en ineens, kalmer, vlijde zij zich
tegen hem aan, en sloot haar armen om zijn lichaam.
– Vroeger was ik erg onverschillig, bekende zij. Ik ben de
laatste tijd veel zenuwachtiger, nadat ik zo geschrokken
ben, in die badkamer. Nadat ze me zo gespogen hebben,
met sirih. Geloof je, dat het spoken was, van geesten? Ik
geloof het niet. Het was plagerij, van de Regent. Die ellendige Javanen weten allerlei dingen... Maar sedert die tijd
ben ik, om zo te zeggen, uit mijn voegen geslagen. Begrijp
je die uitdrukking?... Het was heerlijk vroeger: ik liet
alles langs mijn koude kleren gaan. Nadat ik zo ziek ben
geweest, ben ik als veranderd, zenuwachtiger. Theo, toen
hij eens boos op me was, heeft gezegd, dat ik na die tijd
hysterisch ben... wat ik vroeger niet was... Ik weet het
niet: misschien heeft hij wel gelijk. Maar veranderd ben ik
wel... Ik geef minder om de mensen; ik geloof, dat ik erg
brutaal word... Ze kletsen ook nijdiger dan vroeger...
Van Oudijck crispeert me, als hij zo rondloopt... Hij
begint wat te merken... En Doddy, Doddy...! Ik ben
niet jaloers, maar die avondwandelingen met jou kan ik
niet uitstaan... Je moet dat niet meer doen, hoor, wandelen met haar... Ik wil het niet meer hebben, ik wil het
niet meer... En dan alles verveelt me, hier in Laboewangi
... Wat een ellendig, eentonig leven... Soerabaia vind ik
ook vervelend... Batavia ook... Het is alles zo duf: de
mensen vinden niets nieuws uit... Ik zou naar Parijs willen... Ik geloof wel, dat ik het element in me heb, me in
Parijs te amuseren.
– Verveel ik je ook?
– Jij? Zij streelde hem met haar handen over zijn gezicht,
over zijn borst, tot langs zijn benen.
– Wil ik je eens wat zeggen? Je bent een mooie jongen,
maar je bent zo goedig. Dat crispeert me ook. Je zoent
maar iedereen, die door je gezoend wil worden. Op Patjaram, je oude moeder, je zusters, alles lik je maar. Dat vind
ik ellendig van je!
Hij lachte.
– Je wordt jaloers! riep hij uit.

- Jaloers? Word ik heus jaloers? Het is ellendig als ik het word. Ik weet het niet: ik geloof toch van niet... Ik wil het niet worden. Ik geloof toch, dat er iets is, dat mij altijd zal beschermen.
– Een duivel...
– Misschien. Un bon diable.
– Begin je Frans te spreken?
– Ja. Met het oog op mijn gaan naar Parijs... Iets, dat me beschermt. Ik geloof vast, dat het leven geen vat op me heeft. Dat ik onkwetsbaar ben, voor alles.
– Je wordt bijgelovig.
– O, dat was ik al. Ik ben het misschien erger geworden. Zeg, ben ik veranderd, in de laatste tijd?
– Je bent nerveuzer...
– Niet zo onverschillig meer?
– Je bent vrolijker, amusanter.
– Was ik vroeger vervelend?
– Je was wat stil. Je was altijd mooi, heerlijk, goddelijk... maar wat stil.
– Ik gaf misschien toen meer om de mensen.
– Nu niet meer?
– Neen, niet meer. Ze kletsen toch... Maar zeg, ben ik niet meer veranderd?
– Jawel: jaloerser, bijgeloviger, nerveuzer... Wat wil je nog meer...
– Fysiek... ben ik fysiek niet veranderd...?
– Neen.
– Ben ik niet ouder geworden... Krijg ik geen rimpels?
– Jij nooit.
– Zeg... ik geloof, dat ik nog een hele toekomst voor me heb... Iets heel anders...
– In Parijs?
– Misschien... Zeg, ben ik niet te oud?
– Waarvoor?
– Voor Parijs... Hoe oud denk je, dat ik ben?
– Vijf-en-twintig.
– Je jokt: je weet heel goed, dat ik twee-en-dertig ben... Zie ik er uit als twee-en-dertig?
– Neen, neen...
– Zeg, vind je het hier geen beroerd land, Indië... Je bent nooit in Europa geweest?
– Neen...

– Ik alleen maar van mijn tiende tot mijn vijftiende jaar...
Eigenlijk ben jij een bruine sinjo en ik een blanke nonna...
– Ik hou van mijn land.
– Ja, omdat je je zowat een Solose prins vindt... Dat is
jullie belachelijkheid van Patjaram... Ik, ik haat Indië...
Ik spuug op Laboewangi. Ik wil weg. Ik moet naar Parijs.
Ga je mee?
– Neen. Ik zou nooit willen...
– Ook niet als je bedenkt, dat er honderden vrouwen zijn,
in Europa, die je nooit gehad hebt...?
Hij zag haar aan: iets in haar woorden, in haar stem deed
hem opzien, een hysterische gedetraqueerdheid, die hem
vroeger nooit was opgevallen, toen zij altijd geweest was
de stil hartstochtelijke minnares, de ogen half gesloten, die
dadelijk weer vergeten wilde en correct werd. Iets stuitte
hem van haar af: hij hield van het lenige en weke en mee-
geven van liefkozing, met iets indolents en glimlachends –
zoals zij vroeger geweest was: – niet van deze halfkrank-
zinnige ogen en purperen mond, gereed om te bijten. Het
was of zij het voelde, want zij duwde hem eensklaps weg:
zij zeide bruusk:
– Je verveelt me... Ik ken je nu al: ga weg...
Maar dat wilde hij niet: hij hield niet van tevergeefse
rendez-vous, en hij omhelsde haar nu en vroeg...
– Neen, zeide zij kort. Je verveelt me. Iedereen verveelt
me hier. Alles verveelt me...
Hij omvatte, op zijn knieën, haar middel, trok haar naar
zich toe.
Zij, een beetje lachend, gaf iets meer toe, wriemelde ze-
nuwachtig met haar hand over zijn haar. Een rijtuig rolde
voor aan.
– Hoor, zeide zij.
– Dat is mevrouw Van Does...
– Wat komt ze vroeg terug...
– Ze zal niets verkocht hebben.
– Dan kost het jou een tientje...
– Denkelijk wel...
– Betaal je haar veel? Voor onze rendez-vous?
– Ach, wat doet er dat toe...
– Hoor, zeide zij weer, aandachtiger.
– Dat is niet mevrouw Van Does...
– Neen...

– Dat is een mannestap...
– Het was ook geen dos-à-dos: het rammelde veel te veel.
– Het zal niets zijn... zeide zij. Iemand, die verkeerd is.
Hier komt niemand.
– De man loopt om, sprak hij, luisterend.
Zij luisterden beiden even. En toen, plotseling, met twee,
drie passen door het nauwe tuintje, in het klein achtergalerijtje, rees voor de dichte glazen deur, zichtbaar door
het gordijn, *zijn* gestalte: die van Van Oudijck. En de deur
had hij opengerukt, voor Léonie en Addy hun houding
konden veranderen, zodat Van Oudijck hen beiden zag:
zij, zittende op de divan, hij geknield voor haar, haar hand,
nog als vergeten, rustende op zijn haar.
– Léonie!! donderde haar man.
Het bloed stormgolfde met de schok der verrassing en
ziedde door haar heen, en in één ogenblik zag zij een gehele toekomst: zijn woede, een scheiding, een proces, het
geld, dat haar man haar geven zou, alles warrelend door-
een... Maar, als door een druk van nerveuze wil, viel die
bloedgolf, dadelijk, in haar effen neer en bleef zij rustig
zitten: de schrik alleen nog één moment in haar ogen zichtbaar, tot zij ze staalhard richten kon op Van Oudijck. En
met haar vingers zacht drukkende op Addy's hoofd, sug-
gereerde zij hem ook te blijven, in zijn houding, te blijven
knielen aan haar voeten, en zeide zij, als in een zelfhypnose,
verbaasd luisterende naar de klank van haar eigen, even
hese stem:
– Otto... Adrien de Luce vraagt mij bij jou een goed
woord te willen doen... voor hem... Hij vraagt... om
de hand van Doddy...
Zij bleven alle drie onbeweeglijk: alle drie onder de invloed
van deze woorden, deze gedachte, die kwam, – Léonie
wist zelve niet waarvandaan... Want, strak als een sy-
bille, herhaalde zij, zittende recht op, en steeds met die
zachte druk op Addy's hoofd:
– Hij vraagt... om de hand van Doddy...
Nog sprak zij alleen. Toen ging zij voort:
– Hij weet, dat je enige bezwaren hebt. Hij weet, dat zijn
familie je niet sympathiek is, omdat er Javaans bloed...
in hun aderen is.
Zij sprak nog als sprak een ander in haar, en zij moest
glimlachen om dat meervoud: aderen; zij wist niet waar-

om: misschien, omdat het de eerste maal van haar leven was, dat zij dat woord, dat meervoud, gebruikte, in gesprek.

– Maar... ging zij voort. Geldelijke bezwaren zijn er niet, als Doddy op Patjaram wil wonen... En de kinderen houden van elkaar... al zo lang. Zij waren bang voor jou...

Nog sprak zij alleen.

– Doddy is al zo lang zenuwachtig, bijna ziek... Het zou een moord zijn niet toe te geven, Otto... Langzaam-aan klonk haar stem melodieus, en kwam de glimlach om haar lippen, maar staalhard blikten nog haar ogen, als dreigde zij met een geheimzinnige toorn, wanneer Van Oudijck haar niet geloofde.

– Kom... zeide zij heel zacht, heel lief, Addy zacht kloppend op zijn hoofd met haar nog trillende vingers. Sta op... Addy... en ga... naar... papa...

Hij stond, werktuiglijk op.

– Léonie, vroeg Van Oudijck, schor: waarom was je hier? Zij zag blank verbaasd, zacht oprecht, op.

– Hier? Ik was bij mevrouw Van Does...

– En hij? wees Van Oudijck.

– Hij...? Hij kwam hier ook... Mevrouw Van Does moest uit... Toen vroeg hij mij te spreken... En toen vroeg hij mij... de hand van Doddy...

Zij zwegen weer alle drie.

– En jij, Otto? vroeg zij nu, iets harder. Hoe kom jij hier? Hij keek haar hard aan.

– Heb je iets te kopen van mevrouw Van Does...?

– Theo zei, dat je hier was...

– Theo had gelijk...

– Léonie...

Zij stond op, en met haar staalharde ogen, beduidde zij hem, dat hij geloven moest, dat zij niet anders *wilde*, dan dat hij geloofde.

– Hoe dan ook, Otto, zeide zij, weer zacht, kalm, lief: laat Addy niet langer in onzekerheid. En jij, Addy, wees niet bang, en vraag Doddy's hand aan papa... Ik heb over Doddy ...niets te zeggen: dat heb ik je al gezegd.

Nu stonden zij alle drie over elkaar, in het nauwe middengalerijtje, benauwd van hun adem en hun opgehoopte gevoelens.

184

– Resident... zeide toen Addy. Ik vraag u... om de hand... van uw dochter...
Een dos-à-dos, voor, rolde aan.
– Dat is mevrouw Van Does, zei Léonie haastig. Otto, zeg iets, voor zij komt...
– Het is goed... zei Van Oudijck, somber.
Vóór mevrouw Van Does binnenkwam, maakte hij zich, achter, weg, niet ziende de hand, die Addy hem toestak. Mevrouw Van Does kwam binnen, sidderend, gevolgd door een baboe, die een bundel droeg: haar koopwaar. Zij zag Léonie en Addy staan, strak, gehypnotiseerd.
– Dat was de wagen van de residèn... stamelde de Indische dame bleek. Dat was de residèn?!
– Ja... zei Léonie kalm.
– Astaga!... En wat is gebeurd??
– Niets, ging Léonie voort, lachende.
– Niets?
– Of ja, toch wel wat...
– Wat dan?
– Addy en Doddy zijn....
– Wat dan?
– Geëngageerd!!
En zij schaterde het uit, met een schelle lach van onbedwingbare levensdolheid, terwijl zij mevrouw Van Does, verbouwereerd, in het rond draaide en de bundel schopte uit de handen der baboe, zodat een pak gebatikte spreien en tafellopers op de grond stortte en een kleine stopfles, vol glinsterende kristallen, rolde en brak.
– Astaga... mijn briljanten!!!
Nog een schop van uitgelatenheid en de tafellopers vlogen links en rechts, de diamanten glinsterden verspreid tussen de poten van tafels en stoelen. Addy, de schrik nog in de ogen, kroop op de handen, zoekende bij elkaar. Mevrouw Van Does herhaalde:
– Geëngageerd??

II

Doddy was opgetogen, in de wolken, verheerlijkt, toen Van Oudijck haar zeide, dat Addy haar hand had gevraagd, en toen zij hoorde, dat mama haar voorspraak was geweest, omhelsde zij Léonie onstuimig, zich, met de spontane beweeglijkheid van haar karaktertje, weer overgevende aan de aantrekking, die Léonie lang op haar had uitgeoefend. Dadelijk nu vergat Doddy al wat haar gehinderd had in de te grote intimiteit tussen mama en Addy, als hij hing over haar stoel en met haar fluisterde. Zij had wat zij nu en dan had gehoord, nooit geloofd, omdat Addy haar altijd verzekerd had, dat het niet waar was. En zij was zo gelukkig, omdat zij met Addy, samen met hem, op Patjaram zou wonen. Want Patjaram was voor haar het ideaal van huiselijkheid: het grote huis, gebouwd aan de suikerfabriek, vol zonen en dochteren en kinderen en beesten, op wie dezelfde goedigheid en hartelijkheid en verveling was neergezeefd, met achter die zonen en dochteren de aureool van Solose afkomst, was haar het ideaal van verblijf, en verwant voelde zij zich aan al die kleine tradities: de sambal, gestampt en gewreven door een hurkende baboe achter haar stoel, terwijl zij rijsttafelde, was haar het hoogste van verhemeltegenot; de races te Ngadjiwa, bijgewoond door de lome lengang-lengang-stoet van al die vrouwen, met de baboes achter zich, dragende zakdoek, flacon, binocle, was haar het non-plus-ultra van elegance; zij hield van de oude Raden-Ajoe Douairière, en aan Addy had zij zich geschonken, geheel, zonder voorbehoud, vanaf het eerste ogenblik, dat zij hem gezien had: toen zij een klein meisje geweest was van dertien, hij een jongen van achttien. Om hem had zij altijd tegengestribbeld als papa haar naar Europa had willen zenden, naar een Brusselse kostschool; om hem had zij nooit naar iets anders verlangd dan Laboewangi, Ngadjiwa, Patjaram; om hem zou zij te Patjaram leven en sterven. Om hem had zij gekend al de kleine jaloezietjes, als hij danste met een ander; al de grote jaloezieën, als haar meisjeskennissen haar zeiden, dat hij verliefd was op die en het hield met die ander; om hem zou ze die ijverzuchtjes en ijverzucht altijd kennen, haar leven lang. Hij zou haar leven zijn, Patjaram haar wereld, de suiker haar belang, omdat het het belang van Addy was. Om hem zou ze verlangen naar veel kinderen, heel veel kinderen, die wel bruin zouden zijn – niet blank als papa en mama en Theo – maar bruin, omdat haar eigen moeder bruin was, zij even donzig bruin, Addy mooi brons Moors bruin, en naar het voorbeeld, gegeven op Patjaram,

zouden haar kinderen, heel veel kinderen, er opgroeien in
de schaduw van de fabriek, en in al hun belang van en voor
suiker, om later de velden te planten, en suikerriet te malen, en het fortuin van de familie weer op te halen, dat het
schitteren zou als vroeger. En zij was zo gelukkig, als zij
geluk maar zich voor kon stellen, ziende haar ideaal van
verliefd meisje zo bereikbaar dichtbij: Addy en Patjaram:
en geen ogenblik bevroedende hoe haar geluk was geworden, door het woord van zelfhypnose, dat Léonie, bijna
onbewust, had geuit op een uiterste ogenblik. O, nu behoefde zij niet meer de donkere hoekjes, de donkere
sawahs te zoeken met Addy; nu omhelsde zij hem telkens
in het volle licht, zat zij stralende tegen hem aan, voelende
zijn warme mannelijf, dat haar toebehoorde en spoedig geheel; nu dweepten haar ogen, zichtbaar voor iedereen, naar
hem op, daar zij niet de kuise kracht meer had zich te verbergen voor de mensen: nu was hij van haar, nu was hij
van haar! En hij, met zijn goedige gelatenheid van jonge
sultan, hij liet zich strelen zijn schouders en knieën, hij
liet zich zoenen en aaien over zijn haar, hij liet haar arm om
zijn hals, alles aannemende als een hem verschuldigde
schatting, gewend aan die schatting van liefde der vrouwen, gekoesterd in liefkozing, van klein mollig jongetje af,
van dat hij gedragen werd door Tidjem, zijn baboe, die
verliefd op hem was, – van dat hij in een tjelana-monjet
stoeide met zusters en nichtjes, die allen verliefd op hem
waren. Al die schatting aanvaardde hij goedig-weg, maar
diep in zich verbaasd, geschokt door wat Léonie had gedaan... En toch, redeneerde hij, misschien eenmaal was
het ook anders vanzelve zo geworden, omdat Doddy zo
veel van hem hield... Liever had hij ongetrouwd willen
blijven; ongetrouwd had hij op Patjaram toch huiselijkheid
genoeg, en behield hij zijn vrijheid om, goedig, veel liefde
aan de vrouwen te geven... En, naief, bedacht hij nu al,
dat het wel niet gaan zou, nooit gaan zou, lang trouw aan
Doddy te blijven, omdat hij heus te goedig was, en de
vrouwen allen zo dol. Later moest Doddy daar maar aan
wennen, zich daarin schikken leren, en – bedacht hij – in
Solo, in de Kraton, was het toch ook zo, met zijn ooms en
zijn neven...

Had Van Oudijck geloofd? Hij wist het zelve niet. Doddy
had Léonie beschuldigd verliefd te zijn op Addy; Theo

had hem die morgen, toen Van Oudijck gevraagd had, waar Léonie was, kort geantwoord:
– Bij mevrouw Van Does... met Addy.
Hij had razend zijn zoon aangekeken, maar verder niet gevraagd: hij was alleen dadelijk naar het huisje van mevrouw Van Does gereden. En in werkelijkheid had hij zijn vrouw gevonden samen met de jonge De Luce, hij aan haar knieën, maar zij had hem zo rustig gezegd:
– Adrien de Luce vraagt mij de hand van je dochter...
Neen, hij wist zelve niet of hij geloofde. Zijn vrouw had zo rustig geantwoord, en nu, de eerste dagen van het engagement, was zij zo kalm geweest, glimlachend als altijd... Dat vreemde van haar, dat onkwetsbare, alsof niets haar kon deren, zag hij nu voor het eerst. Vermoedde hij achter die muur van onkwetsbaarheid het ironisch vrouwegeheim van haar stil gloeiend leven? Het was of hij in zijn latere nerveuze achterdocht, in zijn stemming van onrust, in zijn vaag van bijgelovigheid en spiedend luisteren naar de stilte die spookte, geleerd had dingen te zien om hem heen, waarvoor hij blind was geweest in zijn stoere kracht van heersman en hooghartig hoofdambtenaar. En zijn verlangen om zeker te weten de geheimen, die hij raadde, werd zo hevig in zijn ziekelijke geprikkeldheid, dat hij vriendelijker werd en vriendelijker tegen zijn zoon, maar nu niet meer uit spontane vaderdrang, waarmee hij Theo toch altijd had liefgehad, nu uit nieuwsgierigheid, om hem uit te horen, en Theo te doen zeggen al wat hij wist. En Theo, die Léonie haatte, die zijn vader haatte, die Addy, die Doddy haatte, in zijn gehele haat van alle mensen om hem, die het leven haatte in zijn stijfkoppig idee van blonde sinjo, verlangend naar geld en mooie vrouwen, boos omdat de wereld, het leven, fortuin, geluk, zoals hij dat klein zich verbeeldde, niet naar hem toekwam en hem viel in de armen, hem viel om de hals – Theo, volgaarne, perste zijn enkele woorden uit, als droppelen alsem, stil genietende als hij zijn vader zag lijden. En hij liet Van Oudijck, heel langzaam-aan, raden, dat het tóch waar was: van mama en van Addy. Nog kon Van Oudijck het niet aannemen. In de intimiteit, die geboren werd tussen vader en zoon uit achterdocht en haat, zeide Theo van die broer in de kampong, en dat hij wist, dat papa hem geld gaf, en dus erkende, dat het waar was... En Van Oudijck,

niet zeker meer, niet meer wetende de waarheid, gaf toe, dat het wel kon, gaf toe, dat het zo was. Toen, denkende aan de anonieme brieven, – pas de laatste tijd – sedert hij geld deed toekomen aan de halfbloed, die zich aanmatigde zijn naam – hem niet meer toegezonden, – dacht hij ook aan de besmeuringen, die hij er zo dikwijls in had gelezen, en, toen, steeds als vuil van zich had afgeworpen: dacht hij aan die beide namen van zijn vrouw en Theo zelve, die er zo vaak in werden gekoppeld. Als vlammen ziedden-op zijn wantrouwen en zijn achterdocht, als een brand nu on-bedwingbaar, die in hem verzengde alle andere gevoel, gedachte. Tot hij zich ten laatste niet meer kon houden en er Theo ronduit over sprak. Theo's verontwaardiging en ontkenning vertrouwde hij niet. En nu vertrouwde hij niets meer, en niemand. Hij wantrouwde zijn vrouw en zijn kinderen, zijn ambtenaren; hij wantrouwde zijn kok...

III

Toen kwam als een donderslag door Laboewangi het ge-rucht varen, dat Van Oudijck en zijn vrouw zouden schei-den. Léonie ging naar Europa, heel plotseling, eigenlijk zonder dat iemand wist waarom en zonder van iemand af-scheid te nemen. En het was in het stadje een groot schan-daal, men sprak over niets anders, men sprak er zelfs over tot in Soerabaia, tot in Batavia. Alleen Van Oudijck zweeg er over, en, alleen wat dieper gebogen zijn rug, ging hij voort, werkte hij door, leefde hij zijn gewoon leven. Hij had, ontrouw aan zijn principe, Theo aan een betrekking geholpen, om hem kwijt te zijn. Hij had maar het liefst, dat Doddy logeerde op Patjaram, waar de dames De Luce haar zouden helpen met haar uitzet. Hij had maar het liefst, dat Doddy gauw trouwde, en trouwde te Patjaram. In zijn groot, leeg huis wilde hij nu maar de eenzaamheid, de immense ongezellige eenzaamheid. Hij liet niet meer voor zich dekken: men bracht hem maar een bordje rijst, een kop koffie, in zijn kantoor. En hij voelde zich ziek, zijn ijver verslapte: een onverschilligheid, dof, kankerde in hem vast. Op Eldersma drukte neer al het werk, geheel het gewest, en toen Eldersma, na in weken niet te hebben ge-slapen, en dol van ontzenuwing, de resident zeide, dat de dokter hem met een spoedcertificaat naar Europa wilde zenden, ontviel Van Oudijck alle moed. Hij zeide, ook hij voelde zich ziek, op. En hij vroeg verlof aan de Gouverneur-Generaal, hij ging naar Batavia. Hij zeide er niets van, maar hij was zeker te Laboewangi niet meer terug te keren. En hij ging weg, stilletjes, zonder een blik naar achteren, naar zijn groot arbeidsveld, waar hij eens met zoveel liefde geschapen had een geheel. Het bestuur bleef in handen van de assistent-resident te Ngadjiwa. Men dacht algemeen, dat Van Oudijck de Gouverneur-Generaal wilde spreken over enige belangrijke kwesties, maar plotseling kwam het bericht, dat hij zijn ontslag wilde nemen. Men geloofde er eerst niet aan, maar het gerucht werd bevestigd. Van Oudijck kwam niet meer terug.

Hij was gegaan, zonder een blik naar achteren, in een vreemde onverschilligheid, een onverschilligheid, die langzaam had doorziekt zijn levensmerg van eerst zo krachtige en praktische en altijd arbeid-jeugdige man. Hij voelde die onverschilligheid voor Laboewangi, dat hij eerst had gedacht nooit dan met het grootste heimwee te zullen moeten verlaten – zo hij gepromoveerd werd tot resident eersteklasse: hij voelde die onverschilligheid voor zijn huiselijke kring, die niet meer bestond. Een zacht verwelken, verflauwen, wegsterven was in zijn ziel. Het was hem of al zijn krachten versmolten in de stilstaande lauwte van die onverschilligheid. In Batavia planteleefde hij wat in een hotel, en men dacht algemeen, dat hij naar Europa zou gaan.

Eldersma was al weg, doodziek, en Eva, met de kleine jongen, had hem niet kunnen vergezellen, omdat zij aan zware malaria-koortsen leed. Toen zij enigszins herstellend was, hield zij vendutie, en zou zij naar Batavia gaan, er een drie weken logeren bij kennissen, vóór haar boot vertrok. Zij verliet Laboewangi met zeer gemengde gevoelens. Zij had er veel geleden, maar zij had er ook veel nagedacht, en zij had er een diep gevoel gekoesterd, voor Van Helderen – een zo zuiver en glorieus gevoel – als zij dacht, dat maar éens straalde in een leven. Zij nam afscheid van hem als van een gewoon vriend, te midden van anderen, en het was niet anders dan een handdruk, die zij hem gaf. Maar een zo diepe melancholie was in haar, om die handdruk, om dat banale woord van vaarwel, dat de snikken haar stegen in de keel. Die avond, alleen, weende zij niet, maar in haar hotelkamer staarde zij uren stilzwijgend voor zich uit. Haar man, ziek, weg... zij wist niet hoe zij hem terug zou zien, óf zij hem terug zou zien. Europa, daarginds – na haar Indische jaren – breidde zijn kusten wel lachend voor haar uit, deed opdoemen zijn steden, zijn beschaving, zijn kunst – maar zij was bang voor Europa. Een stille angst, dat zij intellectueel zou achteruit gegaan zijn, deed haar bijna vrezen, voor de kring in het huis harer ouders, waar zij over vier weken terug zou zijn. Een beving, dat men haar ver-indischt zou vinden, in haar manieren en ideeën, in haar spraak en haar kleding, in de opvoeding van haar kind, maakte haar van te voren verlegen, haar, met al haar bravoure, van elegante, artistieke vrouw. Zeer zeker was zij in haar pianospel achteruit gegaan: ze zou in Den Haag niet meer durven spelen. En zij dacht, dar het goed zou zijn een paar weken in Parijs te blijven, om zich wat te ontbolsteren, voor zij in Den Haag zich vertoonde...

Maar Eldersma was te ziek... En haar man, hoe zou men hém vinden, veranderd – haar frisse, Friese man, afgebeuld, uitgeput, geel als perkament, nonchalant in zijn uiterlijk, somber mopperend in al zijn uitingen... Maar een zacht visioen van frisse Duitse natuur, van Zwitserse sneeuw, van muziek te Bayreuth, van kunst in Italië, dauwde voor haar starende blik, en zij zag zich met haar zieke man samen. Samen niet meer in liefde, maar samen onder het juk van het leven, dat zij nu eens samen hadden opgenomen... Dan de opvoeding van haar kind! O haar kind te redden van Indië, voor Indië! En toch, hij, Van Helderen, hij was nooit uit Indië geweest. Maar hij, hij was, die hij was, en hij was een uitzondering.

Zij had hem vaarwel gezegd... Zij moest hem vergeten. Europa wachtte haar, en haar man, en haar kind...

Een paar dagen later was zij te Batavia. Zij kende Batavia ternauwernood; jaren geleden was zij er enkele malen geweest, toen zij uitkwam. In Laboewangi, in de uithoek harer kleine residentieplaats, was Batavia langzamerhand in haar verbeelding verheerlijkt tot de zeer Europeesoriëntalische hoofdplaats, centrum van Europees-oriëntalische beschaving: onduidelijk visioen van majestueuze lanen en pleinen, waarom de grote villa's zich rijk pilaarden, waarlangs de elegante equipages zich verdrongen... Zij had altijd zoveel gehoord van die luxe van Batavia. Zij logeerde er nu bij vrienden: hij, chef van een groot handelshuis, hun huis een der mooiste villa's van het Koningsplein. En dadelijk had haar, heel vreemd, getroffen, het funèbre, de doodse melancholie van die grote villa-stad, waar duizenderlei bestaan als in een zwijgen koortsachtig voortijlt naar een toekomst van geld en rust. Het was of al die huizen, somber, trots hun witte zuilen, hun façaden van grootsheid, als gezichten vol zorg fronsten met een beslommering, die zich verbergen wilde achter het voornaam doen van brede bladeren en palmgroepen. De huizen, hoe doorzichtig ook, tussen hun zuilen, hoe open ook, schijnbaar, bleven gesloten; de mensen waren steeds onzichtbaar. Alleen des morgens, boodschappen doende langs de winkels van Rijswijk en Molenvliet, die, met enige Franse namen, poogden de indruk te maken van zuidelijke winkelstad, van Europese elegance, zag Eva de exode der witte mannen naar de Stad: wit van gelaatskleur, wit van kledij en als blank van blik, blank van zorgend peinzen, de verre blanke blik vol zorg en peinzing van een ieder gericht op die toekomst, die zij uitrekenden met enkele tientallen of vijftallen van jaren: op dat en dat jaar, zoveel binnen, en dan weg, uit Indië weg, naar Europa. Het was als een andere koorts dan de malaria, die hen sloopte, en die zij zó slopen voelde hun nooit geacclimatiseerde lichamen, hun nooit geacclimatiseerde zielen, dat zij als die dag voorbij hadden willen lopen naar de dag van morgen, de dag van overmorgen, – dagen, die hun iets dichter brachten hun doel, omdat zij in stilte angstig waren te sterven vóór dat doel was bereikt. De exode vulde de trammen met haar witte doodsheid: velen, vermogend al, maar nog niet rijk genoeg voor hun doel, reden in hun mylords en buggy's tot de Harmonie, namen daar de tram, om hun paarden niet te vermoeien.

En in de Oude Stad, in de oude notabele woningen der eerste Hollandse kooplieden, nog gebouwd op de vaderlandse wijze, met eikenhouten trappen naar verdiepingen, nu in de oostmoesson, vol hangende van een dikke benauwende warmte, als een tastbaar element, dat niet te doorademen was, bogen zij zich over hun werk, ziende tussen hun dorstige blik en de witte woestijn hunner papieren, steeds de dauwende fata-morgana van die toekomst, de lavende oase van hun materialistische hersenschim:

binnen zoveel tijd geld en dan weg, weg... naar Europa...
En in de villastad rondom Koningsplein, langs de groene
lanen, verscholen zich de vrouwen, bleven onzichtbaar de
vrouwen, de hele lange, lange dag. De warme dag ging
voorbij, het uur van weldadige koelte kwam, het uur van
halfzes tot zeven: de mannen, doodmoe, kwamen terug in
hun huizen, en rustten er uit, en de vrouwen, moe van haar
huishoudingen, haar kinderen en van niets, van het leven
van niets, het leven zonder belang, moe van de doodsheid
van haar bestaan, rustten er uit naast de mannen. In het uur
van weldadige koelte was het de rust, de rust na het bad,
in negligé, om het theeblad; de korte rust één ogenblik,
want angstig naderde het uur van zeven – wanneer het al
donker werd – en wanneer men naar een receptie moest.
Een receptie, dat was het zich warm aankleden in Europees
toilet, dat was het verschrikkelijke uur van Europees even
meedoen met salon-beschaving en wereldsheid, maar dat
was toch ook ontmoeten die en die, en een pas verder po-
gen te komen, tot de fata-morgana van de toekomst: tot
geld en tot eindelijke rust, in Europa. En nadat de villa-
stad in de zon de gehele dag was somber geweest, en
doods, en als uitgestorven, – de mannen ginds in de oude
stad, de vrouwen verborgen in haar huizen – kruisten nu
in den donker om Koningsplein en langs de groene lanen
zich enkele equipages, enkele Europees uitziende mensen,
die gingen naar een receptie. Terwijl om Koningsplein en
aan de groene lanen alle de andere villa's bleven volharden
in haar funèbre doodsheid en zich vol sombere duisternis
vulden, glom het huis, waar receptie was, van lampen tussen de palmen. En verder bleef de doodsheid overal, bleef
alom de sombere peinzing liggen over de huizen, waarin
zich verscholen de moede mensen: de mannen, afgebeuld
van werk, de vrouwen, afgebeuld van niets...
– Wil je niet wat toeren, Eva? vroeg haar gastvrouw, mevrouw De Harteman, een Hollands vrouwtje, wit als was,
en altijd moe van haar kinderen. Maar ik ga liever niet mee,
als je het me niet kwalijk neemt: ik wacht op Harteman.
Anders vindt hij zo niemand thuis. Ga jij dus, met je kleine
jongen.
En Eva, met haar ventje, toerde in de „wagen" van De
Harteman. Het was het koele uur van licht. Zij ontmoette
twee, drie rijtuigen: dat waren mevrouw Die en mevrouw

Die, van wie het bekend was, dat zij 's middags toerden. Zij zag op het Koningsplein een heer en een dame wandelen: dat wąren die en die: die wandelden altijd, dat was bekend in Batavia. Verder ontmoette zij niemand. Niemand. In het weldadige uur bleef de villa-stad doods als een stad van gestorvenheid, als een immens mausoleum tussen groen. En als een weldadigheid, na de verpletterende warmte, toch, breidde zich als een reuzeweide uit het Koningsplein, waar het verschroeide gras met de eerste regens begon te groenen, de huizen, zó ver af, zó ver verschietende in hun dichte tuinen, dat het was als buiten, als bos en veld en weide, met die wijde lucht erboven, waarin de longen nu adem zwolgen, alsof zij voor het eerst, die dag, zuurstof zogen en leven: die wijde lucht, iedere dag als een andere weelde van tinten, een overdaad van zonsondergang, een glorieus sterven van de blakende dag, of de zon zelve stuk brak in vloeizeeën van goud tussen lila dreigingen van regen. En het was zo wijd en zo heerlijk, het was zo een immense weldadigheid, dat het waarlijk troostte voor die dag.

Maar niemand, die het zag, dan de twee, drie mensen, van wie het bekend was, in Batavia, dat zij toerden of wandelden. Het schemerde paars, de nacht viel met een zware schaduw neer, en de stad, die de gehele dag doods was geweest, met haar frons van sombere peinzing, sliep moe in als een stad van zorg...

Het was vroeger anders, zei de oude mevrouw De Harteman, de schoonmoeder van Eva's vriendin. Nu waren ze er niet meer, de gezellige huizen met hun Indische gastvrijheid, met hun open tafel, met hun oprechte hartelijkheid van ontvangst. Want het karakter van de kolonist was als veranderd, als versomberd door het omslaan der kansen, door de teleurstelling, dat hij niet spoedig zijn doel bereikte: zijn materialistisch doel van rijkdom. En in die bitterheid scheen het, dat zijn zenuwen zich ook vernijdigden; zoals zijn ziel versomberde, verslapte zijn lichaam en bood het geen weerstand aan het vernietigende klimaat... En Eva vond niet in Batavia de ideale stad van Europees-oriëntalische beschaving, die zij zich Batavia gedacht had in de Oost-hoek. In dit grote centrum van zorg om geld, van verlangen naar geld, was alle spontaneïteit verdwenen en versufte het leven tot een zich eeuwig opsluiten in kantoor of in huis. Men zag elkaar alleen op de recepties, en verder besprak men elkaar door de telefoon. Het misbruik van de telefoon voor huiselijk gebruik doodde alle gezelligheid tussen kennissen. Men zag elkaar niet meer, men hoefde zich niet meer te kleden en het rijtuig – de wagen – te laten inspannen, want men causeerde door de telefoon, in sarong en kabaai, in nachtbroek en kabaai, en zonder zich bijna te bewegen. De telefoon was vlak bij de hand en door de achtergalerij tjingelde telkens het belletje. Men belde elkaar op om niets, alleen om het plezier te bellen. De jonge mevrouw De Harteman had een intieme vriendin, die zij nooit zag en iedere dag, gedurende een half uur lang, besprak door de telefoon. Zij ging er bij zitten, zo vermoeide het haar niet. En zij lachte en schertste met haar vriendin, zonder zich behoeven te kleden en zonder zich te bewegen. Zo deed zij met andere kennissen ook: zij maakte haar visites door de telefoon. Zij bestelde haar boodschappen door de telefoon. Eva, in Laboewangi niet gewend aan dat eeuwig getjingel en telefoongebel, dat alle conversatie doodde, dat in de achtergalerij – luid op – de helft van een gesprek – het antwoord onhoorbaar voor wie er verder zaten – klinken liet, als een onophoudelijk eenzijdig gerammel, werd er zenuwachtig om en ging naar haar kamer. En in de saaiheid van dit leven, vol zorg en inwendige peinzing, voor de man, waardoor rammelde de telefoon-causerie van zijn vrouw, was het voor Eva een verrassing ineens te horen van een bijzondere opwekking: een Fancy-fair, repetities voor een dilettanten-opera-voorstelling. Zij woonde er zelve een bij in die weken en het verbaasde haar: de waarlijk zeer goede uitvoering, als gedaan met een kracht der wanhoop dier muzikale dilettanten, om de verveling der Bataviase avonden te verdrijven... Want de Italiaanse opera was weg, en zij moest lachen om de rubriek: publieke vermakelijkheden, in de Javabode, onder welke vermakelijkheden meestal geen andere keuze was te doen dan uit drie, vier vergaderingen van aandeelhouders. Dat was vroeger ook anders, zeide dan de oude mevrouw De Harteman, die zich voor vijf-en-twintig jaren geleden wel herinnerde de uitstekende Franse opera, die wel duizenden eiste, maar waarvoor de duizenden altijd beschikbaar waren. Neen, de mensen hadden geen geld meer om zich 's avonds te amuseren: zij gaven soms een heel duur diner, of zij gingen naar een vergadering van aandeelhouders. Waarlijk, Eva vond het te Laboewangi toch nog veel gezelliger. Het is waar, zij had er zelve tot die gezelligheid veel meegewerkt, terwijl Van Oudijck haar altijd had aangespoord, blij van zijn residentieplaats een aardig, vrolijk stadje te maken. En zij kwam tot de conclusie, dat zij een kleine plaats in het binnenland, met enkele beschaafde, gezellige Europese elementen – zo zij harmonieerden en niet te veel kibbelden in hun nauwe samen-zijn – toch nog voortrok boven het pretentieuze, laatdunkende en sombere Batavia. Alleen in het militaire element was leven. Alleen de huizen van officieren waren des avonds verlicht. Verder doodste de stad weg, de gehele lange warme dag, met haar fronsing van zorg, met haar onzichtbare bevolking van naar de toekomst uitziende mensen: de toekomst van geld, de toekomst misschien meer nog van rust, in Europa.

En zij verlangde weg te komen. Batavia beklemde haar de adem, trots haar iederendaagse toer langs het wijde Koningsplein. Zij had alleen nog maar één wens van weemoed: afscheid te nemen van Van Oudijck. Haar natuur van elegante en artistieke vrouw, had, heel vreemd, oog gehad, bekoring gevoeld voor de zijne: die van simpel man van praktisch leven. Zij had misschien, één enkel ogenblik slechts, iets voor hem gevoeld, heel diep in zich: een vriendschap, die was als het contrast van haar vriendschap voor Van Helderen: een waardering meer van hoog menselijke kwaliteiten dan van Platonisch zielegemeenschapsgevoel. Zij had sympathisch medeleed voor hem gevoeld in die vreemde dagen van mysterie, hij alleen in zijn immense huis, waar rondom hem heen de vreemde gebeurlijkheid gedonsd had. Zij had innig voor hem medelijden gevoeld, toen zijn vrouw, als wegschoppende haar zo hoge positie, gegaan was in een drieste bui van schandaal verwekken, niemand wist precies waarom, zijn vrouw, eerst correct altijd, trots al haar verdorvenheid, maar langzamerhand door de kanker van het vreemde gebeuren zo opgegeten, dat zij zich niet meer had weten in te binden, het geheimste van haar zondeziel blootwoelende in de meest cynische onverschilligheid. De rode sirih-spatten, gespookspuwd op haar blote lichaam, hadden in haar geziekt, waren in haar merg gevreten, als een ontbinding van haar

196

ziel, waarin zij misschien zou ondergaan, heel langzaam weg. Wat men nu van haar vertelde, – hoe zij leefde in Parijs – was alleen te fluisteren, als een onuitzegbare verdorvenheid.

In Batavia, tussen de praatjes op de recepties, hoorde Eva hierover. En toen zij vroeg naar Van Oudijck, waar hij logeerde, of hij spoedig naar Europa zou gaan, na zijn zo onverwachts genomen ontslag – iets, dat de gehele ambtenaarswereld had verbaasd, wist men niet goed, vroeg men elkander of hij dan niet meer was in het hotel Wisse, waar men hem toch enkele weken had zien wonen, in zijn voorgalerijtje onbeweeglijk liggende in zijn stoel, de benen op de latten, onbeweeglijk als starende naar één punt... Hij was bijna niet uitgegaan, hij at daar, kwam niet aan de table-d'hôte, als was hij – de man, die steeds met honderden mensen had moeten omgaan – mensenschuw geworden. En eindelijk hoorde Eva, dat Van Oudijck te Bandoeng woonde. Daar zij er enige afscheidsvisites te maken had, ging zij naar de Preanger. Maar te Bandoeng was hij niet te vinden: de hotelhouder wist haar wel te zeggen, dat de resident Van Oudijck enkele dagen te zijnent verbleven was, maar hij was gegaan, en hij wist niet waarheen. Tot eindelijk, bij toeval, zij van een heer aan tafel hoorde, dat Van Oudijck dichtbij Garoet woonde. Zij ging naar Garoet, blijde hem op het spoor te zijn. En daar, in het hotel, wist men haar te beduiden, waar hij woonde. Zij wist niet, of zij hem eerst schrijven zou en aankondigen haar bezoek. Het was of zij iets voorried, dat hij zich dan excuseren zou en zij hem niet meer zou zien. En zij, op het punt Java te verlaten, verlangde hem te zien, uit sympathie, en uit nieuwsgierigheid, beide. Zij verlangde zelve te zien, hoe hij geworden was, hem te doordringen, waarom hij zo plotseling zijn ontslag had genomen, en zich had uitgewist zijn zo benijdbare plaats in het leven: plaats, ogenblikkelijk ingenomen, door wie achter hem aandrong, in het gretig dringen naar promotie. De volgende morgen dus, heel vroeg, zonder iets te hebben gemeld, reed zij in een rijtuig van het hotel weg; de hotelhouder had de koetsier uitgeduid, waar hij heen moest. En zij reed heel lang, langs het meer van Lellès, waarop de koetsier haar opmerkzaam maakte: het heilige, sombere meer, waarin op twee eilanden liggen de aloude graven van heiligen, terwijl er boven zweefde, als een donkere wolk van doodsheid, een altijd ronddraaiende zwerm van heel grote kalongs, zwarte reuzevleermuizen, klapwiekende hun demonische vlerken en krijsende hun wanhoopzege-schreeuw, onophoudelijk omcirkelend: rouw-zwarte duizeling tegen de eindeloos diepe blauwe lucht van de dag aan, of zij, de eens zo dag-schuwe demonen, gezegevierd hebben en niet meer schu-wen het licht, omdat zij het met de schaduw van hun fu-nèbre vlucht tóch verduisteren. En het was zo iets beklem-mends: het heilige meer, de heilige graven en daarboven een zwerm als van zwarte duivels in de diepe blauwe ether, omdat het was of iets van het mysterie van Indië er zich plotseling openbaarde, zich niet meer verbergende in vage verdonzing, maar zichtbaar werkelijk in de zon, ontstelling wekkend met zijn dreigende zege... Eva huiverde, en terwijl zij angstig naar boven keek, was het haar of de zwarte zwerm van schermwieken naar beneden zou slaan. Op haar... Maar de schaduw van dood tussen haar en de zon cirkelde alleen als een duizeling, hoog boven haar hoofd, en wanhoopschreeuwende alleen zijn triomf... Zij reed verder, en de vlakte van Lellès breidde zich groen en lachend voor haar uit. En de seconde van openbaring was al voorbij getikt: er was niets meer dan de groene en blauwe weelde van Java's natuur: het mysterie school al weer weg tussen de fijne, wuivende bamboe's, loste op in de azuuroceaan van de lucht.

De koetsier reed langzaam een stijgende weg op. De liquide sawah's traptraden als spiegelterrassen naar boven, ijl groen van de voorzichtig geplante padi-halmpjes; toen, plotseling, was het als een varen-allee; reuzevarens, die hoogopwaaierden, en grote fabelkapellen fladderden rond. En tussen de ijlte der bamboe's werd zichtbaar een kleine woning, half steen, half bamboe-vlechtwerk, met een tuintje er om, waarin enkele witte potten met rozen. Een heel jonge vrouw in sarong en kabaai, zachtjes goudglan-zend de wangen, nieuwsgierig spiedend de koolzwarte ogen, zag uit naar de verrassing van het rijtuig, dat heel langzaam aankwam en vluchtte naar binnen. Eva steeg uit, en kuchte. En om een schutsel in het middengalerijtje zag zij eensklaps iets van het gezicht van Van Oudijck, gluren. Hij verdween dadelijk.

– Resident! riep zij, en maakte haar stem lief.

Maar niemand kwam, en zij werd verlegen. Zij dorst niet gaan zitten en toch wilde zij ook niet weer gaan. Maar om het huisje, buiten, gluurde een gezichtje, twee bruine gezichtjes, van heel jonge nonna-meisjes, en verdwenen weer, gichelend. In het huisje hoorde Eva fluisteren, als iets van een grote emotie, heel zenuwachtig. Sidin! Sidin! hoorde zij roepen en fluisteren. Zij glimlachte, wat moediger en bleef en liep wat in het voorgalerijtje. En eindelijk kwam een oude vrouw, misschien niet zo heel oud van jaren, maar al oud van rimpelig vel en uitgedoofde ogen, in een gekleurde sitsen kabaai en slepend haar sloffen, en met een beetje Hollands en toen toch maar Maleis, glimlachend, beleefd, vroeg zij Eva te gaan zitten, en zei, dat de resident dadelijk zou komen. Zij zette zich ook, glimlachte, wist niet te spreken, wist niet te antwoorden, toen Eva haar iets vroeg over het meer, over de weg. Zij liet maar liever stroop brengen, en ijswater, en oublietjes, en praatte niet, maar glimlachte en verzorgde haar gast. Als de jonge nonna-gezichtjes gluurden om het huisje, stampte de oude vrouw boos met de slof en schold ze een plotseling woord toe, en dan verdwenen ze gichelend en liepen hard weg op hoorbaar klinkende blote voetjes. Dan glimlachte weer de oude met haar altijd glimlachende rimpelmond en zag als verlegen naar de dame, als vroeg zij haar excuus. En heel lang duurde het, tot Van Oudijck eindelijk aankwam. Met effusie begroette hij Eva, verontschuldigde zich haar te hebben laten wachten. Klaarblijkelijk had hij zich vlug geschoren, een fris wit pak aangetrokken. En hij was zichtbaar verheugd haar te zien. De oude vrouw, met haar eeuwige glimlach van verontschuldiging, vertrok. In die eerste opgewektheid scheen Van Oudijck aan Eva geheel dezelfde toe, maar toen hij, kalmer, zat en haar vroeg of zij tijding van Eldersma had, wanneer zijzelve ging naar Europa, zag zij, dat hij oud was geworden, een oude man. Het was niet in zijn figuur, dat, in zijn goed gesteven witte pak, nog altijd iets breed militairs had behouden, iets fors gehouwens, de rug alleen wat meer krommende als onder een last. Maar het was in zijn gezicht, in de doffe, belangeloze blik, in de zware groeven van het bijna pijnlijke voorhoofd, de tint van de huid geel en dor, terwijl zijn brede snor, waarom de joviale trek nog eens speelde, geheel grijs was. Een zenuwachtige trilling was in zijn handen. En hij hoorde haar uit, wat men te Laboewangi had gezegd, nog even nieuwsgierig naar de mensen van daarginds naar iets van zijn eens zo dierbaar gewest... Zij sprak er vaag over heen, vergoelijkend en verbloemend, en hem vooral niets zeggende, van de praatjes: dat hij met de noorderzon was vertrokken, dat hij gevlucht was, waarvoor, men wist het zelve niet.

– En u, resident, vroeg zij: gaat u ook gauw naar Europa? Hij staarde voor zich uit, toen lachte hij pijnlijk voor hij antwoordde. En hij zeide eindelijk, bijna verlegen:

– Neen mevrouwtje, ik ga maar niet meer terug. Ziet u eens, hier in Indië ben ik wat geweest, daar zou ik niets zijn. Ik ben nu ook niets meer, maar ik voel toch, dat Indië mijn land is geworden. Het land heeft zich van mij meester gemaakt en ik behoor het nu toe. Aan Holland behoor ik niet meer, en niets en niemand in Holland behoort mij. Ik ben, weliswaar, uitgevuurd, maar ik sleep toch nog liever mijn bestaan hier een poosje voort, dan daar. In Holland zou ik niet meer kunnen tegen het klimaat en niet meer tegen de mensen. Hier is het klimaat mij sympathiek en van de mensen heb ik mij teruggetrokken. Theo heb ik nog voor het laatst geholpen, en Doddy is getrouwd. En de beide jongens gaan naar Europa, voor hun opvoeding... Hij boog zich ineens naar haar over, en, met een andere stem, fluisterde hij bijna, als wilde hij komen tot een bekentenis:

– Ziet u... als alles gewoon was gegaan... dan... dan had ik niet gehandeld als ik gedaan heb. Ik ben altijd geweest een man van de praktijk en daarop was ik trots en ik was trots op het gewone leven: mijn eigen leven, dat ik leidde volgens principes, die ik goed dacht, naar een hoog punt onder de mensen. Zo ben ik altijd geweest, en zo ging het goed. Alles ging mij voor de wind. Als anderen tobden over promotie, sprong ik er vijf tegelijk over de kop. Het was alles glad voor mij uit, tenminste in mijn carrière. In mijn huiselijk leven ben ik niet gelukkig geweest, maar ik zou nooit week genoeg zijn om daaronder weg te teren van verdriet. Er is zoveel voor een man buiten zijn huiselijk leven. En toch hield ik altijd veel van mijn huiselijke kring. Ik geloof niet, dat het mijn schuld geweest is, dat alles zo is gelopen. Ik hield van mijn vrouw, ik hield van mijn kinderen, ik hield van mijn huis: mijn huiselijkheid,

waarin ik man en vader was. Maar dat gevoel in mij is
nooit tot zijn recht kunnen komen. Mijn eerste vrouw was
een nonna, die ik trouwde omdat ik verliefd op haar was.
Omdat zij mij er niet onder kreeg met haar nukjes, ging
het na enige jaren niet meer. Op mijn tweede vrouw was ik
misschien nog verliefder dan op mijn eerste: ik ben in die
dingen eenvoudig aangelegd... Maar ik heb het nooit
mogen hebben: een lieve huiselijke kring: een lieve vrouw,
kinderen, die op je schoot kruipen, die je lief ziet opgroeien tot mensen, mensen, die aan jou verschuldigd zijn
hun leven, hun bestaan, eigenlijk alles wat zij hebben en
zijn... Dat zou ik gaarne gehad hebben... Maar zoals ik
zeg, al miste ik het, het had mij toch nooit ten onder gebracht...
Hij zweeg even, toen ging hij voort, geheimzinniger,
fluisterender nog:
– Maar dát, ziet u,... dát, wat gebeurd is... dat heb ik
nooit begrepen... en dat heeft mij gebracht... tot hier...
Dat, dat alles, wat streed, wat indruiste tegen leven en
praktijk en logica... al die – hij sloeg met de vuist op de
tafel – al die verdomde nonsens, en die toch... die toch
maar gebeurde... dat heeft het hem gedaan. Ik was er wel
sterk tegen in, maar mijn kracht hielp er niet tegen. Het
was iets, waartegen niets hielp... Ik weet het wel: het was
de Regent. Toen ik hem gedreigd heb, is het opgehouden...
Maar, mijn God, mevrouwtje, zeg mij, wát was het?? Weet
u het? Neen, nietwaar, niemand, niemand wist het, niemand weet het. Die vreeslijke nachten, die onverklaarbare
geluiden boven mijn hoofd; die nacht in de badkamer met
de majoor en de andere officieren... Het was toch geen
zinsbegoocheling: wij zagen het, wij hoorden het, wij voelden het: het viel op ons, het spoog op ons: de hele badkamer was er vol van!! Andere mensen, die het niet ondervonden hebben, kunnen het gemakkelijk ontkennen. Maar
ik – wij allen – wij hebben het toch gezien, gehoord, gevoeld... En wij wisten geen van allen wat het was... En
sedert heb ik het altijd gevoeld. Het was om mij, in de
lucht, onder mijn voeten... Ziet u, dat... en dat alleen –
fluisterde hij heel zacht – dat heeft het gedaan. Dat heeft
gemaakt, dat ik daar niet meer blijven kon. Dat heeft gemaakt, dat ik als met stomheid, met idiotisme geslagen
werd – in het gewone leven, in al mijn praktijk en logica,

die mij opeens toescheen als een foutief opgebouwd levens-
stelsel, als de meest abstracte bespiegeling – omdat er
dwars doorheen dingen gebeurden van een andere wereld,
dingen, die mij ontsnapten mij en aan iedereen. Dat, dat
alleen heeft het gedaan. Ik was mezelf niet meer. Ik wist
niet meer wat ik dacht, wat ik deed, wat ik gedaan had.
Alles heeft in mij gewankeld. Die ellendeling in de kampong... hij is mijn kind niet: ik verwed er mijn leven om.
En ik... ik heb het geloofd. Ik heb hem geld doen toekomen. Zeg mij, begrijpt u mij? Zeker niet? Het is niet te
begrijpen, dat vreemde, dat oneigenlijke, als men het niet
ondervonden heeft, in zijn vlees en in zijn bloed, totdat het
doordrong in je merg...
– Ik geloof wel, dat ik het ook wel eens gevoeld heb, fluisterde zij nu. Als ik met Van Helderen wandelde langs de
zee, en de lucht was zo ver, de nacht zo diep, of de regens
van zo heel ver aanruisten en dan neervielen... of als de
nachten, doodstil en toch zo overvol van geluid, om je
heen trilden, altijd met een muziek, die als niet was te vatten en nauwlijks te horen... Of eenvoudig, als ik zag
in de ogen van een Javaan, als ik sprak met mijn baboe en
het was of niets van wat ik zeide, drong tot haar door, en
of wat zij mij antwoordde haar eigenlijk geheime antwoord
verborg...
– Dat is weer anders, zeide hij: dat begrijp ik niet; ik voor
mij, ik kende wel de Javaan. Maar misschien voelt elke
Europeaan dàt op een andere manier, volgens zijn aanleg,
en zijn natuur. Voor de een is het misschien de antipathie,
die hij van den beginne voelt in dit land, dat hem in de
zwakte van zijn materialisme aanvalt en blijft bestrijden...
terwijl het land zelve toch zo vol poëzie is en... mystiek...
zou ik bijna zeggen. Voor een ander is het het klimaat, of
het karakter van de inboorling, of wat ook, dat hem vijandig is en onbegrijpelijk. Voor mij... waren het feiten,
die ik niet begreep. En tot nog toe had ik een feit altijd
kunnen begrijpen... tenminste, dat kwam mij zo voor.
Nu werd het mij of ik niets meer begreep... Zo werd ik
slecht ambtenaar, en toen begreep ik, dat het gedaan was.
Ik ben er toen rustig mee uitgescheiden. En nu ben ik hier,
en nu blijf ik maar hier. En weet u, wat het vreemde is?
Hier heb ik mijn huiselijke kring... misschien eindelijk
gevonden...

De bruine gezichtjes gluurden om de hoek. En hij riep ze, hij lokte ze, vriendelijk, met een breed vaderlijk gebaar. Maar hoorbaar op blote voetjes, stampten zij weer weg. Hij lachte.

– Ze zijn heel verlegen, die kleine apen, zeide hij. Het zijn de zusjes van Lena, en die u zo-even gezien heeft, is haar moeder.

Hij zweeg even, eenvoudig-weg, als zou zij wel begrijpen wie Lena was: de heel jonge vrouw met de goudgewaasde wangen en de koolzwarte ogen, die zij even in een flits had gezien.

– En dan zijn er broertjes, die moeten leren in Garoet. Ziet u, dat is nu mijn huiselijke kring. Toen ik met Lena kennis maakte, heb ik de hele familie er maar bijgenomen. Het kost me wel veel geld, want ik heb mijn eerste vrouw te Batavia, mijn tweede te Parijs, René en Ricus in Holland. Dat kost me allemaal geld. En nu hier mijn nieuwe „huiselijke kring". Maar ik héb nu tenminste mijn kring... Het is me wel een Indische boel zal u zeggen: dat Indische-huwelijk met een dochter van een koffie-opziener, en daarbij nog op de koop toe de oude vrouw en de broertjes en zusjes. Maar ik doe er nog iets goeds mee. De mensen hadden geen cent, ik help ze. En Lena is een lief kind, en de troost van mijn oude dag. Ik kan niet leven zonder vrouw, en zo is het vanzelf gekomen... En zo is het heel goed: ik vegeteer nu hier, en drink lekkere koffie en ze zorgen goed voor de oude man...

Hij zweeg even, en toen:

– En u... u gaat naar Europa? Arme Eldersma, ik hoop, dat hij spoedig herstelt... Het is alles mijn schuld, nietwaar: ik liet hem maar te veel werken. Maar zo is het in Indië, mevrouw. Wij werken hier allemaal hard. Tot dat wij niet meer werken. En u gaat... al over een week? Wat zal u blij zijn uw ouders te zien, en mooie muziek te horen. Ik ben u nog altijd dankbaar. U heeft veel voor ons gedaan, u was de poëzie in Laboewangi. Arm Indië... wat schelden ze er niet op. Het land kan het toch niet helpen, dat er Kaninefaten op zijn grond zijn gekomen, barbaarse veroveraars, die maar rijk willen worden en weg... En als ze dan niet rijk worden... dan schelden ze: op de warmte, die God het van den beginne gegeven heeft... op het gemis aan voedsel voor ziel en geest ...ziel en geest van de Kaninefaat. Het arme land, waarop zo gescholden is, zal wel denken: Was weggebleven! En u... u hield ook niet van Indië.

– Ik heb geprobeerd er de poëzie van te vatten. En nu en dan vatte ik ook die poëzie. Verder... is alles mijn schuld, resident, en niet de schuld van dit mooie land. Evenals uw Kaninefaat... had ik hier niet moeten komen. Al mijn spleen, al mijn melancholie... hier geleden in dit mooie land van mysterie... is mijn schuld. Ik scheld niet op Indië, resident.

Hij vatte haar bij de hand, en bijna met ontroering, bijna met een vochtglans in zijn oog.

– Ik dank u ervoor, zeide hij zacht. Dat woord is van u: uw eigen woord, het woord van een verstandige, ontwikkelde vrouw, die niet als een stomme Hollander er maar op los trekt, omdat hij niet precies hier gevonden heeft wat aan zijn ideaaltje beantwoordde. Ik weet het: uw natuur heeft hier veel geleden. Het kan niet anders. Maar... het was niet de schuld van het land.

– Het was mijn eigen schuld, resident, herhaalde zij, met haar zachte stem en haar glimlach.

Hij vond haar aanbiddelijk. Dat zij niet uitvoer in imprecaties, niet losbarstte in heerlijkheid omdat zij over een paar dagen Java verliet, deed hem weldadig aan. En toen zij opstond, zeggende, dat het haar tijd werd, voelde hij een zware weemoed.

– En ik zie u dus nooit meer terug?

– Ik geloof niet, dat wij zullen terugkomen.

– Het is dus een afscheid voor altijd?

– Misschien zien wij u nog, in Europa...

Hij weerde af met de hand.

– Ik ben u innig dankbaar, dat u de oude man eens is komen opzoeken. Ik rijd met u mee naar Garoet...

Hij riep het naar binnen, waar de vrouwen, onzichtbaar, scholen, waar de kleine zusjes gichelden.

En hij steeg met haar in het rijtuigje. Ze reden de varen-allee uit en plotseling zagen zij het heilige meer van Lellès, oversomberd door de cirkelende duizeling der altijd rond-vlerkende kalongs.

– Resident, fluisterde zij: ik voel het hier...

Hij glimlachte.

– Dat zijn maar kalongs, zeide hij.

– Maar in Laboewangi... daar was het misschien maar
een rat...
Hij fronste even de brauwen; toen glimlachte hij weer, –
de joviale trek om zijn brede snor – en nieuwsgierig zag
hij naar boven.
– Hè, zeide hij zacht. Heus? Voelt u het hier?
– Ja.
– Neen, ik niet... Het is bij een ieder iets anders.
De reuzenvleermuizen wanhoopschreeuwden schril hun
triumf. Het rijtuigje reed voorbij, en ging langs een kleine
spoorweghalte. En in de anders zo eenzame landstreek
was het vreemd, dat een gehele bevolking, een zwerm van
bonte Soendanezen, samenstroomde aan het kleine station,
gretig uitziende naar een langzame trein, die, tussen de
bamboes zwart-rokend, naderde. Aller ogen waren dol
open gesperd, als verwachtten zij het heil van de eerste
aanblik, als zou een schat voor hun ziel zijn de eerste indruk, die zij zouden ontvangen.
– Dat is een trein met nieuwe hadji's, zei Van Oudijck.
Allemaal verse Mekka-gangers...
De trein hield stil, en uit de lange wagens der derde klasse,
plechtig, langzaam, vol wijding en bewust van hun waarde, stegen de hadji's uit, rijk geel en wit getulband het
hoofd, waarin trots de ogen glansden, laatdunkend de lippen zich dicht trokken, in nieuwe glanzende jassen, goudgele en purperen samaren, die vielen aanzienlijk bijna neer
tot de voeten. En, gonzend van verrukking, soms met een
opstijgende kreet van onderdrukte extase, drong nader de
uitziende menigte, bestormde de nauwe uitgangen van de
lange wagons... De hadji's, plechtig, stegen uit. En hun
broeders en hun vrienden grepen om strijd hun handen,
de zomen van hun goudgele en purperen samaren, en kusten die heilige hand, dat heilig gewaad, omdat het hun
bracht iets van het heilige Mekka. Zij vochten, zij verdrongen elkaar om de hadji's, om het allereerst de kus te
geven. En de hadji's, laatdunkend, zelfbewust, schenen de
strijd niet te zien, waren als voornaam rustig en plechtig
aanzienlijk te midden van de strijd, te midden van de golvende en gonzende menigte, en overlieten hun hand, overlieten hun tabbaardzoom aan de dweepkus van al wie hen
nakwam.
En vreemd was het in dit land van diep geheimzinnig slui-

merend mysterie, in dit volk van Java, dat zich als altijd
verborg in het geheim van zijn ondoordringbare ziel – wel
onderdrukt maar toch zichtbaar, te zien rijzen een extase,
te zien oogstaren een dronkene dweping, te zien zich openbaren een deel van die ondoordringbare ziel in haar ver-
goddelijking van wie het graf des Profeten had gezien, te
horen zacht gonzen een godsdienstverrukking, te horen
optrillen, plotseling onverwacht, een niet te onderdrukken
kreet van glorie, die weer dadelijk verzonk, versmolt in
het gegons, als angstig om zichzelve, omdat het heilige
tijdstip nog niet daar was...

En Van Oudijck en Eva, op de weg, achter het station,
langzaam voortrijdend om de drukke menigte, die gonzende altijd de hadji's omringde, hun dragende eerbiedig
hun reisgoed, hun vleierig aanbiedend hun karretjes, zagen
plotseling elkander aan, en ofschoon zij het geen van beiden wilden zeggen met woorden, zeiden zij elkaar met een
blik van begrijpen, dat zij Hét, Dát, voelden – beiden –
beiden tegelijkertijd nu, daar te midden van het dwepen
dier menigte...

Zij voelden het beiden, het onuitzegbare: dat wat schuilt
in de grond, wat sist onder de vulkanen, wat aandonst met
de verre winden mee, wat aanruist met de regen, wat aan-
davert met de zwaar rollende donder, wat aanzweeft van
wijd uit de horizon over de eindeloze zee, dat wat blikt uit
het zwarte geheimoog van de zielgeslotene inboorling,
wat neerkruipt in zijn hart en neerhurkt in zijn nederige
hormat, dat wat knaagt als een gift en een vijandschap aan
lichaam, ziel, leven van de Europeaan, wat stil bestrijdt de
overwinnaar en hem sloopt en laat kwijnen en versterven,
heel langzaam-aan sloopt, jaren laat kwijnen, en hem ten
laatste doet versterven, zo nog niet dadelijk tragisch dood
gaan: zij voelden het beiden, het Onuitzegbare...

En in het voelen ervan, tegelijk met de weemoed van hun
afscheid, dat zo dadelijk dreigde, zagen zij niet, te midden
der golvende, deinende, gonzende menigte, die als eer-
biediglijk voortstuwde de gele en purperen voornaam-
heden der uit Mekka terugkerende hadji's – zagen zij niet
die éne grote witte, rijzen boven de menigte uit en kijken
met zijn grijnslach naar de man, die hoe hij ook zijn leven
geademd had in Java, zwakker was geweest dan Dát...

VERKLARENDE WOORDENLIJST

Ajam - kip; **ajer blanda** - spuit-, mineraalwater; **ajer wangi** - parfum; **ajo** - schiet op, vooruit; **aloen-aloen** - groot plein voor de woning van de Javaanse regent; **ampas** - uitgeperst suikerriet voor verschillende doeleinden gebruikt; **apa boleh boeat** - wat doe je er aan?; **atap** - dakbedekking van gedroogde palmbladeren of gras.

Baar - iemand, die nog maar kort in Indië is; **bacchantisch** - uitgelaten dol, losbandig; **badjing** - Javaanse eekhoorn, de zgn. klapperrat; **baleh-baleh** - lig- of rustbank; **bawa barang mandi** - breng alles wat nodig is om me te baden; **bébé** - lange wijde jurk als huisdracht; **bedak** - geparfumeerd rijstepoeder als toiletmiddel; **bibit** - jonge rijst- en suikerrietplantjes om uit te zetten; **blague (Fr.)** - opschepperij,grootspraak; **boeang** - gooi weg; **buggy (Eng.)** - licht open rijtuigje.

Caladium - bekende sierplant: een stengelloze knol; **chrysanthème (Fr.)** - chrysant: de nationale bloem in Japan; **crisperen** - op de zenuwen werken, tureluurs maken.

Dalem (dalam) - interieur van Javaanse regentewoning; **deng-deng** - in de zon gedroogd, met kruiden toebereid in plakken gesneden vlees; **djaga** - wachter, nachtwaker; **djait** - inlandse huisnaaister; **djaksa** - inlandse officier van justitie; **djati** - het zeer harde teakhout; **djimat** - amulet: meestal in een zakje genaaid met toverspreuk erop; **djoeroetoelis** - schrijver, klerk in dienst van inheemse vorst of het gouvernement; **doekoen** - medicijnman, kruidendokter, 'tovenaar'; **doepa** - wierook; **dos à dos (Fr.)** - huurrijtuigje met leuning tussen twee banken; **doyen (Fr.)** - deken, oudste.

Ecarté (Fr.) - tussen 2 personen gespeeld kaartspel met 32 kaarten; **effusie** - hartelijkheid.

Flamboyant - tropische sierboom.

Gajong - blikken of zinken emmertje voor het baden; **galangan** - dijkje tussen twee geïrrigeerde rijstvelden; **gardoe** - wachthuisje bij ingang van het dorp, bij viersprongen etc.; **gedetraqueerd** - geestelijk gestoord; **gekko** - muurhagedis met nachtelijke levenswijze; **gigerl (D.)** - modeheertje; **goedang** - pantry: provisiekast; pakhuis; **gommeux (Fr.)** - modeheertje.

Integer - onomkoopbaar; **inten-inten** - diamanten.

Kaboepaten - ambtswoning van de regent; **kainpandjang** - lange lap als kledingstuk, meestal om de heup geslagen; **kakemono** - Japanse oprolbare wandplaat; **kali** - rivier (op Oost-Java); **kalong** - grote vruchtenetende vleermuis; **kampret** - kleine vleermuis; **kandjeng** - aanspreektitel van de resident: 'verhevene'; **kantjil** - zeer klein, sierlijk hertje; **kassian** - uitroep van medelijden; **katjang goreng** - geroosterde pinda's; **keepsake (Eng.)** - souvenir: cadeautje tot aandenken; **keh** - minachtende benaming voor Chinees; **kenanga** - heerlijk geurende bloem door vrouwen in het haar gedragen; **ketjoe** - bandiet, lid van roversbende; **koempoelan** - vergadering, bijeenkomst, samenkomst (inz. officieel); **kondé** - haarwrong achter op het hoofd; **kwee-kwee** - allerlei koekjes, gebak etc.; **kwispedoor** - op de grond geplaatst spuwbakje.

Latania - Braziliaanse waaierpalm; **lattah** - eigenaardig tropisch ziektebeeld, waarbij de patiënt gesproken woorden naspreekt en herhaalt; **lengang** - met de armen slingerende beweging makend; **leontine** - lange ketting voor dameshorloge; **lidi** - palmbladnerven, waarvan bezems gemaakt worden; **lodèh** - indisch gerecht: sterk gekruide en gesneden groenten etc.; **loewak** - Indische palmmarter uit de koffieplantages.

Magang - onbezoldigd volontair (klerk); **mandoer** - opzichter (over werklui, koelies, gevangenen); **manga** - sappige Ind. vrucht met oranjekleurig vruchtvlees; **mangistan** - fijne Ind. vrucht met dikke schil en witte vlezige pitten; **massa** - hoe kan dat nu, bestaat niet; **mauve (Fr.)** - lichtpaars; **minta ampong** - pardon, neemt u mij niet kwalijk.

Njo (sinjo) – halfbloed; **njonja besar** – mevrouw: vrouw van hooggeplaatst persoon; **nonna** – juffrouw (bijv. oudste dochter).

Oelek – zeer sterk gekruid ingrediënt van de rijsttafel; **orang blanda** – blanken; **ostentatie** – uiterlijk vertoon; **ottomane** – lage sofa zonder leuning.

Paal – Ind. afstandsmaat: 1507 meter; **padi** – nog te velde staande rijst (of: rijst in de aar); **pajong** – regen-, zonnescherm (ook als teken van rang); **pangeran** – eretitel van vorstelijke Javanen; **passer-malam** – avondjaarmarkt (duurt soms weken); **patih** – vertegenwoordiger van Javaanse vorst; bestuursambtenaar; **pending** – gouden of zilveren gordelplaat; **pendoppo** – open galerij aan aanzienlijke inlandse of Europese woning; **petangans** – heilige berekeningen voor welslagen van ondernemingen door doekoen; **pidjitten** – masseren door knijpbewegingen; **pontianak** – boze geest, die het vooral op kinderen en vrouwen gemunt heeft; **pisang goreng** – gebakken banaan; **plaque (Fr.)** – stervormige decoratie op de borst gedragen; **printah geven** – commanderen.

Raden ajoe pangeran – de weduwe van de oude regent (in Solo op Java); **ramboetan** – soort granaatappel met dikke behaarde schil; **ringgit** – eig. pop: rijksdaalder; **roedjak** – soort slaatje met azijn, soja, Spaanse pepers etc.

Sado – zie: dos à dos; **saja toean** – ja mijnheer; **sajoer** – sterk gekruide groentesoep; **samaar** – ruime lange mantel voor mannen; **sambal** – sterk gekruide toespijs bij de rijst; **sapi (sappi)** – rund (ook als trekdier); **sawah** – geïrrigeerd rijstveld; **sedekah** – enigszins plechtige godsdienstige dankmaaltijd; **sembah** – eerbiedige ceremoniële begroeting; **sinjo** – halfbloed, kleurling; **sirih** – pruim van met fijne kalk bestreken sirihbladeren; kleurt de mond rood; **soempitan** – blaaspijp; **soesah** – drukte, last; **spen** – tafelbediende.

Tali-api – eig. vuurtouw: lont om sigaren aan te steken; **tandak** – danseres (danst met armgebaren en lichaamsverdraaiingen); **tetampa** – Bamboezeef, wan; **tida** – niets; **tjelaka** – onheil, ongeluk; **tjemara** – Indon. naaldboom; **tjikar** – ossewagen; **tjina mampoes** – scheldwoord; eig. dooie Chinees; **tjobè** – stenen schotel, waarin ingrediënten worden fijngewreven; **toekang besi** – smid, slotenmaker; **tokkè** – Ind. muurhagedis met nachtelijke levenswijze; **toko** – soort bazar, winkel; **tong-tong** – opgehangen, uitgehold houten blok, waarop geslagen wordt.

Victoria regia – waterlelie met zeer grote ronde op het water drijvende bladeren.

Waringin – Indon. vijgeboom, veel op dorpspleinen; **wedono** – inlands districtshoofd op Java.